Ein Glas Wein, Rieslingspastete
taart mit Sahne – auf der Luxen
sich der ehemalige Sternekoch
din, die Gastrokritikerin Valérie
plötzlich wird sie von einem Fremden attackiert. Als er ver-
schwindet, hinterlässt er eine Magnetkarte. Am nächsten Morgen wird der Mann unter der Roten Brücke tot aufgefunden.
Was wollte er von Valérie Gabin? Was hat es mit der Chipkarte
auf sich? Und warum sind plötzlich so viele Leute hinter Kieffer
her? Der Luxemburger Koch steht plötzlich im Zentrum einer
Verschwörung und erkennt, dass seine Freundin in höchster
Gefahr schwebt.

»Tom Hillenbrand regt genussvoll den Appetit
der Krimileser an.«
Die Welt

Der Autor

Tom Hillenbrand, geb. 1972, studierte Europapolitik, volon-
tierte an der Holtzbrinck-Journalistenschule und war Ressort-
leiter bei SPIEGEL ONLINE. Er ist Autor der kulinarischen
Kriminalromane »Teufelsfrucht« (KiWi 1204), »Rotes Gold«
(KiWi 1262) und »Tödliche Oliven« (KiWi 1405). Der Roman
»Drohnenland« (KiWi 1265) stand monatelang auf der Krimi-
Bestenliste der ZEIT. Seine beiden Sachbücher »Schräge Schil-
der« (KiWi 1128) und »Ich bin ein Kunde, holt mich hier raus« –
unter dem Namen Tom König – (KiWi 1293) waren Taschen- und
Hörbuchbestseller.
www.tomhillenbrand.de

Tom Hillenbrand

Letzte Ernte

Ein kulinarischer Krimi

Xavier Kieffer ermittelt

Kiepenheuer
& Witsch

Verlag Kiepenheuer & Witsch, FSC® N001512

7. Auflage 2014

© 2013, Verlag Kiepenheuer & Witsch, Köln
Alle Rechte vorbehalten. Kein Teil des Werkes darf in
irgendeiner Form (durch Fotografie, Mikrofilm oder
ein anderes Verfahren) ohne schriftliche Genehmigung
des Verlages reproduziert oder unter Verwendung
elektronischer Systeme verarbeitet, vervielfältigt
oder verbreitet werden.
Umschlaggestaltung: Barbara Thoben, Köln
Umschlagmotiv: © plainpicture/Etsa
Gesetzt aus der Apollo und der Birch
Satz: Buch-Werkstatt GmbH, Bad Aibling
Druck und Bindearbeiten: CPI – Clausen & Bosse, Leck
ISBN 978-3-462-04533-8

Für meine Mutter

1

Er spürte das Brennen in den Armen, merkte, wie seine Beine immer schwerer wurden. »Du wirst es nicht bis zur anderen Seite schaffen«, raunte die Stimme in Piet Malherbes Hinterkopf. Er ignorierte ihre Einflüsterungen und zwang sich, den Rhythmus beizubehalten. Arm nach vorne, unter dem Körper durchziehen, links atmen. Drei weitere Armschläge, rechts atmen. Durch seine Schwimmbrille sah Malherbe den Boden vorbeiziehen, sah seine schwarzen Handschuhe mit den Schwimmhäuten unter sich vorbeigleiten. Der Schmerz in den Muskeln wurde stärker. Als er den Kopf aus dem Wasser hob, um Luft zu holen, konnte er sehen, dass er noch nicht einmal die Hälfte der Bahn geschafft hatte. Verbissen kraulte Piet Malherbe weiter. Er ahnte, dass er bereits hinter der optimalen Rundenzeit lag, die er mithilfe eines Pulsmessers errechnet hatte. Seinem Leistungsprofil zufolge lag diese für fünfzig Meter bei 0:45. Also 1:30 für einen Hundert-Meter-Abschnitt, danach jeweils zwanzig Sekunden Pause. Malherbe schnappte nach Luft. Sein Beinschlag, drei Schläge je Armzug, war ebenfalls aus dem Takt geraten. Und ihm fehlten immer noch zehn Meter bis zur Beckenkante.

Am Bahnende kam Malherbe keuchend aus dem Wasser hoch und schaute auf die Schwimmuhr an seinem Handgelenk. 2:05, fünfzehn Sekunden über der erlaubten Zeit. Er würde die fünfzehn Sekunden von der zwanzigsekündigen Verschnaufpause abziehen müssen, die ihm eigentlich zustand. So sah es sein selbst aufgestellter Trainingsplan vor: Pausieren durfte nur, wer Leistung brachte. Für Schwäche war kein Platz, Schwäche musste bestraft werden, umgehend. Er hatte seine kleine Pause fast vollständig verbummelt, also würde er sofort die nächste Schwimmeinheit absolvieren.

Malherbe wollte sich bereits abstoßen, als er aus dem Augenwinkel das hektisch blinkende rote Lämpchen wahrnahm. Er griff nach der durchsichtigen, mit einem Plastikclip verschlossenen Tüte am Beckenrand, in der sich sein Blackberry befand. Er besaß mehrere Telefone, doch nur dieses nahm er überall mit hin, auch nachts schaltete er es nie aus. Nicht einmal zehn Leute hatten die Nummer. Und sie alle wussten, dass man Piet Malherbe besser nicht wegen einer Lappalie anrief.

Scholz hatte ihn zu erreichen versucht. Der Deutsche war seit über drei Jahren der Sicherheitschef seiner Firma. Malherbe fluchte und drückte die Rückruftaste. Scholz meldete sich nach dem ersten Klingeln mit den Worten: »Guten Abend. Es gibt Entwicklungen in der Kats-Sache.«

Malherbe stemmte sich ein Stück am Beckenrand hoch, um besser telefonieren zu können. Es hatte wieder angefangen zu regnen, Tropfen fielen in den Außenpool und nun auch auf seine Schultern.

»Wissen wir endlich, wo er ist?«

»Wir wissen, wo er war«, erwiderte Scholz. »Da wir aber nicht direkt an ihm dranhängen, sondern nur seiner Datenspur folgen, können wir nie genau sagen, wo er ist. Wir haben immer eine Zeitverzögerung von drei, vier Stunden. Ein Problem asymmetrischer Information.«

Malherbe wusste um Scholz' bisweilen oberlehrerhafte Art und war für gewöhnlich bereit, diese zu tolerieren. Nach den kolossalen Fehlern, die sein Sicherheitschef sich in den vergangenen Wochen geleistet hatte, verspürte er dazu momentan jedoch nicht die geringste Lust, zumal es bereits gegen Mitternacht ging und er einen anstrengenden Tag gehabt hatte. »Kommen Sie mir nicht mit dieser verquasten Scheiße, Scholz. Ich will einfach nur wissen, wo er ist!«

»Natürlich, Herr Malherbe. Und ich glaube, ich habe die Lösung.«

»Und zwar?«

»Ich würde vorschlagen, dass wir das unter vier Augen besprechen und nicht über das Swisscom-Netz. Soll ich zu Ihnen kommen?«

Scholz hatte natürlich recht. Sicherheit ging vor, und das Thema verlangte absolute Diskretion. »Gut. Kommen Sie so schnell wie möglich hoch.« Dann legte er auf.

Malherbe deponierte den noch immer durch die Plastiktüte geschützten Blackberry am Beckenrand, stieß sich mit den Armen aus dem Wasser und hievte seinen Körper über die Poolkante. Rasch schlang er sich ein Badetuch um die Schultern und eilte den mit Schieferplatten ausgelegten Weg vom in der nächtlichen Kälte der Alpen dampfenden Pool zum Gartenhaus seiner Villa hinauf. Als er dort etwas übergezogen hatte, stieg er die Treppe hinauf ins Hauptgebäude. Sein Haus lag in Mattberg, einem Dörfchen oberhalb des Vierwaldstättersees. Er setzte sich an seinen Schreibtisch und schaltete die vier wie Schmetterlingsflügel angeordneten Monitore ein.

Scholz würde vom Firmensitz etwa zwanzig Minuten hierher brauchen. Das Hauptquartier des Unternehmens befand sich in Weggis, einer Gemeinde unten am See. Dort hatte der Konzern zwei große Villen und ein altes Kurhotel gekauft und die nebeneinanderliegenden Gebäude zu einem kleinen Campus für die rund hundertfünfzig Mitarbeiter umfunktioniert. Es gab nirgendwo ein Firmenschild, doch die Menschen in Weggis wussten, dass in ihrem Ort einer der mächtigsten Konzerne Europas ansässig war. Die Firma spülte trotz des sensationell niedrigen Gewerbesteuersatzes immense Summen in die Dorfschatulle. Dazu kam das, was Malherbe an Vermögenssteuer zahlte. Allein von diesem Betrag hätte Weggis die Seepromenade renovieren können – jedes Jahr.

Der Vorstandschef schaute auf die vier Monitore. Der Kämmerer von Weggis würde auch in diesem Jahr Grund zur Freude haben, die Aktionäre sowieso. Auf dem rechten oberen Bildschirm sah Malherbe das Saldo aller Börsengeschäfte, die seine Leute heute rund um den Globus getätigt hatten. Er wollte am Ende des Tages stets auf den Rappen genau wissen, wie viel sie verdient hatten. Insgesamt lagen sie im aktuellen Quartal mit nunmehr 6,4 Milliarden Franken im Plus. Malherbe überprüfte die Nachrichtenlage sowie die wichtigsten Indizes jener elektronischen Börsenplattformen in London und Chicago, die auch jetzt noch handelten. Er wollte sich gerade seinen E-Mails zuwenden, als der Pförtner Scholz' Ankunft meldete.

Malherbe stand auf, ging von seinem Schreibtisch zu einer Sitzgruppe am anderen Ende des loftartigen Arbeitszimmers und ließ sich dort in einen Sessel fallen. Eine Minute später trat Scholz durch die Tür. Er trug wie immer ein weißes Hemd mit Krawatte und darüber einen schwarzen Lederblouson, dessen Ärmel er hochgekrempelt hatte. Scholz' blondes Haar war raspelkurz geschnitten, der untere Teil seines kantigen Gesichts wurde von einem rötlichen Fünf-Tage-Bart verdeckt. Für den Manager eines Schweizer Finanzkonzerns war das ein eher ungewöhnliches Outfit. Einer von Malherbes Verwaltungsräten, der Scholz in herzlicher Abneigung verbunden war, hatte einst gegiftet, der Sicherheitsberater habe sich diesen Stil wohl von seinem ehemaligen Arbeitgeber abgeguckt.

Das klang wie üble Nachrede, aber Malherbe hatte erstaunt feststellen müssen, dass der Verwaltungsrat recht hatte. Es gab da dieses Foto. Darauf stand Scholz neben Udai Hussein, dem Sohn des ehemaligen irakischen Diktators: beide mit Lederjacke und Krawatte, beide mit hochgekrempelten Ärmeln und Stoppelbart, Arm in Arm, lachend. Udai war eine der widerwärtigsten Gestalten des irakischen Regimes gewesen, ein psychopathischer Sadist. Und der Deutsche hatte als sein persönlicher Sicherheitsberater fungiert. Dank des umfangreichen Hintergrundchecks, den er vor Scholz' Einstellung hatte durchführen lassen, wusste Malherbe, dass der Dresdner nach dem abrupten Ende seiner NVA-Karriere mit einer Menge Leute gearbeitet hatte, die nicht gerade als große Menschenfreunde bekannt waren. Scholz hatte Syriens Präsident Assad bei der Reform der Geheimpolizei beraten und angeblich sogar die Nordkoreaner. Letzteres war nur ein Gerücht, wenn auch ein durch zahlreiche Indizien unterfüttertes. Man munkelte, Scholz habe für Kim Jong Il mehrere Spezialprojekte abgewickelt. Er hatte seine

Spuren perfekt verwischt, was in Malherbes Augen ein weiterer Beweis für die herausragende Kompetenz seines Sicherheitschefs war. Manche im Konzern hielten Scholz' frühere Nähe zu diversen Diktatoren für ein Zeichen moralischer Verfaultheit. Malherbe hingegen sah diese Engagements eher als Belege dafür, dass Oberstleutnant a. D. Klaus Scholz eine echte Spitzenkraft war. Staatschefs totalitärer Regime besaßen enorm tiefe Taschen und konnten sich als Sicherheitsberater die Besten der Besten leisten – und sie hatten sich alle für Scholz entschieden. Als Malherbe zu Ohren kam, dass der Mann zu haben war, hatte er keine Sekunde gezögert.

Scholz nickte ihm zu und setzte sich wortlos in den Ledersessel, der dem Malherbes gegenüber stand.

»Kaffee?«

»Ja, danke.«

Malherbe gab dem Butler, der diskret hinter einer Ecke auf Befehle wartete, ein Zeichen. »Geben Sie mir ein Update. Was ist passiert?«

Scholz lehnte sich zurück und strich sich mit der Rechten über das stoppelige Kinn. »Wir haben den Verlauf rekonstruiert. Kats ist vor vier Tagen gegangen. Sein letzter Log-in war nachmittags, zwei Stunden war er da im System. Zu wenig Zeit für einen Transfer, vor allem für einen ohne Spuren.«

»Was wollen Sie damit andeuten?«

Scholz lehnte sich vor und schaute Malherbe an. »Das heißt, er hatte das von langer Hand geplant. Ich denke, weitere Untersuchungen werden zeigen, dass er sie bereits vor ein oder zwei Wochen vollständig kopiert hat. Und wenn er das alles tatsächlich seit Monaten vorbereitet hat, wirft es natürlich auch die Frage auf, ob er nur die Daten gestohlen oder auch zusätzlich noch an unserem System herumgeschraubt hat.«

»Hätte er das denn so einfach gekonnt?«

»Nein. Er besaß zwar gewisse Befugnisse, aber umfassende Änderungen am Computersysten hätte er sich von einem Vorstand abzeichnen lassen müssen.«

Der Butler brachte zwei Schümli. Malherbe nippte und umschloss die warme Tasse mit beiden Händen. Ihn fröstelte. Er war sich nicht sicher, ob es daran lag, dass er den obligatorischen Saunagang nach dem Schwimmen hatte ausfallen lassen oder an dem, was ihm Scholz gerade erzählte.

»Ohne Vorstandsbeschluss würde unser EDV-Chef nie die erforderlichen Zugangscodes rausrücken«, fuhr Scholz fort. Er schaute unglücklich. »Aber …«

»Aber was? Ist Ihre Sicherheitsprozedur etwa nicht wasserdicht?«

»Normalerweise würde ich beschwören, dass niemand das System austricksen kann. In diesem Fall liegen die Dinge jedoch anders.«

»Was soll das heißen? Diese Codes sind das Wertvollste, das unsere Firma besitzt. Und Sie wissen nicht, ob dieser Bastard dran rumfummeln konnte?«

Scholz kehrte beide Handflächen nach außen und schaute zu Boden. »Laut Personalakte hat Kats einen IQ von hundertneunundsechzig. Er ist intelligenter als Einstein. Der Mann hat Einblicke in Mathematik und Informationstechnologie, die über alles für Normalsterbliche Vorstellbare hinausgehen. Und deshalb lässt sich nicht ausschließen, dass er trotz unserer extrem umfangreichen Sicherheitsvorkehrungen einen Weg gefunden hat.«

Malherbe stand auf. »Was schlagen Sie vor?«

»Unsere Experten haben begonnen, das Computersystem zu überprüfen, jede einzelne Zeile Programmcode. Das dauert mehrere Wochen. Wir legen außerdem eine vollständige Kopie an, auf der Basis eines acht Wochen alten Backups. Damit wir umschalten können, falls Kats das System irgendwie manipuliert hat.«

Der Vorstandschef stand auf und lief ein paar Schritte im Raum hin und her. »Sie meinen, falls er ein Löschprogramm oder so etwas hinterlassen hat? Ist solch ein Parallelsystem nicht sehr teuer?«

»Ja, aber die Summe ist bescheiden im Vergleich zu dem, was unsere Leute für einen totalen Systemausfall berechnet haben.« Scholz ohnehin bleiches teutonisches Gesicht hatte jegliche Farbe verloren. »Hundertzwölf Milliarden Dollar.«

Die Stimme in seinem Hinterkopf riet Malherbe, Scholz augenblicklich von all seinen Aufgaben zu entbinden. Durch sein Versagen waren sie an den Rand des Abgrunds geraten. Er ignorierte die Stimme. Wenn er Scholz feuerte, dann würde sein eigener Kopf möglicherweise wenige Stunden später rollen. Sie mussten die Sache irgendwie unter Kontrolle bringen, bevor aus dem potenziellen Schaden ein realer wurde. Die einzige Lösung war, Kats an der Weitergabe der Daten zu hindern. Und dafür brauchte er Scholz.

»Ist das alles, Scholz? Sie schauen, als ob da noch mehr kommt.«

»Ich habe noch eine gute und eine schlechte Nachricht, Herr Malherbe.«

Er musterte den Deutschen. Sein Sicherheitsberater wusste, dass es bei ihrem Gespräch um seinen fürstlich dotierten Job ging und hatte sich deshalb noch einen

Trumpf aufgespart. Dumme Spielchen waren das. Malherbe spürte, dass er gleich die Geduld verlieren würde. »Raus damit«, presste er hervor.

»Als Kats hierherkam ... Sie wissen von der Silverstein-Green-Geschichte?«

»Ich weiß von nichts!«, zischte Malherbe. Dabei war ihm klar, worauf Scholz anspielte. Bevor Aron Kats ihr oberster Softwarearchitekt geworden war, hatte er mehrere Jahre für Silverstein Green die Handelsstrategie eines der hauseigenen Hedgefonds betreut. Die New Yorker Investmentbank tätigte ganz ähnliche Geschäfte wie Malherbes Unternehmen, und Kats hatte von dort gewisse wertvolle Firmeninterna mitgebracht. Silverstein wusste es, Malherbe wusste es auch. Nur beweisen ließ sich die Sache erfreulicherweise nicht. Und deshalb war es das Beste, nicht darüber zu reden.

»Natürlich«, begann Scholz vorsichtig von Neuem. »Lassen Sie es mich folgendermaßen formulieren. Es gab einmal eine Klage gegen Kats. Silverstein Green bezichtigte ihn vor dem Lower District Court of Manhattan, Daten kopiert und auf Server außerhalb des Einflussbereiches der Bank transferiert zu haben. Die Klage scheiterte. Wir haben damals gegenüber Silverstein an Eides statt versichert, dass uns davon nichts bekannt war. Und der Vorstand unserer Gesellschaft hat Herrn Kats ausdrücklich angewiesen, in seiner neuen Funktion keine möglicherweise unrechtmäßig bei früheren Arbeitgebern erlangten Informationen zu verwenden.«

Malherbe ahnte, worauf Scholz hinauswollte. »Sprechen Sie weiter.«

»Was aber wäre, wenn sich Kats dieser unmissverständlichen Anweisung widersetzt hätte? Was wäre, wenn er aus persönlicher Profitgier gestohlene Codes in unser System eingefügt hätte? Ohne unser Wissen, versteht sich.« Scholz schaute in den Kaffee vor sich, den er bisher nicht angerührt hatte. »Für den Fall, dass dem so wäre, müssten wir davon ausgehen, dass er da draußen mit einem Datensatz herumläuft, anhand dessen ein Experte wohl zweifelsfrei und stichhaltig darlegen könnte, dass wir – ohne es zu wissen, wie ich betone – gestohlene Codes von Silverstein und Enlightment auf unseren Servern liegen hatten.«

»Wieso Enlightment?« Kats hatte früher einmal bei Enlightment gearbeitet, einem weiteren US-Hedgefonds. Davon, dass der Mathematiker auch dort Interna hatte mitgehen lassen, war Malherbe allerdings tatsächlich nichts bekannt. Er schaute fragend.

Scholz nickte nur.

»Sie müssen ihn finden. Schnell. Wo ist er jetzt?«

»Immer noch in Luxemburg, glauben wir.«

»Es wäre besser für das Unternehmen, wenn Sie zur Abwechslung mal etwas wüssten. Vor allem wäre es besser für Sie.«

»Zwei Teams sind bereits dort. Wir hatten ihn schon unter Observation, unsere Leute waren ganz nah dran. Vorhin ist er uns dann entwischt. Aber keine Sorge, Sie wissen doch, wie er tickt. Kats ist ein Gewohnheitstier, und jetzt muss er plötzlich improvisieren, ohne feste Abläufe. Er wird Fehler machen, in Panik geraten, und dann kriegen wir ihn. Außerdem, und das ist die gute Nachricht, haben wir seine Kontaktperson ausfindig gemacht. Er hat ganz augenscheinlich Komplizen.«

»Was für eine Kontaktperson?«

Scholz stand auf, entnahm seiner Jackentasche ein Foto und legte es vor Malherbe auf den Glastisch. Der beugte sich vor und betrachtete das Bild. Es zeigte eine ausgesprochen hübsche junge Frau. Sie mochte Mitte dreißig sein. Ihr ebenmäßiges Gesicht war braun gebrannt, und sie trug ein dunkelblaues T-Shirt, auf dem eine Comicfigur zu sehen war. Ihre langen kastanienfarbenen Haare steckten unter einer Baseballkappe. Im Hintergrund erkannte Malherbe eine Art Festzelt. An einer der Wände hing eine ihm unbekannte Flagge: Blau-weiß gestreift, mit einem roten Bären oder Löwen in der Mitte. »Wer zum Teufel ist das?«

»Wissen wir noch nicht – sie ist ein Gespenst. Wir haben alle Datenbanken durchforstet, aber es scheint überhaupt keine Fotos von ihr zu geben. Meiner Ansicht nach ein weiteres Indiz dafür, dass wir es hier mit Profis zu tun haben. Er hat ihr irgendwas übergeben.«

»Die Daten?«

»Unwahrscheinlich. Meine Männer sagten, es habe sich um etwas Kleines gehandelt. Für die Daten braucht man mindestens einen Koffer, eher zwei.«

»Bringen Sie die Sache in Ordnung, Scholz. Und zwar schnell.«

Der Sicherheitsmann nickte, dann stand er auf und ging. Malherbe nippte an seinem Schümli und schaute sich nochmals das Bild der Frau an. Sie hatte grüne Augen. Wirklich außerordentlich hübsch. Wenn auch vermutlich nicht mehr allzu lange.

2

Keuchend wuchtete Xavier Kieffer die letzte Kartoffel-
kiste auf das Laufband. Er stemmte die Hände auf die
Oberschenkel und schaute schwer atmend zu, wie sie die
Schräge hinunterruckelte und im Halbdunkel des Kellers
verschwand. Der Koch richtete sich auf und klopfte eine
Ducal aus der Schachtel. Fünfundzwanzig Kisten Kartoffeln hatte er beim Großhändler gekauft, aber er fühlte
sich, als hätte er hundert davon auf das Transportband
gewuchtet. Kieffer zündete die Zigarette an und wischte
sich mit der Rechten die schweißverklebten Haare aus
dem Gesicht. Es musste am Wetter liegen. Die Sonne stand
bereits hoch über der Luxemburger Oberstadt, für heute
Mittag hatte der Radiosprecher von RTL zweiunddreißig
Grad angedroht. Vielleicht lag es aber auch an den zwei
Flaschen Riesling, die er gestern Abend zusammen mit
seinem finnischen Freund Pekka Vatanen geleert hatte.
Oder an der Tatsache, dass er für derlei Knochenarbeit allmählich zu alt wurde. Kieffer schaute vom Parkplatz des
»Deux Eglises« hinauf gen Oberstadt. Er musste seine Augen mit der Hand beschirmen, so hell war das Licht des
über der Notre-Dame schwebenden Glutballs. Er spürte

ein Stechen hinter seiner Stirn, das sich bis tief in die Schläfen zog. Es war das verdammte Wetter, kein Zweifel.

Nachdem er zu Ende geraucht hatte, trottete Kieffer die Kellertreppe hinunter. Das »Deux Eglises«, dessen Koch und Besitzer er war, lag am Hang des Kirchbergs und war in einem alten Garnisonsgebäude untergebracht. Das Untergeschoss hatten französische, deutsche oder österreichische Besatzer, so genau ließ sich das nicht mehr rekonstruieren, mit Sprengstoff in den Fels getrieben; weit über die Grundfläche des kleinen Gebäudes hinaus erstreckte es sich in den Berg hinein. Angenehme Kühle legte sich auf Kieffers feuchte Stirn, als er den Keller betrat. Er ging vorbei an den Regalen mit Schengener Riesling und Elsässer Gewürztraminer, bog nach links ab und betrat den Raum, in dem das Laufband endete, über das man vom Vorplatz aus Waren in den Keller befördern konnte. Einer seiner Leute hatte die Kartoffelkisten dort bereits säuberlich gestapelt, fast die gesamte Bodenfläche stand damit voll. Xavier Kieffer machte sich daran, sie durchzuzählen. Es waren exakt fünfundzwanzig Boxen à zwanzig Kilo, wie bestellt.

Normalerweise würde er einen ganzen Monat benötigen, um eine derart große Menge Gromperen zu verbrauchen, wie man Kartoffeln in Luxemburg nannte. Doch falls alles gut lief, würde er diese fünfhundert Kilogramm binnen einer Woche verkochen. Denn morgen begann die Schueberfouer, die luxemburgische Version des Oktoberfests. Auf der Place du Glacis gab es dann drei Wochen lang Liebesäpfel und Zuckerwatte, außerdem Fahrgeschäfte und Schießbuden. Vor allem aber galt die Schobermesse Kieffers Landsleuten als willkommener Anlass, sich endlich einmal wieder an Luxemburger Klassikern satt zu essen. Festdeeg si Friessdeeg, wie man im Großherzogtum sagte, und so stopfte man sich auf der Kirmes voll: mit Gebakene Fësch, Fierkel um Spiess und Gromperekichelcher, vor Fett triefenden Reibekuchen.

Kieffer liebte Gromperekichelcher. Schon seit vielen Jahren versuchte er, einen Stand auf der Schueberfouer zu bekommen – ein schwieriges Unterfangen, da der Glacis deutlich kleiner war als die Münchner Theresienwiese und die Luxemburger Kirmes aus allen Nähten platzte. Aber dieses Jahr hatte er endlich eine der heißbegehrten Lizenzen ergattern können. Wochenlang würde er nonstop Fisch und Kartoffelpuffer frittieren. Kieffer überlegte, wie viel Speiseöl er für dieses Unterfangen wohl brauchte. Besser er bestellte gleich noch ein paar Hundert Liter, dann war er auf der sicheren Seite.

Durch seine Kellerpartie erfreulich erfrischt stieg er die Treppe in den noch leeren Schankraum des »Deux Eglises« hinauf. Er ging in sein Büro im hinteren Teil des Restaurants und nahm die Rechnung des Trierer Großhändlers zur Hand, von dem die Gromperen stammten. Als Kieffers Blick auf die Gesamtsumme fiel, stutzte er. Der Koch griff zum Telefon und wählte die Nummer des Großhändlers.

»Gemüse Meinhardt, Guten Tag.«

»Guten Morgen, Wolfgang.«

»Hallo, Xavier. Was gibt's?«

»Ich rufe wegen der Kartoffeln an. Mit deiner Rechnung stimmt was nicht.«

»Wieso?«

»Ich habe ›Rose de France‹ bestellt, biologischer Anbau, aus der Auvergne.« Kieffer hatte eine ganz bestimmte, vorwiegend festkochende Kartoffelsorte geordert. Er experimentierte für seine in der ganzen Stadt berühmten Gromperekichelchen seit Jahren mit verschiedenen Varianten, und »Rose« war für Reibekuchen am besten geeignet.

»Und? Hast du die falschen bekommen?«, fragte der Großhändler.

»Nein, das nicht. Aber auf der Rechnung steht, dass die Kiste 19,44 Euro kostet, und das kann ja wohl nicht stimmen.«

»Einen Moment.«

Kieffer hörte Tastaturklackern. Er zündete sich eine Zigarette an und wartete. Nach etwa einer halben Minute meldete sich sein Lieferant zurück. »Das Problem ist, dass es sich bei dieser Sorte um einen Exoten handelt. Das Angebot ist sehr begrenzt.«

»Weiß ich, Wolfgang. Aber im Juni hat die Kiste noch die Hälfte gekostet. Und seitdem hat sich der Preis verdoppelt?«

»Leider ja. Irgendjemand muss viel ›Rose de France‹ gekauft haben. Deshalb ist der Preis durch die Decke ge gangen. Wenn du es mir nicht glaubst, dann guck dir die Notierung an der Matif an.« Die Matif war die Pariser Rohstoffbörse, an der die Preise für Weizen, Schweinehälften oder Sojabohnen festgelegt wurden – und auch die für Kartoffeln. Alle Großhändler orientierten sich an den Kursen, die dort täglich festgelegt wurden.

»Ich zweifle nicht an deinen Worten, Wolfgang. Aber der doppelte Preis …«

»… vielleicht hätte ich dich nach Bestelleingang noch mal anrufen sollen, Xavier. Tut mir leid. Aber wenn du so große Mengen benötigst, solltest du dir vielleicht einen Future kaufen.«

»Einen was?«

»Eine Kaufoption, die dir garantiert, dass du die Ware zu einem vorher fixierten Preis geliefert bekommst. Kann man im Internet machen.«

Kieffer schnaufte ärgerlich. »Mensch, Wolfgang. Ich wollte Kartoffeln kaufen. Ich bin Koch, kein Börsenhändler.«

»Es tut mir leid, aber die Lebensmittelpreise schwanken in letzter Zeit wieder sehr stark. Keine Ahnung warum, ich habe mir den Mist nicht ausgedacht. Hör zu: Ich gebe dir zwanzig Prozent auf die Rechnung, weil du so ein guter Kunde bist. Oder meinetwegen nehme ich sie auch zurück. Aber nächstes Mal musst du mir einfach Bescheid sagen, wenn deine Order ein Limit hat, okay?«

Order? Limit? Nichts davon fand Kieffer okay. Wenn er sich mit derartigem Unsinn hätte herumschlagen wollen, hätte er einen Job bei einer Investmentbank auf dem Luxemburger Kirchberg angenommen, statt Gromperekichelcher zu frittieren. Aber es half ja nichts – keine Kartoffeln, keine Kirmes. Der Koch dankte dem Großhändler für dessen Entgegenkommen und legte auf. Es würden die unprofitabelsten Reibekuchen in der Geschichte der Schueberfouer werden, aber immerhin die besten.

Kieffer verließ sein Büro und stieg die Treppe ins Obergeschoss hinauf. Das »Deux Eglises«, oder »Zwou Kierchen«, wie es die Einheimischen auch nannten, war nicht sehr groß, das Erdgeschoss bot lediglich dem Schankraum Platz. Die Küche befand sich im ersten Stock. Er und die anderen Köche mussten deshalb viele Male am Tag die dreiundvierzig steinernen Stufen der gewundenen Treppe hinauf- und hinunterklettern. Kieffer machte das nichts aus; Bewegung war schließlich gesund, und dieses Küchenstepping war in Wahrheit neben dem Schleppen von Kartoffelkisten oder Lammkeulen der einzige Sport, den er ausübte.

Oben instruierte er einen Vorbereitungskoch, für morgen früh einen Teil der Kartoffeln zu schälen und Teig für den Backfisch vorzubereiten. Die Küche seines Stands auf der Schueberfouer hatte eine Fläche von drei, höchstens vier Quadratmetern, und er war froh, sich die meisten Zutaten kochfertig anliefern lassen zu können. Dann ging Kieffer wieder auf den Parkplatz, zu seinem Lieferwagen. Er setzte sich hinein und kramte im Handschuhfach nach einem Album der B52s, das sich irgendwo zwischen Quittungsblöcken und zerknüllten Strafzetteln versteckte. Als er die Kassette gefunden hatte, steckte er sie ein und fuhr los.

Kieffers Restaurant befand sich in Clausen, einem der Luxemburger Unterstadtviertel. Im Westen und Süden umgeben vom Bockfelsen lag die ville basse im Alzette-Tal, weit unter der etwa fünfzig Meter darüber thronenden Oberstadt. Auf der Nordostseite Clausens erhob sich das Plateau de Kirchberg, auf das Kieffer nun zusteuerte. Sein Lokal lag direkt am Hang, und so musste man mit dem Auto zunächst im Schritttempo die schmale Rue Jules Wilhelm hinauffahren, bis zu einem mittelalterlichen Torbogen, der vor einer Haarnadelkurve die alte Stadtgrenze markierte. Dahinter schlängelte sich eine Milliounewee genannte Serpentine den Hang empor. Oberhalb der Straße konnte Kieffer bereits die Hochhäuser auf dem Plateau sehen. Jedes Jahr wurden es mehr, und eines Tages würde der Kirchberg vollständig von ihnen bedeckt sein. In seiner Jugend waren dort oben noch große Wiesen gewesen, außerdem Kühe. Dann kamen die Bagger. Zuerst hatte sich die Europäische Union auf dem Berg angesiedelt. In den Neunzigern hatte dann die Finanzbranche Luxemburg für sich entdeckt, Äcker und Wiesen hatten Glasbunker um Glasbunker Platz gemacht. Inzwischen stellten Investmentbanker und Steuerberater auf dem Kirchberg die Mehrheit und hatten die Beamten der EU zahlenmäßig abgehängt, von den Kühen ganz zu schweigen.

Der Milliounewee endete unterhalb der Luxemburger Philharmonie. Von dort steuerte Kieffer seinen Peugeot auf die Avenue John F. Kennedy. Am Ende der breiten Straße konnte er nun bereits das Riesenrad und die Fahrgeschäfte der Schueberfouer erkennen. Kieffer passierte die goldenen Doppeltürme des Europäischen Gerichtshofs, überquerte die Brücke, die sich über die zwischen dem Kirchberg-Plateau und der Stadt liegende Alzette-Schlucht spannte und fuhr auf den Glacis. Nachdem er einem Wächter seinen Ausstellerausweis gezeigt hatte, rollte er langsam einen der Hauptwege hinunter, vorbei an Autoscootern und Wurfbuden. Überall waren Messebauer damit beschäftigt, Stände zu errichten, Gabelstapler fuhren zwischen halb fertigen Kettenkarussells und Geisterbahnen hin und her. In nicht einmal vierundzwanzig Stunden würde die Schobermesse eröffnen, und wie stets bei derartigen Veranstaltungen erschien es völlig undenkbar, dass die Aussteller bis dahin fertig würden. Kein Einziger der Stände, die Kieffer passierte, schien bereit für Kundschaft.

Sein eigener sah zumindest bereits ganz passabel aus. Er besaß, anders als viele der anderen im nördlichen Teil des Geländes, bereits Wände, ein Dach sowie ein angrenzendes Zelt mit Bierbänken. Draußen flatterte eine Girlande mit mehreren kleinen Nationalflaggen in Rot-Weiß-Blau. Im Innenraum hinter der Theke war das Staatswappen angebracht, ein gekrönter roter Löwe auf blau-weiß gestreiftem Grund. Als Kieffer seinen Stand betrachtete, war er froh, beim Namen nicht nachgegeben zu haben. Da sie in gewisser Weise Luxemburger Fastfood anboten, hatte seine Souschefin Claudine dafür plädiert, ihre Frittierbude »McMousel« zu taufen. Der Wortwitz war nicht nach seinem Geschmack gewesen. Auf seinen Einwand, dass er mit diesen amerikanischen Burgerbratern nicht einmal im Entferntesten zu tun haben wolle, hatte Claudine beleidigt reagiert: Er besitze in etwa so viel Humor wie die Preußen jenseits der Grenze. Kieffer war hart geblieben. Nun hieß sein Stand »De Roude Léiw«, der Rote Löwe, und das war auch gut so.

»Moien, Claudine. Alles an der Rei?«

Kieffers Souschefin kniete auf dem Boden und machte sich gerade an der Verkabelung des Herds zu schaffen. »Moien. Alles gut, außer, dass wir noch keinen Strom haben, die Kirmesleitung was an unserem Zelt auszusetzen hat und die Menükarten längst gedruckt sein sollten.«

Der Koch entnahm der Gesäßtasche seiner Cordhose einen kleinen Notizblock und notierte sich die offenen Punkte. »Ich suche einen Elektriker und spreche mit den Spinnern von der Fo>ur. Die Karten kommen heute Mittag. Wie steht es mit Reservierungen?«

Claudine ließ von der Verteilerdose ab und stand auf. »Wir sind fast die ganze erste Woche gesteckt voll, und auch danach sieht es schon ganz gut aus. Wir werden uns eine goldene Nase verdienen.«

Kieffer beschloss, ihr lieber nichts von den Kartoffeln zu sagen und nickte stattdessen nur. Er würde für die zweite

Woche billigere Gromperen auftreiben. Trotz dieses Patzers teilte er Claudines Einschätzung, dass die Kirmes ein gutes Geschäft für sie werden würde. Das »Deux Eglises« war bei den Einheimischen beliebt, weil es eines der wenigen Lokale war, das noch echte Luxemburger Kost servierte: Judd mat Gaardebounen, gepökelten Schweinenacken mit Saubohnen oder Wäinzoossiss mat Moschterzooss, Bratwürste in Senfsauce. Er hatte all seinen Stammkunden vom »Roude Léiw« erzählt – und da sich in der kleinen Stadt alles schnell herumsprach, wusste jeder Liebhaber frittierter Köstlichkeiten inzwischen, dass er hier sein würde. Kieffer fischte eine Ducal aus seiner Lederjacke. Vielleicht musste er doch eine weitere Fuhre der sündhaft teuren »Rose de France« bestellen. Sie schmeckten einfach am besten, und es galt schließlich, seinen Ruf als Kichelchen-König zu verteidigen.

»Apropos Reservierungen, ich brauche für morgen Abend um sieben noch einen Tisch.«

»Für dich?«

»Ja. Pekka kommt vorbei. Und Valérie. Warum lachst du?«

Claudine nahm ein Klemmbrett von der Wand und trug die Reservierung ein. »Na, weil es komisch ist! 19 Uhr, Valérie G-A-B-I-N. Ich werde das Personal informieren, damit man ihr etwas Kaviar auf die Gromperekichelchen streicht.«

»Sie ist überhaupt nicht so«, brummte Kieffer. »Sie mag ehrliches Essen.« Trotzdem musste er zugestehen, dass Valérie in der Imbissbude für Außenstehende tatsächlich eine seltsame Vorstellung sein mochte. Nachvollziehbarerweise wollte Kieffer Valérie seinen Stand auf der Kirmes zeigen. Aber die Französin war eben nicht nur seine

Freundin, sondern auch die Chefin des legendären Pariser Gastronomieführers Guide Gabin. Sie aß wöchentlich in Sternerestaurants auf der ganzen Welt, und die Vorstellung, dass La Gabin in einem Zelt Reibekuchen von einem Pappteller aß, war auf jeden Fall ungewöhnlich.

Kieffer freute sich auf das Treffen mit ihr, denn er hatte sie seit über vier Wochen nicht gesehen. Valérie war auf einer kulinarischen Tour durch Asien gewesen, danach in Russland. Er hatte schon befürchtet, sie würde ihr Treffen in Luxemburg absagen, doch bisher sah es so aus, als komme sie. Bereits in drei Stunden würde die Maschine aus Moskau auf dem Flughafen von Findel landen.

Kieffer lächelte. »Ich finde, unsere Gromperekichelchen hätten durchaus einen Stern verdient.«

3

Es gab ein lautes Zischen, als Kieffer die Wäinzoossiss und die Merguez wendete und das Fett in die Glut tropfte. Als er sämtliche Würstchen umgedreht hatte, schaute er zu seinen Gästen hinüber. Am Gartentisch hinter seinem Haus saßen Pekka Vatanen, Valérie sowie eine weitere Frau in der Abendsonne. Der schlaksige Finne gestikulierte lebhaft und schien sich sehr für das T-Shirt der Pariserin zu interessieren. Das beunruhigte Kieffer nicht sonderlich; Pekkas neuer Flamme hingegen stand die Eifersucht ins Gesicht geschrieben. Es war ihm ein Rätsel, wo sein bester Freund immer all diese hinreißenden Geschöpfe auftrieb. Gab es in der EU-Verwaltung oben auf dem Kirchberg derart viele einsame Herzen? Es schien so, denn alle vier bis sechs Monate wechselte die Begleitung des Finnen. Es handelte sich stets um den südländischen Typ, dem Vatanen nach eigenen Angaben »völlig verfallen« war: markante Nase, olivfarbene Haut, kurvige Figur. Diese Attribute galten als gesetzt, der Abteilungsleiter für agronomische Analysen ließ lediglich bei der Nationalität seiner Gespielinnen Variationen zu. Seine aktuelle Freundin hieß Maria und war Spanierin. Davor hatte es sich um eine Korsin gehandelt, wenn sich Kieffer richtig erinnerte. Es war schwer, den Überblick zu behalten. Kieffer überprüfte die Glut. Die Sache mit den Frauen irritierte ihn. Es war nicht Neid, der ihn den Kopf über Vatanens Eskapaden schütteln ließ – er war noch immer in Valérie verliebt und außerdem überzeugter Monogamist. Was ihn verwunderte, war schlichtweg, wie der Mann das anstellte. Vatanens enormer Schlag beim anderen Geschlecht wäre erklärbar gewesen, hätte der Finne über Geld, Berühmtheit oder ein sportliches Äußeres verfügt. Aber Pekka war – und Kieffer betrachtete ihn aufgrund ihrer langjährigen Freundschaft sehr wohlwollend – ein versoffener fünfundvierzigjähriger EU-Beamter, spindeldürr und mit bereits sehr lichtem blonden Haar. Seine Haut war fahl, »gesunde Bürobräune«, wie er selbst zu sagen pflegte. Einzig die Nase hatte etwas Farbe, vor allem dann, wenn der Finne wieder einmal dem Riesling zusprach. Die Spanierin sagte etwas zu Vatanen, stand dann auf und zog ihren knapp bemessenen Rock zurecht. Dann stöckelte sie durch die Küchentür ins Haus.

Kieffer fluchte. Fast wären ihm die Bratwürste angebrannt. Rasch transferierte er Wäinzoossiss und Lammwürste auf eine bereitstehende Platte. Dazu stellte er ein kleines Schüsselchen mit Senfsauce sowie eines mit Harissa, einer scharfen libanesischen Chilipaste. Zum Schluss holte er mit einer Zange noch gegrilltes Gemüse vom Rost und träufelte mit Knoblauch, Thymian und Fenchelsamen aromatisiertes Olivenöl darüber. Dann ging er zu seinen Gästen.

Maria war gerade dabei, wieder Platz zu nehmen. Kieffer hatte schon befürchtet, sie sei geflohen. Vatanen war immer noch mit Valéries T-Shirt beschäftigt; aus der Nähe konnte Kieffer nun aber erkennen, dass der Finne sich offenbar weniger für dessen Inhalt als vielmehr für den Aufdruck interessierte.

»Und woher genau stammt diese Comicfigur? Habe ich noch nie gesehen. Ich dachte immer, das Logo des Guide Gabin ist ein goldenes G. Das ist zumindest vorne auf euren blauen Gastroführern aufgedruckt.«

»Das stimmt auch, Pekka«, antwortete Valérie. »Aber in den Zwanzigerjahren, als mein Großvater Auguste den Gabin gründete, da gab es auch diese Werbefigur: Georges, le p'tit chef.«

Sie zog mit beiden Händen die Frontpartie ihres T-Shirts glatt, sodass die darauf abgebildete Figur besser zu erkennen war. Es handelte sich um einen kleinen kugelrunden Mann mit Schnauzbart, auf dessen Kopf eine lächerlich große Kochmütze saß; die Toque war fast so hoch wie das Männchen. Georges, der kleine Koch, grinste breit. Mit Daumen und Zeigefinger der zum Mund erhobenen linken Hand formte er einen Kreis, in seiner rechten hielt er einen überdimensionierten Holzlöffel.

Vatanen legte den Arm um seine Begleiterin und signalisierte ihr, ihm Riesling nachzuschenken. »Danke, mi corazón. Und wieso heißt er Georges?«

»Das weiß man nicht mehr so genau. Die Werbefigur ist vom Gabin nur in den Zwanzigern und frühen Dreißigern verwendet worden, danach fand man sie zu unmodern oder vielleicht auch zu unseriös. Unsere Mitarbeiter mussten das halbe Hausarchiv durchforsten, bis sie die alten Vorlagen fanden. Ich glaube, dass er Georges heißt, weil der Name mit G anfängt, wie Guide Gabin. Möglicherweise ist es auch eine Verneigung vor Georges Auguste Escoffier. Mein Großvater war gut mit ihm befreundet, und ich finde, der kleine Koch sieht ihm ein bisschen ähnlich.«

»War das ein Koch?«, fragte Vatanen.

»Ja, einer der berühmtesten Köche des frühen zwanzigsten Jahrhunderts. Derjenige, der die klassische französische Küche eigentlich erfunden hat.«

Kieffer stellte die Platte ab. »Ah!«, rief Vatanen. »Richtiges Essen.« Er grunzte wie ein Neandertaler und sagte: »Fleisch auf Feuer gut.« Der Finne wandte sich seinem Gastgeber zu. »Wolltest du noch einmal etwas Vernünftiges essen, bevor du dich ab morgen mehrere Wochen lang ausschließlich von frittierter Kartoffelpampe ernährst?«

»Ich mag Gromperekichelcher, Pekka. Aber es könnte tatsächlich sein, dass ich sie nach der Schueberfouer etwas satthabe.«

Kieffer verteilte die Wäinzoossiss und das Gemüse, dann öffnete er eine weitere Flasche Schengener Riesling. Während sie aßen, fiel ihm wieder einmal auf, was für ein Glücksfall sein Garten war. Dieser lag zwischen seinem kleinen Haus in der Rue St. Ulric und dem Fluss Alzette, der durch das Unterstadtviertel Grund murmelte. Gut geschützt vor den Blicken Fremder und fernab der Straße ließ sich hier wunderbar im Liegestuhl dösen oder mit Freunden vespern. Es gab nichts Besseres, man würde ihn hier mit den Füßen zuerst hinaustragen müssen.

Vatanen zeigte mit seiner Gabel auf Georges. »Und jetzt habt ihr dieses Maskottchen wiederbelebt?«

Valérie nickte. »Unsere Marketingleute meinen, so eine Kultfigur im Archiv verschimmeln zu lassen, sei eine Sünde. Mein T-Shirt ist nur ein Probedruck, unsere Werbeagentur feilt noch an der Kampagne. Aber dann wollen wir den kleinen Koch wieder überall einsetzen und Merchandise verkaufen – P'tit-Georges-Puppen, Baseballkappen, Vintage-Emailleschilder, das ganze Programm.«

»Das hat aber eigentlich nichts mit Haute Cuisine und Gastroführern zu tun, oder?«, brummte Kieffer.

»Nicht im engeren Sinne. Aber ein bisschen mehr Coolness könnte dem Gabin nicht schaden. Es gibt viele Leute, die halten den Guide für etwas angestaubt. Die Geschäfte liefen … schon mal besser.«

»Was ist denn das Problem?«, fragte Kieffer.

Vatanen kicherte. »Sie verkauft dicke gedruckte Bücher, in denen Restaurants aufgelistet sind. Das ist das Problem.«

Valérie schüttelte den Kopf. »Wir sind nicht ganz so rückständig, wie du denkst. Es gibt den Guide Gabin natürlich auch im Internet. Das Problem ist eher, dass Frankreich nicht mehr der unbestrittene Mittelpunkt des gastronomischen Universums ist. Und deshalb werfen uns manche vor, wir seien zu wenig international, zu gallisch, zu foie-gras-fixiert, was weiß ich.«

Kieffer legte den Arm um seine Freundin. »Also für mich bleibt ihr immer der kulinarische Mittelpunkt.«

»Ja, aber für dich ist U2 auch immer noch die größte Band der Neuzeit«, frotzelte Vatanen. »Da ich fast ausschließlich ins ›Deux Eglises‹ gehe, müsst ihr Kulinariker mir jetzt mal helfen. Wo liegt das neue kulinarische Paradies denn heutzutage eigentlich?«

Maria reckte das Kinn nach vorne und sagte laut und bestimmt: »in España.« Es war das Einzige, was sie an diesem Abend sagte.

4

Mit bloßen Händen riss Valérie Gabin ein Stück von ihrem Gromperekichelchen ab und biss hinein. Kieffer beobachtete seine Freundin, während sie mit einem Plastikmesser etwas Crème fraîche auf den Kartoffelpuffer strich. In Luxemburg gab es dazu kein Apfelmus, eher aß man die Reibekuchen mit etwas Herzhaftem wie einem Bouneschlupp genannten Eintopf oder eben mit Sauerrahm.

»Lecker sind die. Interessant, dass ihr gehackte Petersilie reintut, habe ich noch nie gesehen«, sagte Valérie. Sie stupste ihn mit der Nase an die Wange. »Und sie riechen genauso wie du.«

Kieffer verstand, was sie meinte. Den ganzen Nachmittag hatte er in der kleinen Küche des »Roude Léiw« gestanden und in siedendem Fett Hunderte Kichelcher goldgelb gebacken. Es war inzwischen fast zwanzig Uhr, und er machte sich etwas Sorgen, ob die Kartoffeln bis zum Ende des Fouertages reichen würden. Denn der Andrang übertraf alles, was er erwartet hatte.

Es mochte an seinen köstlichen Gromperekichelcher liegen, vielleicht aber auch am Wetter. Der häufig wolkenverhangene Luxemburger Himmel zeigte sich heute in seltenem Knallblau, es waren immer noch fünfundzwanzig Grad. Nicht nur das gesamte Großherzogtum schien sich auf dem Glacis eingefunden zu haben, sondern auch Ausflügler-Bataillone aus Lothringen, dem Saarland und der Eifel. Wie zäher Teig wälzte sich die Menschenmasse über die Fouer, quetschte sich durch die zu engen Gänge, drang in jede Ecke und Ritze. Alle Plätze in Kieffers Zelt waren belegt, vor dem Stand und im Eingangsbereich drängten sich die Menschen aneinander.

Viele waren wegen der Band gekommen, die Kieffer als Stëmmungskanoun engagiert hatte. Eine Sängerin schmetterte seit mehreren Stunden alte luxemburgische Zech- und Fresslieder:

Bei einem kühlen Humpen
Da saß Cojellico's Jang
Mit einem Zigarstumpen
Und einem Belschen Frang

Ihm graute vor dem Bezahlen
Er dachte mit Schreck an sein Kett
Gedachte mit höllischen Qualen
Des Besens neben dem Bett

Viele der Einheimischen sangen mit. Der Lärm war ohrenbetäubend, die Stimmung prächtig – sah man von jenen kleineren Streitereien ab, zu denen es zwischendurch immer wieder kam. Diese waren angesichts der Enge und des reichlich fließenden Moselweins allerdings nichts Besonderes, und so schenkte Kieffer dem Gerangel im vorderen Teil des »Roude Léiw« zunächst keine Beachtung, sondern sah Valérie lieber weiter beim Essen zu. Das war eine seiner Lieblingsbeschäftigungen. Sie hatte ihren ersten Kartoffelpuffer vertilgt und wandte sich nun dem zweiten zu. Als das vom Eingang zu ihm herüber dringende Gezeter jedoch immer lauter wurde, stand Kieffer auf, um sich die Sache genauer anzuschauen.

Ein hagerer Mittdreißiger versuchte, an den anderen Gästen vorbei ins Zelt zu gelangen. Der Mann hatte das Kinn auf die Brust gesenkt, die Arme vor dem Bauch verschränkt und rempelte sich durch die Menge wie ein Rugbyspieler, der mit dem Ball geradewegs durch die Abwehrkette will. Er schob und schubste, Kieffer sah einen Becher fliegen. Die anderen Gäste reagierten auf dieses rüpelhafte Verhalten mit wütenden Flüchen und Ellbogenknuffern. Kieffer betrachtete den Mann, der etwa zehn Meter von ihm entfernt war. Er trug ein froschgrünes Button-down-Hemd und eine Nickelbrille, hinter der vor Aufregung geweitete Augen zu sehen waren. Sein Gesicht hatte einen seltsam konzentrierten Ausdruck, und er schien mit sich selbst zu reden, während er sich einen Weg durch die Menge bahnte. Mit rudernden Armen brach der Mann aus dem Menschenknäuel hervor.

Den Stachel trug er im Herzen
Den belschen Frang in der Täsch
Und voll Verzweiflungsschmerzen
Bestellte er eine Fläsch

Die an den Tischen sitzenden Gäste warfen ihm argwöhnische Blicke zu. Bevor Kieffer reagieren konnte, tauchten hinter dem ungehobelten Gast zwei weitere Männer auf. Einer versuchte, den Nickelbrillenträger zu fassen zu bekommen, griff jedoch ins Leere. Denn der Mann hatte inzwischen einen Satz nach vorne gemacht und lief nun torkelnd auf Kieffer zu. Der wohlgenährte Koch baute sich vor ihm auf. Es war ohnehin nicht viel Platz zwischen den Tischen, und er füllte den schmalen Gang komplett aus. Hier war Endstation. »Ganz ruhig, junger Mann. Was ist denn das Problem?«

Der Kerl sah ihm nicht ins Gesicht, sondern starrte weiter zu Boden und murmelte dabei ununterbrochen vor sich hin. Er sprach Englisch, mit einer seltsam hohen, knödelnden Stimme, zwischen den Wogen von Musik und Gelächter drangen nur Wortfetzen zu Kieffer hinüber: »659, 661. 809, 811. 821, 823 … 1019, 1021 …«

Was zählte der da?, fragte er sich. Der Gast mit dem knallgrünen Hemd war zweifelsohne ein seltsamer Bursche – wobei Kieffer auf der Fouer schon ganz andere Dinge gesehen hatte.

Wie tief bist du gesunken
O Jang, was fängst du an?
Als er sich satt getrunken
Spielt er den wilden Mann

Er arbeitete seit über zwanzig Jahren in der Gastronomie, und dies war nicht sein erster Betrunkener. So wie der Mann sich bewegte, tippte Kieffer auf einige Biere zu viel. Falls das zutraf, würde der ungebetene Gast vielleicht unwirsch auf die Blockade reagieren, aber im Großen und Ganzen friedlich bleiben. Sollte er hingegen zu viele Obstler oder andere scharfe Sachen gekippt haben, dann musste man sich auf alles gefasst machen, auch auf einen plötzlichen linken Haken oder gar eine Waffe. Kieffer war darauf vorbereitet und behielt die Hände des Mannes im Auge.

Er hätte besser auf dessen Beine achten sollen.

Seinen Fehler erkannte Kieffer viel zu spät, eigentlich erst, als das Knie des Mannes bereits zwischen seinen Oberschenkeln war. Für einen sehr langen Moment bestand die Welt nur noch aus Schmerz. Als Kieffer zu sich kam, lag er zusammengekrümmt auf dem Boden, und um ihn herum war die Hölle los. Menschen schubsten einander, andere drängten sich an die Zeltwand, um der Schlägerei zu entkommen. Er wusste, dass er rasch auf die Beine kommen musste, bevor jemand auf ihn trampelte. Irgendwie schaffte er es, sich an einer Zeltstange hochzuziehen. Vor sich erkannte Kieffer einen der beiden Männer, die den Betrunkenen verfolgt hatten.

Aber wo war der Kerl? Der Mann war nirgendwo zu sehen. Kieffers Blick wechselte zwischen den Menschen hin und her. Ihm war schwindelig, und er glaubte, dass er sich würde übergeben müssen. Das Zelt war noch immer rappelvoll, allerdings war Bewegung in die Menge geraten. Niemand saß mehr, alle standen und verfolgten das Geschehen oder versuchten, sich in Sicherheit zu bringen. Nur die Sängerin machte unverdrossen weiter:

Der Wirt nahm ihn beim Sterzen
Die Police nahm ihn mit fort
Der Jang sang: ›An Eurem Herzen
Da ist der sicherste Ort‹

Und Valérie? Wo war Valérie? Dann sah er sie. Seine Freundin stand mit dem Rücken zur Zeltwand. Vor ihr hatte sich der zweite Verfolger aufgebaut, ein breitschultriger Kerl mit Glatze. Hinter Valérie stand der Mann mit der Nickelbrille. Er redete immer noch pausenlos mit hoher Stimme, während er ihren Arm umklammerte und daran zog. Sie schrie. Dann gingen beide zu Boden.

Kieffer setzte sich in Bewegung. Er brüllte auf Französisch »Lass sie in Ruhe!« und schob sich an dem Kahlkopf vorbei. Der Betrunkene sah ihn, rappelte sich auf und lief davon, weiter in das Zelt hinein. Kieffers Beine zitterten, als er neben Valérie in die Knie ging. »Alles okay, Val?«

Sie setzte sich auf und fasste nach ihrem rechten Ellenbogen, ihr Gesicht war schmerzverzerrt. Kieffer half ihr, wieder auf die Beine zu kommen. Überall um sie herum waren Leute. Kaum standen sie, wurden sie beinahe wieder umgeworfen. Der Glatzkopf und sein Freund rempelten sie beiseite, die Männer versuchten anscheinend, ihrem betrunkenen Kumpel zu folgen.

»Jetzt reicht's!«, schrie Kieffer. »Raus aus meinem Lokal!« Der Hüne warf einen Blick auf die Kochjacke des Luxemburgers. Dann hob er beschwichtigend die Hände und sagte auf Deutsch: »Entschuldigen Sie bitte. Das ist alles etwas außer Kontrolle geraten. Unser Freund ist sehr betrunken. Bitte lassen Sie uns vorbei, wir bringen ihn nach Hause.«

»Xavier«, rief Valérie, doch bevor sie weitersprechen konnte, war Kieffer bereits zur Seite getreten.

»Meinetwegen«, knurrte er. »Schafft ihn hier raus, bevor ich die Polizei rufe. Ihr habt für den Rest der Kirmes Hausverbot!«

Die beiden Männer machten sich auf die Suche nach ihrem Freund. Kieffer folgte ihnen, denn er wollte sichergehen, dass der Besoffene keinen weiteren Schaden anrichtete. Im Fahrwasser der beiden bewegte er sich durch das volle Zelt, bevor sich die Lücke hinter ihnen wieder schloss.

Nach kurzer Zeit erreichten sie die hintere Zeltwand. Es gab hier keinen weiteren Ausgang. Sie schauten sich um, dann zeigte der muskulöse Glatzkopf auf einen klaffenden Riss in der Zeltplane. Bevor Kieffer etwas sagen konnte, vergrößerte er durch beherztes Ziehen das Loch und die beiden Männer stiegen hindurch. Kieffer ließ sich auf eine Bierbank sinken. Er spürte, wie sich eine Hand auf seine Schulter legte. »Xavier, geht es dir gut?« Er blickte auf und sah in Valéries besorgtes Gesicht.

»Nein. Na ja, es geht schon. Mein Glück ist nur, dass mich der Kerl nicht richtig getroffen hat, sonst wären meine Eier jetzt Mus.«

Valérie hockte sich vor ihm hin und schaute ihm in die Augen. »Wir müssen die Polizei rufen!«

Er schüttelte matt den Kopf. »Wegen so einer Rauferei? Nicht nötig. So etwas passiert auf der Kirmes alle Tage. Die Typen bringen ihren besoffenen Freund jetzt nach Hause, dann ist Ruh'.«

Kieffer ging zu dem Loch in seiner Zeltwand und spähte hindurch. Der »Roude Léiw« befand sich am nördlichen Rand des Glacis und so konnte er auf die Allée Scheffer blicken, die hinter dem Zelt verlief. Es war noch hell, doch obwohl er sich einen Moment Zeit nahm, konnte er keinen der drei Männer ausmachen. Die Menge hatte sie bereits verschluckt. Kieffer ging zurück zu Valérie. Sie saß auf der Bank und betrachtete etwas in ihren Händen.

»Was ist das?«

»Ein Schlüsselbund. Gehört dem Mann mit der Brille.«

Der Schlüsselbund bestand aus einem stählernen Ring, an dem sich drei Sicherheitsschlüssel befanden. Das Metall der Schlüssel war eingefärbt, einer schimmerte goldgelb, ein weiterer lilafarben, der dritte in silbrigem Rot.

An dem Ring war außerdem eine kleine rechteckige Hülle befestigt, in der eine weiße Plastikkarte steckte.

»Hat der Typ die verloren?«, fragte Kieffer.

»Als er an mir rumgezerrt und mich umgeworfen hat, da habe ich so ein metallisches Klirren gehört. Und dann lag der Schlüsselbund plötzlich neben mir. Er muss ihm aus der Tasche gefallen sein.«

Erst jetzt sah Kieffer, dass sie eine Schürfwunde an der Schläfe hatte. Ein Tropfen Blut lief herunter.

»Val, du bist verletzt. Wir brauchen einen Sanitäter.« Kieffer machte eine zu schnelle Bewegung und spürte sofort wieder einen dumpfen Schmerz zwischen den Beinen. Er ächzte. »Der könnte mir dann auch gleich einen Eisbeutel spendieren.«

Sie nickte matt und schulterte ihre Jacke. Arm in Arm gingen sie langsam zum Ausgang. Nichts deutete mehr auf die Schlägerei hin; die Gäste hatten sich wieder ihren Weingläsern und Backfischen zugewandt und schunkelten fröhlich im Takt der Musik.

In einem kühlen Grunde
Sitzt nun Cojellico's Jang
Sein Kett hat ihn nicht geschunden
Auch blieb ihm sein belscher Frang!

5

Als Kieffer am Sonntagmorgen erwachte, lag er allein im Bett. Trotz oder vielleicht gerade wegen des anstrengenden und verkorksten ersten Schueberfouer-Tags hatte er geschlafen wie ein Toter. Valérie, die anders als er eine notorische Frühaufstcherin war, hatte sich vermutlich bereits vor Stunden hinausgeschlichen. Er schaute auf den Wecker. Es war bereits nach neun. Kieffer stand auf und stieg die Holztreppe hinunter. Falls Valérie da war, fände er sie vermutlich im Garten. Dort saß sie tatsächlich, an dem großen Tisch aus Buchenholz und las auf ihrem Laptop den »Figaro«. Als sie ihn bemerkte, klappte sie den Computer zu und stand auf.

»Geht es dir besser, Xavier? Mein Ellenbogen tut immer noch ziemlich weh.«

»Viel besser, Val. Richtig gut aber erst, wenn ich einen Kaffee getrunken habe. Hattest du schon einen?«

Sie schüttelte den Kopf. Obwohl Valérie Gabin die Chefin und Eigentümerin des berühmten französischen Gastronomieführers gleichen Namens war, sah man ihr das erfreulicherweise nicht an. Statt einer Perlenkette hatte sie ein kleines hölzernes Surfbrett um den Hals, auch sonst wirkte die Pariserin meist ganz und gar undamenhaft. An diesem Morgen trug sie eine ausgewaschene schwarze Röhrenjeans, weiße Chucks und einen grünen Kapuzenpulli, auf dem ein surfender Beau vor einer riesigen Welle zu sehen war. Ihre braunen Haare steckten unter einer Baseballkappe, die ein großes goldenes G zierte – ein weiterer Gabin-Merchandise-Artikel, wie Kieffer vermutete. Sie schaute ihn aus ihren großen grünen Augen an. »Ich musste mit Tee vorliebnehmen, da ich immer noch nicht kapiert habe, wie deine seltsame Kaffeemaschine funktioniert.«

»Ich kümmere mich drum.«

Er gab ihr einen Kuss und verzog sich in die Küche. Kieffers Kaffeemaschine passe gut zu ihm, hatte Valérie einmal angemerkt; beide seien nicht ganz einfach zu handhaben. Das Gerät stammte aus der Insolvenzmasse einer italienischen Bar in Esch-sur-Alzette und war so launisch wie eine schöne Römerin. Es war viel Erfahrung notwendig, um dem Kubikmeter Edelstahl und Messing einen schmackhaften Espresso zu entlocken. Zunächst galt es, die Maschine auf die richtige Betriebstemperatur zu bringen. Dass die erreicht war, zeigte kein Thermometer und kein Lämpchen. Vielmehr musste der Barista nach einem bestimmten Rumpeln horchen, einem fast ärgerlich klingenden Stampfgeräusch, das die Maschine von sich gab, sobald der Kesseldruck ein gewisses Niveau erreichte. Dann durfte man nicht den Fehler begehen, zuerst den Milchaufschäumer aufzudrehen oder den falschen Kippschalter zu betätigen. Ansonsten spie die Römerin bittere schwarze Galle. Die diversen Knöpfe und Kippschalter waren sämtlichst unbeschriftet, was die Sache weiter verkomplizierte. Kieffer konnte die Maschine dennoch im

Schlaf bedienen, er war ein Espressoflüsterer. Er bereitete zwei Milchkaffee zu und stellte sie auf ein Tablett. Sein Blick fiel auf eine Papiertüte, die auf dem Küchentisch lag. Valérie war offenbar bereits beim Bäcker gewesen. Er legte die darin enthaltenen petits pains aux chocolat und Croissants in ein Körbchen und trug dann alles nach draußen.

Während sie frühstückten, zeigte Valérie auf einen Papierstapel, der neben ihr auf der Bank lag. »Ich habe dir die Zeitungen mitgebracht, falls du mal reinschauen möchtest.«

»Später gerne. Aber wir frühstücken zurzeit so selten miteinander, dass ich mich lieber mit dir unterhalte.«

Er bemerkte, wie sich ihre Mundwinkel leicht nach unten zogen.

»Es war kein Vorwurf, Val.« Er versuchte, rasch das Thema zu wechseln. »Hast du schon in die Zeitungen reingeguckt? Passiert irgendwas in der Welt?«

Sie stippte ihr Croissant in den Milchkaffe und biss genüsslich ab. »Bei uns sind demnächst Präsidentschaftswahlen, das übliche Hauen und Stechen also. Es gibt eine Missernte in Russland, Weizen wird knapp. Außerdem spekulieren alle darüber, wer im nächsten Guide wie viele Sterne bekommt.«

»Du könntest es mir vorher verraten«, sagte Kieffer.

Sie setzte einen leicht anzüglichen Blick auf und sagte: »Du kannst ja fast alles von mir kriegen, Süßer. Aber das nicht.«

Jedes Jahr im Herbst erschien die neue Ausgabe des Guide Bleu, jenes in ultramarinfarbenen Stoff gebundenen Buches, das die Herzen aller Gourmets höher schlagen ließ. Die Undercover-Inspektoren des Gabin testeten Restaurants auf der ganzen Welt, und im Guide war nachzulesen, welche Lokale die begehrten Sterne erhielten. Vor allem in Frankreich, aber auch in Luxemburg wurde deshalb im Vorfeld mit Hingabe spekuliert, welche angesagten neuen Restaurants in den Olymp aufstiegen – und welche der Gabin zurück auf die Erde holte. Ein Stern konnte einen Koch zu einer Berühmtheit machen. Als Chefredakteurin des Gabin wusste Valérie natürlich im Detail über die Benotungen Bescheid, aber sie sagte nie etwas. Kremlhafte Verschwiegenheit gehörte zum Geschäftskonzept des Gastroführers, dessen inkognito operierende Tester kaum jemand kannte. Auch Valérie achtete stets peinlichst darauf, dass keine Fotos von ihr in die Presse gelangten.

Nicht, dass der Guide Kieffer übermäßig interessiert hätte, er hatte sie nur necken wollen. Natürlich lag auch unter seinem Tresen die Frankreich-Edition des Gabin, ferner die Landesausgaben für Deutschland und die Benelux-Staaten. Aber sein Interesse an Sterneküche war bereits vor langer Zeit erloschen. Er hatte seine Lehre in einem Einsterner absolviert, dann lange als Souschef in einem Pariser Zweisterner gearbeitet. Nach der damaligen Meinung der meisten Gastrokritiker besaß Kieffer Talent, schon als junger Koch waren ihm allerlei Preise verliehen worden. Das war vor über fünfzehn Jahren gewesen, lange, bevor er Valérie Gabin kennengelernt hatte. Damals war man in der Szene fest davon ausgegangen, der Luxemburger werde nach einigen Jahren als Souschef sein eigenes Lokal eröffnen, vielleicht in Paris, vielleicht auch in der Champagne, wo er gelernt hatte, aber auf jeden Fall in Frankreich. Dort, so war es ihm vorgezeichnet gewesen, hätte Kieffer sich über die Jahre auf einen, später auf zwei Sterne hochgekocht, um dann vielleicht irgendwann in den erlauchten Kreis der rund zwei Dutzend Restaurants aufgenommen zu werden, dem der Gabin die höchste Ehrung zuteilwerden ließ: den dritten Stern. Er erinnerte sich an Henri Levoir, einen der beiden Gründer des Gastroführers Levoir-Brillet, eines Konkurrenten des Guide Bleu. Der Kritiker hatte ihm einst prophezeit, dank seines außergewöhnlichen Talents werde er den dritten Stern schnell schaffen. »Ich verspreche Ihnen Kieffer: In Ihrem Fall dauert das höchstens zwanzig Jahre.«

Doch Kieffer hatte nichts von dem getan, was man von ihm erwartet hatte. Er liebte das Kochen, aber die Achtzehn-Stunden-Tage waren ihm unendlich lang, die überkandidelten Kompositionen unsagbar fad geworden. Und so kochte er nun lieber regionale Küche, Luxemburger Spezialitäten, Brasseriegerichte ohne Schnickschnack, Essen für die Seele. Es war das, was er mochte. Dass sich seine Exkollegen vermutlich darüber totlachten, wie Kieffer sich statt mit Gänseleberterrinen nun mit Gromperekichelcher beschäftigte, war ihm herzlich egal. Anders als er konnten Chefköche mit Stern auch nicht stundenlang mit einem Fläschchen Wein bei ihren Gästen sitzen. Anders als sie würde Kieffer vermutlich nicht schon mit fünfundfünfzig an einem Herzinfarkt krepieren.

Valérie riss ihn aus seinen Gedanken. »Ich habe dir auch eine Illustrierte mitgebracht, da solltest du unbedingt reinschauen.«

Sie hielt eine Ausgabe des deutschen Klatschmagazins »Bunte« empor.

»Ach, Valérie. Warum sollte ich diesen Mist …«

Seine Stimme erstarb, als er das Cover sah. Er griff nach dem Magazin, um das Foto genauer zu betrachten. Es war auf einer Jacht aufgenommen, vermutlich irgendwo im

Süden. Auf dem Vorderdeck stand ein sehr gut aussehender, wenn auch etwas geckenhaft wirkender Mann mit olivfarbener Haut und schwarzer Löwenmähne. Sein muskulöser Oberkörper glänzte in der Sonne, sein Mund war zu einem breiten Lächeln verzogen und gab den Blick auf ebenmäßige Meißnerzähne frei.

Kieffer kannte den Mann gut. Er war mit ihm auf die Kochschule gegangen. Leonardo Gutiérrez Esteban hatte zusammen mit ihm im »Renard Noir« in Châlons-en-Champagne gelernt, danach waren sie unterschiedliche Wege gegangen – sehr unterschiedliche Wege. Während Kieffer das Talent, aber nicht den Willen gehabt hatte, es ganz an die kulinarische Spitze zu schaffen, war es bei Esteban genau anders herum. Seine Fähigkeiten als Koch konnte man, freundlich betrachtet, als grundsolide bezeichnen. Diesen Mangel an Exzellenz glich der Argentinier jedoch durch unverschämt gutes Aussehen, Geschäftssinn und unerschütterliches Selbstbewusstsein aus. Der »Küchen-Leonardo«, wie sich Esteban seit einigen Jahren nannte, wollte ganz nach oben, es war seine Bestimmung. Zumindest glaubte er das selbst, und wenn er es glaubte, ja wusste – wer konnte dann etwas anderes behaupten?

Ungläubig hatte Kieffer in den vergangenen Jahren verfolgt, wie Esteban zu einem der berühmtesten Köche Europas aufgestiegen war. Sterne besaß der Argentinier nicht, aber wozu auch? Die waren ohnehin nur hinderlich, wenn man Mikrowellen-Empanadas verkaufen oder sich als Werbefigur für Dosensuppen verdingen wollte.

Kieffer und Esteban hatten sich nach ihrer gemeinsamen Lehre aus den Augen verloren. Erst vor etwa zwei Jahren waren sie wieder aufeinandergetroffen, der Kontakt war jedoch bestenfalls sporadisch. Dennoch war es nahezu unmöglich, dem Argentinier zu entgehen, denn er war überall. Im Fernsehen ohnehin, aber auch im Supermarkt, wo zwischen Ketchup und Barbecuetunke Estebans »Asado Argentina«-Würzsoße stand, versehen mit seinem strahlenden Konterfei. Und neulich hatte Kieffer an der Place d'Armes in der Oberstadt ein Esteban-Plakat im Fenster eines US-Fastfood-Tempels entdeckt. Selbst mitten in seiner eigenen Stadt lauerte der Mann ihm auf, spöttisch musterte ihn sein ehemaliger Kompagnon durch die Glasscheibe. Kieffer ging sonst nie in diese Burgerläden, doch bei dieser Gelegenheit hatte er es getan, aus purer Neugier. Nur um festzustellen, dass Esteban drinnen sogar als lebensgroßer Pappkamerad neben der Kasse stand und ihm lächelnd jene Kreation hinhielt, die er für die Kette geschaffen hatte: den Gaucho Mac.

Estebans Aufstieg schien unaufhaltsam. Ansonsten hätte der Argentinier sich wohl auch kaum einen Urlaub auf einer Jacht wie dieser leisten können. Dem Bildausschnitt nach zu urteilen, musste das Schiff riesig sein Kieffer betrachtete die barbusige Grazie, um die der Argentinier seine Arme geschlungen hatte. Darunter stand: »Ein Häppchen für den Starkoch«.

»Wusste ich doch, dass dich das interessiert«, sagte Valérie. »Hab ich zufällig beim Bäcker im Zeitschriftenständer gesehen. Das ist doch dein Freund Esteban, oder?«

»Freund ist ein sehr starkes Wort.« Kieffer schlug die Illustrierte auf, suchte nach dem Artikel und begann ihn zu überfliegen.

»Worum geht es denn?«, fragte Valérie. »Wer ist das Mädchen?«

»Nicht seine Frau«, brummte Kieffer. Esteban war verheiratet, und zwar mit der Erbin eines Bierbrauerimperiums aus der Eifel. Diese Verbindung hatte dem Argentinier nicht nur die Kapitalbasis für seine Küchenkarriere verschafft und sein opulent ausgestattetes Restaurant »Revolución« finanziert, sondern ihm außerdem einen Adelstitel beschert. Sein ohnehin klangvoller Name war durch die Vermählung mit Susanne von Ritterdorf noch ein bisschen imposanter geworden und lautete nun Leonardo Jesús María Gutiérrez Esteban von Ritterdorf. Weil das ein bisschen lang war, nannte ihn die Klatschpresse meist »Pampaprinz«.

»Viel steht nicht drin«, erklärte Kieffer. »Nur, dass der Küchen-Leonardo nach einem TV-Dreh an der Costa Smeralda auf einer Jacht im Arcipelago di Maddalena ausspannt, zusammen mit seiner persönlichen Assistentin. Das ist wohl das Mädel.«

»Mehr nicht?«

Kieffer stibitzte eine Gauloise aus Valéries Packung, die zwischen ihnen auf dem Tisch lag. »Nein. Aber drinnen sind weitere Fotos, auf denen zu sehen ist, wie die Assistentin ihm mit seinen Badeshorts assistiert. Willst du sie sehen?«

»Nein, danke. Hast du in letzter Zeit eigentlich mal Kontakt zu Esteban gehabt? Ich habe gehört, seine Show im französischen Fernsehen läuft sehr schlecht. Soll eingestellt werden, munkelt man.«

»Als unser Lehrmeister Paul Boudier gestorben ist, habe ich ihn ein paar Mal gesehen. Und danach vielleicht noch zwei-, dreimal. Aber immer nur kurz, was mir ganz recht ist. Ich kann Leo nur schwer länger ertragen.«

Sie grinste. »Du magst eben keine Menschen.«

»Klar mag ich Menschen. Dich zum Beispiel.« Er gab ihr einen Kuss. »Nein, das ist es nicht, Val. Er ist einfach ein sehr anstrengender Typ.« Kieffer seufzte. »Und ich bin übrigens am Dienstag mit ihm verabredet.«

»Was will Esteban denn von dir?«

»Hat er nicht gesagt. Nur, dass er mir ein Geschäftsangebot unterbreiten möchte.«

»Und was könnte das sein?«, fragte sie.

»Er wollte doch immer, dass ich in seiner TV-Show ›Leonardos Küchenrevolution‹ mitmache. Ich hätte vermutet, dass es darum geht. Aber wenn die eingestellt wird, muss es wohl um etwas anderes gehen.«

Durch die angelehnte Hintertür vernahm Kieffer das Klingeln seines Telefons. Es riefen nicht mehr allzu viele Menschen auf diesem Festnetzanschluss an – eigentlich nur seine Mutter. Aber die immer nur sonntags, nach dem Gottesdienst. Alle anderen verwendeten seine Handynummer oder die des Restaurants. Er wusste augenblicklich, dass der Anruf irgendetwas mit dem Betrunkenen zu tun hatte. Valéries und sein Blick trafen sich.

»Der Schlüsselbund«, sagte sie tonlos.

Kieffer stand auf und eilte zum Telefon. »Ja, bitte?«

»Guten Morgen, Monsieur Kieffer.« Es war eine Frauenstimme mit einem angenehmen, glockenhellen Klang, eine perfekte Telefonstimme. Die Anruferin sprach Französisch, mit einem leichten Akzent, den er nicht zuordnen konnte.

»Mein Name ist Coletti. Ich rufe Sie im Auftrag der Firma Cipher Investments an.«

»Guten Morgen«, brummte Kieffer. »Was kann ich für Sie tun?«

»Ich möchte mich im Namen von Cipher aufrichtig bei Ihnen entschuldigen, für den Zwischenfall am gestrigen Abend.«

Die Anruferin machte eine kurze Pause, um ihm Gelegenheit zu geben, etwas zu erwidern. Kieffer schwieg.

»Einer unserer Mitarbeiter hat sich gestern auf Ihrem Kirmesstand fürchterlich aufgeführt. Wenn ich richtig informiert bin, hat er sogar das Personal angegriffen.«

»Hmm. Er hat den Koch getreten, einem weiblichen Gast eine Schürfwunde beigebracht und die Zeltplane beschädigt.«

»Das tut mir außerordentlich leid. Er ist Russe, sehr trinkfreudig, und er hat sich manchmal nicht im Griff. Wir würden die Sache gerne aus der Welt schaffen und den Schaden begleichen, den er angerichtet hat.«

»Geschenkt. Die Zeltplane lässt sich kleben. Aber es wäre ein netter Zug, wenn Ihr Mitarbeiter – wie war doch gleich sein Name?«

Kieffer glaubte, ein kurzes Zögern zu bemerken, bevor sie sagte: »Yeltsin. Ivan Yeltsin.«

»Also, wenn sich Monsieur Yeltsin entschuldigen würde …«

»Natürlich. Cipher bedauert sehr, dass …«

Kieffer schnitt ihr das Wort ab. »Ich bin Ihnen ja sehr dankbar, dass Sie sich so rasch melden. Aber bei Körperverletzung, Ruhestörung und Hausfriedensbruch sollte sich Monsieur Yeltsin vielleicht persönlich entschuldigen.«

»Monsieur Kieffer, wir sind durchaus bereit, Ihnen eine angemessene Kompensation zukommen zu lassen.«

Kieffer fühlte, wie es in seinem Bauch vor Wut zu brodeln begann. »Ich will Ihr Geld nicht. Aber ich bestehe auf einer Entschuldigung.«

Wieder dauerte es einen Moment, bis sie antwortete.

»Monsieur, nach der vergangenen Nacht ist er heute Morgen noch … indisponiert. Aber ich werde ihn heute Nachmittag zu Ihnen schicken, ins ›Deux Eglises‹. Und dort wird er sich bei Ihnen persönlich entschuldigen. Wäre das in Ihrem Sinne?«

»Einverstanden.«

»Gut. Ich danke Ihnen für Ihr Entgegenkommen und dafür, dass Sie uns die Möglichkeit geben, die Angelegenheit unter Geschäftsleuten zu regeln. Da wäre noch eine Sache. Unser Mitarbeiter hat gestern in Ihrem Lokal etwas verloren, eine Keycard.«

»Eine Keycard?«, wiederholte Kieffer.

»Richtig, eine weiße Karte in einer schwarzen Halterung. Haben Sie die Karte vielleicht gefunden?«

»In der Tat ist so etwas liegen geblieben«, sagte er.

»Kann ich sie durch einen Kurier abholen lassen? Es handelt sich um eine Zugangskarte für unser Gebäude und aus Sicherheitsgründen müssten wir sie schnellstmöglich wiederhaben.«

»Monsieur Yeltsin kann die Karte auch heute Nachmittag mitnehmen, wenn er in mein Restaurant kommt.«

Sie lachte. Es klang unecht. »Ohne die kommt er gar nicht ins Büro, wir haben sehr strenge Vorschriften. Wenn es recht ist, würde ich das schon vorher veranlassen. Tilleschgass 27a, ist das richtig? Ich könnte in einer Viertelstunde jemanden schicken. Und selbstverständlich gibt der Kurier Ihnen eine Quittung.«

»Meinetwegen, wenn es eilt.«

»Vielen Dank, Monsieur Kieffer. Das ist außerordentlich freundlich von Ihnen. Auf Wiederhören.«

Dann kappte sie die Verbindung. Kieffer legte den Hörer auf die Gabel und dachte nach. Er war sich ziemlich sicher, dass dieser Yeltsin, sobald er die Karte wiederhatte, nicht mehr in seinem Restaurant auftauchte. Er würde sich einfach in seinem gläsernen Bankerbüro oben auf dem Kirchberg verstecken und warten, bis Gras über die Sache gewachsen war. Kieffer seufzte. Es ärgerte ihn, dass der Typ ungeschoren davonkam. Er hätte gestern doch die Polizei rufen sollen.

Der Koch ging zurück in den Garten und berichtete Valérie von dem Gespräch. Erwartungsgemäß geriet sie in Rage und stieß eine Kanonade Flüche aus, die jeden Küchenjungen beeindruckt hätten. »Dieser Drecksack rennt mich um, bricht mir fast den Arm, tritt dir in die Weichteile und hat jetzt nicht einmal den Arsch in der Hose, die Sache selbst geradezurücken? Mein Gott, man soll ja keine Vorurteile haben, aber es passt verdammt noch mal, dass dieser Typ Investmentbanker ist. Dieser miese kleine …!«

»Ganz ruhig, Val. Es lohnt sich nicht, sich wegen dieses Typen weiter aufzuregen. Lass uns lieber den Schlüsselbund loswerden und danach in die Oberstadt zu der Ausstellung im Cercle Cité gehen, wie wir es geplant hatten. Dann vergessen wir die Sache.«

Valérie verzog das Gesicht und entnahm ihrer Tasche den Bund mit den bunten Schlüsseln und der Keycard. Dann kramte sie ihr Portemonnaie hervor und begann, dessen Kartenfächer zu überprüfen. »So billig kommt der mir nicht davon.«

»Was machst du da?«

»Hab ich dich richtig verstanden, dass die nur nach der Keycard gefragt haben und nicht nach den Schlüsseln?«

»Stimmt, aber …«

»... dann kriegen sie auch nur eine Keycard. Und zwar diese.«

Valérie entnahm ihrem Geldbeutel eine weiß-grüne Karte. Dann zog sie die Keycard des Bankers aus dem kleinen Plastiketui. Auf ihr befand sich ein kleiner Aufkleber, auf dem das Wort »Melivia« stand. Mit dem Fingernagel löste sie die Klebefolie von ihrer und den Aufkleber von der anderen Karte ab und vertauschte beide. Dann steckte sie ihre Karte, auf der nun der »Melivia«-Sticker klebte, in das kleine schwarze Plastiketui und öffnete den Schlüsselring.

»Ist das nicht etwas albern, Val?«

»Und bist du nicht etwas fügsam? Der Arsch soll sich ruhig wundern, warum er nicht in sein Büro kommt. Mit der Keycard meines Fitnessclubs wird es auf jeden Fall schwierig.« Sie zündete sich eine Gauloise an. Dann steckte sie die Plastikkarte des Russen in ihr Portemonnaie. »Seine nehme ich mit nach Hause.«

»Und was fängst du damit dann an, Val?«

»Damit gehe ich zu meinem Anwalt, die Karte ist ein Beweisstück. Vielleicht ist seine Anschrift drauf gespeichert.«

Sie hatte diesen Blick, der weitere Überzeugungsversuche erfahrungsgemäß sinnlos machte. In diesem Moment klingelte es. Bevor er etwas sagen konnte, hielt Valérie ihm die Keycard hin. Kieffer seufzte, nahm sie und machte sich auf den Weg zur Haustür.

6

Am Sonntagnachmittag fuhr Kieffer seine Freundin zum Luxemburger Flughafen. Die stets viel beschäftigte Gabin-Chefin musste zurück nach Paris, ihr Besuch war für seinen Geschmack viel zu kurz gewesen, wie immer.

»Wann sehen wir uns wieder, Val? In zwei Wochen, wie immer?«

»Ich hoffe ja, aber ich kann es noch nicht sagen. Wir haben Ende des Monats Druckschluss für den Guide Bleu, da ist der Stress immer am größten. Und anschließend muss ich einige Tage nach England. Würdest du auch mit nach England kommen?«

»Ich würde sogar dort essen«, erwiderte er und strich ihr mit dem Handrücken über die Wange. Sie gab ihm einen Kuss auf den Mund, für seinen Geschmack ebenfalls viel zu kurz. Dann lief sie über den Parkplatz davon und verschwand in dem gläsernen Schuhkarton, der Luxemburgs Flughafen beherbergte.

London. Seine Pendelbeziehung mit Valérie wäre für einen reiseunfreudigen Menschen wie ihn bereits anstrengend genug gewesen, hätte sie sich ausschließlich zwischen Paris und Luxemburg abgespielt. Es schien ihm jedoch, als ob die Zahl der Städte, die er inzwischen um ihretwillen an den Wochenenden besuchte, immer weiter zunahm. Anfangs waren es meist Bordeaux und Lyon gewesen, dann hatte es eine mehrmonatige Berlinphase gegeben, weil die Groupe Gabin sich vorgenommen hatte, den Menschen auf der anderen Rheinseite das Genießen zu erklären und dort expandierte, mit eigenen Zeitschriften und DVDs. Später war er mehrfach in Madrid und Barcelona gewesen und nun drohte ihm London. Neulich hatte er einen Brief von der Luxair erhalten, in dem ihm mitgeteilt wurde, er erhalte aufgrund seines hohen Flugaufkommens ab sofort den Frequent-Traveller-Status. Er und Vielflieger – es war einfach absurd. Und es nervte.

Kieffer stieg in sein Auto und suchte nach einer Kassette, die ordentlich Krach machte. Er wählte »Under a Blood Red Sky«, zündete sich eine Ducal an und fuhr zum »Deux Eglises«. Er musste spätestens in einer Stunde, wenn der abendliche Trubel begann, wieder oben auf dem Glacis sein. Aber vorher wollte er in seinem Restaurant kurz nach dem Rechten sehen und sich noch eine eiserne Reserve Gromperen in den Kofferraum laden. Kieffer parkte vor dem Haus und betrat den Speiseraum durch die Vordertür. Als Erstes ging er zu Jacques, seinem chef de service.

»War ein Banker hier?«, fragte er

»Ein Banker, Xavier? Es sind doch andauernd welche hier.«

Jacques hatte natürlich recht. Angesichts der Nähe zum Kirchberg gehörten viele der Fondsmanager und Investmentbanker, die im Finanzviertel arbeiteten, zu seinen Stammgästen.

»Nicht irgendeiner. Ein Russe namens Yeltsin.«

»Wie der versoffene Präsident? Nein, Boris war nicht hier«, gluckste Jacques.

»Danke«, sagte Kieffer und ging zu seinem Büro. Auf dem Weg dorthin blieb er plötzlich stehen. »Kräiz Batterie!«, entfuhr es ihm. Er nahm sein Handy aus der Tasche und wählte Valéries Nummer. Ihr Anrufbeantworter sprang sofort an, sie saß offenbar schon im Flugzeug.

Yeltsin. Es war ziemlich offensichtlich, sobald man darüber nachdachte. Kieffer hatte die Frau, die sich ihm am Telefon als Madame Coletti vorgestellt hatte, nach dem Namen jenes Mannes gefragt, der im »Roude Léiw« herumrandaliert hatte. Die hatte daraufhin kurz gezögert. Warum? Vermutlich weil sie dessen wahren Namen nicht preisgeben wollte. Und vermutlich auch, weil ihr auf die Schnelle kein russischer Name eingefallen war. Also hatte sie ihm den erstbesten hingeworfen, der ihr zum Thema »betrunkener Russe« eingefallen war: Yeltsin. Und weil Boris Yeltsin dann doch zu unglaubwürdig geklungen hätte, hatte sie ihrem fiktiven Raufbold den gängigsten russischen Vornamen verpasst: Ivan.

Ivan Yeltsin. Kieffer war sich nun sicher, dass die Frau weder Coletti hieß noch die Firma Cipher Investments. Er kramte in seiner Hosentasche nach der Quittung, die ihm der Kurier vorhin ausgestellt hatte. Es war ein von einem handelsüblichen Quittungsblock abgerissenes Formular. Die Unterschrift war unleserlich, darüber stand in Druckschrift »Keycard«.

Mit einem seltsamen Gefühl im Bauch stieg Kieffer die Treppe zur Küche hinauf. Abwesend grüßte er den Vorbereitungskoch und ging dann in den Kühlraum, um einige Dinge für die Kirmes zusammenzupacken. Als er fertig war, stellte er die Plastikkiste mit den Zutaten in den kleinen Speiseaufzug, schickte ihn nach unten und ging zurück in den Schankraum. Jacques grinste ihn an. »Der russische Ex-Präsident war immer noch nicht hier.«

Kieffer wuchtete die Box aus dem Aufzug. »Ich schätze, er kommt auch nicht mehr. Ich fahre jetzt rüber zur Fouer. Gibt es sonst noch irgendwelche Neuigkeiten, die ich wissen müsste?«

»Hier im Lokal? Nein nichts. Aber hast du von dem Selbstmörder in der ville basse gehört?«

»Nein? Wo?«

»Ist heute Nacht gesprungen. Von der Rouder Bréck.«

Von der Roten Brücke, eigentlich dem Pont Grande-Duchesse Charlotte, waren früher viele in den Tod gesprungen. Die siebzig Meter über dem Unterstadtviertel Pfaffenthal thronende Stahlkonstruktion schien Selbstmörder magisch anzuziehen. Der Stadtteil lag direkt unter der Brücke. Pfaffenthaler, so hatten die Leute in seiner Jugend gescherzt, brauchten Nerven wie Drahtseile und einen tiefschwarzen Humor, um mit dem Umstand fertig zu werden, dass sie des Morgens mit unschöner Regelmäßigkeit die zerschmetterten Überreste lebensmüder Menschen vor ihren Häusern und in ihren Gemüsegärten fanden. In den Neunzigerjahren hatte man deshalb hohe Plexiglaswände auf dem Pont errichtet. Seitdem sprang niemand mehr, zumindest nicht von der Rouder Bréck.

»Weiß man, wer es war?«

Jacques schüttelte den Kopf. »Irgendein Ausländer.«

Kieffer nickte. Er konnte spüren, wie es in seinem Magen rumorte. Dann stieg er in den Peugeot und fuhr den Kirchberg hinauf, vorbei an der Philharmonie auf die Avenue Kennedy. Als Kieffer die rot gestrichene Stahlbrücke überfuhr, zitterten seine Hände. Hier musste der Mann gesprungen sein. Er spürte, wie sein Magen krampfte. Nicht einmal zwei Minuten später parkte er sein Auto am Glacis. Kieffer schaute zurück. Von der Schueberfouer bis zur Mitte der Rouder Bréck waren es nicht einmal dreihundert Meter.

7

Es war bereits nach zwei Uhr morgens, als Kieffer die Verschläge des »Léiw«-Stands verriegelte und sich auf den Heimweg machte. Statt die Rout Bréck zu benutzen, fuhr er durch die Innenstadt, dann die Montée de Clausen hinunter und an der Abbaye de Neumünster vorbei zu seinem Haus in Grund. Unter normalen Umständen wäre Kieffer sofort ins Bett gefallen, aber daran war heute nicht zu denken. Er holte eine Flasche Drëpp aus dem Keller, luxemburgischen Schnaps, und setzte sich in den Garten. Es war immer noch warm, eine Tropennacht beinahe. Morgen sollte es wieder heiß werden. Es war eigentlich keine Nacht für Drëpp, eher eine für eiskaltes Bier. Aber er benötigte etwas, um seine Nerven zu beruhigen.

Kieffer trank einen Schnaps, dann einen weiteren und rauchte dazu einige Ducal. Er spielte mit dem Gedanken, Valérie aus dem Bett zu klingeln. Aber was sollte er ihr sagen? Dass jemand von einer Luxemburger Brücke gesprungen war, er aber keine Ahnung hatte, um wen es sich handelte – gleichzeitig jedoch zu ahnen glaubte, dass es nur der Betrunkene aus dem Zelt sein konnte?

Gegen halb vier ging Kieffer ins Bett. Nachdem er sich zwei Stunden lang im Halbschlaf hin- und hergewälzt hatte, hielt er es nicht mehr aus. Er zog sich wieder an und lief zu seinem Auto, das er vorne an der Ulrichbrücke geparkt hatte. In dem verschlafenen Unterstadtviertel war um diese Zeit noch nicht einmal der Bäcker wach. Aber ein paar Kilometer weiter, auf der Rue de Neudorf, gab es eine Vierundzwanzig-Stunden-Tankstelle. Er war der einzige Kunde. Den verschlafen aussehenden Kassierer am Nachtschalter bat Kieffer, ihm die Zeitungen zu geben, die schon da waren.

»Welche möchten Sie denn?«

»Alle.«

Der Mann verschwand kurz und schob ihm dann einen großen Stapel Papier durch die Schublade: Das »Lëtzebuerger Journal«, das »Luxemburger Wort« und das »Tageblatt«, außerdem das französische »L'Essentiel«, ferner die portugiesischsprachige »Correio«. Kieffer zahlte und setzte sich mit dem Packen ins Auto. Hastig begann er, die Zeitungen durchzublättern. Schnell fand er, was er suchte. Das »Wort« machte seinen Luxemburgteil mit dem Selbstmord auf:

Mann springt von der Roten Brücke

In der Nacht zum Sonntag ist eine unbekannte Person vom Pont Grande-Duchesse Charlotte gesprungen. Pfaffenthaler Anwohner fanden die Leiche in den Morgenstunden unweit der Rue Ménager. Nach Angaben der Polizei handelt es sich um einen Amerikaner, der in Luxemburg arbeitete. Die genauen Todesumstände sind noch unklar. Die Rote Brücke

galt lange als Anziehungspunkt für Selbst-
mörder aus der ganzen Großregion, aber seit
der Errichtung mehrerer Meter hoher Sicher-
heitswände an den Brüstungen ist die Zahl
der Vorfälle stark zurückgegangen. Die Po-
lice Grand-Ducale sperrte die Rue Ménager
zwecks Spurensicherung mehrere Stunden
lang ab. Didier Manderscheid, der Direktor
der Kriminalpolizei, sagte dieser Zeitung, über
die genauen Hintergründe könne man derzeit
nichts sagen: »Unfall, Selbstmord, Mord –
momentan lässt sich nichts ausschließen.«

Ein Foto des Toten hatte das »Wort« nicht veröffentlicht, lediglich ein Symbolbild, das die Rout Bréck zeigte. Vor einem wolkenverhangenen Himmel überspannte die minimalistische Stahlkonstruktion die Schlucht zwischen Limpertsberg und Kirchberg, darunter lag das Pfaffenthal, rechter Hand erhoben sich die Hochhäuser des Europaviertels. Alles auf dem Foto wirkte grau, bis auf die lohfarbene, seltsam leuchtende Brücke. Vielleicht hatte die Redaktion aus Pietätsgründen davon abgesehen, die Leiche zu zeigen. Kieffer hielt das jedoch für unwahrscheinlich. Seiner Meinung nach waren den meisten Journalisten derlei Sentimentalitäten völlig fremd.

Er kannte aus seiner Jugend die Geschichten über die Brückenspringer. Schließlich war er in der Ënnerstad aufgewachsen, nur ein paar Kilometer von der Rouder Bréck entfernt. Grausige Detailschilderungen der sich beinahe monatlich ereignenden Selbstmorde hatten unter den Halbstarken seines Viertels zum Standardrepertoire gehört. Man gruselte sich vor dem, was drüben im Pfaffenthal passierte, fühlte sich aber gleichzeitig davon angezogen. Einer seiner Kumpels war sogar einmal vor Ort gewesen, als wieder einer gesprungen war, noch vor der Polizei. Kieffer erinnerte sich, wie der Junge mit bleichem Gesicht aus Pfaffenthal zurückgekommen war, so schnell sein Fahrrad ihn trug, als wäre der Teufel hinter ihm her.

Deshalb wusste er, dass es nach einem Sturz aus siebzig Metern Höhe häufig nicht mehr allzu viel zu fotografieren gab – zumindest nichts, das man Zeitungslesern zum Frühstück hätte zumuten können. Der menschliche Körper besaß, wenn er aus einer derartigen Höhe herabfiel, eine Aufprallgeschwindigkeit von über hundert Stundenkilometern. Wenn man dazu auch noch das Pech hatte, auf den Asphalt aufzuschlagen, dann …

Kieffer blätterte die anderen Zeitungen durch. Überall stand, der Tote sei Amerikaner gewesen, nicht Russe. Sein Bauchgefühl hatte ihn also getäuscht. Wer immer sich von der Brücke gestürzt hatte – es war niemand, den er kannte, schon gar nicht jener Brillenträger, der im »Roude Léiw« randaliert hatte. Er zündete sich eine Ducal an. Nun, da er mit den deutsch- und französischsprachigen Zeitungen durch war, würde er nach Hause fahren, um zumindest noch zwei, drei Stunden zu schlafen. Kieffer wollte bereits den Motor anlassen, da fiel sein Blick auf die Titelseite der noch ungelesenen »Correio«.

Mehr als zehn Prozent der Luxemburger Bevölkerung waren portugiesischer Abstammung, weswegen es mehrere Zeitungen für die lusophone Gemeinschaft gab. Der Koch konnte bestenfalls ein paar Brocken Portugiesisch, meist Küchenbegriffe, aber als er auf einem der kleinen Fotos auf der Titelseite die Rout Bréck erkannte, schlug er den »Luxemburgo«-Teil auf. Unter der Überschrift »Salto suicida de ponte vermelha« war ein großes Foto des Tatorts zu sehen. Mehrere Polizisten und Forensiker standen hinter einer Absperrung am Rande der Straße, auf dem Boden waren Markierungen der Spurensicherung angebracht. Der Pressefotograf hatte offenbar versucht, von jenseits der Absperrung möglichst nahe an die Leiche heranzuzoomen, so viel zur journalistischen Pietät. Viel war trotzdem nicht zu erkennen, da eine weiße Plane über den Toten gebreitet worden war. Aber unter dem Plastik ragte eine blutverschmierte Hand hervor.

Kieffer entfuhr ein Stöhnen. Oberhalb der Hand war ein Stück froschgrünen Manschettenstoffs zu sehen. Er nahm sein Handy aus der Tasche und rief Valérie an. Sie meldete sich erst nach dem fünften Klingeln und klang, als ob er sie aus dem Schlaf gerissen hätte.

»Guten Morgen. Du bist aber sehr früh dran.«

»Tut mir leid, Val. Es ist wichtig, es geht um den Banker.«

Sie gähnte. »Hat er seinen Anwalt geschickt, weil wir seine Schlüssel behalten haben? Meiner sagt, ich solle den Kerl wegen Körperverletzung und ...«

»Er ist tot, Val.«

»Was? Wie kann das sein?«

Kieffer erzählte ihr von seiner Vorahnung, von den Zeitungsartikeln und dem Foto, auf dem er die Hand und den Hemdsärmel des Toten gesehen hatte.

»Es ist genau dasselbe froschgrüne Hemd.«

»Bist du dir sicher?«

»Völlig sicher. Das ist kein Zufall, wer trägt schon so ein knallgrünes Hemd?«

»Aber wieso steht da, er sei Amerikaner gewesen, wenn er Russe ist?«, fragte sie.

»Keine Ahnung«, antwortete Kieffer. »Aber ich schätze, wenn der Name und die Firma erfunden waren, die mir diese Coletti aufgetischt hat, könnte sie auch bei der Nationalität gelogen haben.«

»Jetzt mal ganz langsam. Wieso ist der Name des Bankers erfunden?«

Er erzählte ihr von seiner Yeltsin-Theorie.

»Vermutlich hast du recht. Aber was machen wir jetzt? Wenn wir die Letzten waren, die den Kerl lebend gesehen haben, muss das eure Polizei wissen.«

»Ja, Val. Außerdem ….«

»… oh Gott, Xavier, seine beiden Saufkumpane! Vielleicht waren das gar nicht seine Freunde?«

»Vielleicht nicht. Und dann die Sache mit der Keycard. Wo ist die jetzt eigentlich?«

»Hier irgendwo, in meinem Portemonnaie. Den Bund mit den bunten Schlüsseln habe ich nicht mitgenommen, der liegt auf deiner Anrichte.«

»Die Polizei wird die Karte und die Schlüssel vermutlich haben wollen, Val.«

»Sprich mit ihnen, am besten noch heute. Wenn sie die Keycard brauchen, schicke ich sie sofort per Expresskurier. Vielleicht ist da sein Name drauf.«

Kieffer betrachtete das Foto der Leiche, das auf seinem Schoß lag. »Ich muss mit Kommissar Manderscheid sprechen.«

»Manderscheid? Ist das nicht dieser fürchterliche Typ, mit dem du damals bei dem Mord an unserem Inspektor zu tun hattest?«

Vor einiger Zeit war in Kieffers Restaurant ein Kritiker des Guide Gabin unter mysteriösen Umständen zu Tode gekommen. Durch dieses missliche Ereignis hatte er Valérie kennengelernt, außerdem Kommissar Didier Manderscheid. Die erste Bekanntschaft hatte sich als wundervoll erwiesen, was man von der zweiten nicht behaupten konnte. Er und Manderscheid waren einander von Anfang an in inniger Abneigung verbunden gewesen. Der Umstand, dass Kieffer mehr zur Aufklärung des Mordes an dem Gastrokritiker beigetragen hatte als der Kommissar, hatte ihr Verhältnis endgültig ruiniert.

»Genau der, Val. Wenn es stimmt, was in der Zeitung steht, hat man ihn allerdings inzwischen befördert, zum Leiter der Kripo.«

Kieffer konnte sich nicht vorstellen, dass dieser Karrieresprung aus Manderscheid einen umgänglicheren Menschen gemacht hatte. Er verabschiedete sich von Valérie und fuhr nach Hause. Dort duschte er zunächst und entlockte der Römerin mehrere Espressi, bevor er sich in der Lage sah, Manderscheid gegenüberzutreten. Dann fuhr er in die Oberstadt. Es war nun kurz vor acht, und er wusste genau, wo er den Kommissar um diese Zeit finden würde.

8

In der hoch über Kieffers Wohnsitz in Grund thronenden Innenstadt gab es zwei große Plätze. Einer davon, die Place Guillaume II., hatte den Charakter eines Marktfleckens. Ihn suchte man auf, um an den dortigen Ständen etwas lëtzebuerger Geméis – Karotten, Bohnen oder Gromperen – zu kaufen, oder vielleicht, um eine Verwaltungsangelegenheit bei der Gemeinde zu erledigen. Auf dem Knuedler, wie er im Volksmund hieß, waren die Dinge meist in Bewegung. Der zweite große Platz hingegen gehörte jenen, die nach der ganzen Herumrennerei eine Pause benötigten. Um die Place d'Armes herum waren die Stühle und Tische diverser Restaurants und Cafés aufgereiht. Exerzierende Soldaten gab es auf dem Waffenplatz schon lange keine mehr, stattdessen marschierten dort nun elegant gekleidete Luxemburgerinnen, Russinnen oder Engländerinnen auf und ab, ihre jüngsten Eroberungen von Guerlain oder Gucci präsentierend, mit ihrem Adjutanten im Schlepptau, der die auf der Grand-Rue gemachte Beute tragen durfte. Hervorragendes Straßentheater wurde auf der Place d'Armes geboten, und von den Cafés aus ließ es sich am besten beobachten.

Kieffer war sich sicher, dass er Manderscheid hier finden würde. Der Kommissar der Police Judiciaire, der Luxemburger Kriminalpolizei, war kein Mensch, der gerne im Büro saß. Hinzu kam, dass die PJ nicht in der Oberstadt, sondern in irgendwelchen muffigen Zweckbauten am Stadtrand untergebracht war. Manderscheid aber war jemand, der nicht nur Licht und Luft brauchte, sondern auch eine Bühne. Und deshalb konnte man ihn fast jeden Morgen im Café Paräis antreffen, einem etwas verzopften Bistro an der Nordseite des Platzes.

Kieffer stellte sein Auto im Parkhaus unter dem Knuedler ab. Dann ging er über den Platz und durch eine kleine Jugendstilpassage, die zwischen zwei Gebäuden hindurch auf die Place d'Armes führte. Dort waren bereits erstaunlich viele Touristen unterwegs, es musste an der Fouer liegen. Kieffer lief bis zum Café Paräis und musterte die Gäste, die im Außenbereich saßen. Manderscheid war noch nicht da. Er schaute auf seine Armbanduhr, es war kurz nach halb neun. Der Koch setzte sich und bestellte eine Schale Café au Lait.

Nach der dritten Ducal sah er ihn. Manderscheid kam die Rue Genistre heraufgelaufen. Der Kommissar gehörte zu jener Kategorie, die Valérie gerne spöttisch mit der Bemerkung »das ist aber ein schöner Mann« bedachte. In der Tat wäre der Kriminalbeamte wohl ein ganz ansehnlicher Bursche gewesen, hätte er es nicht so übertrieben. Schon wie er lief. Manderscheid ging nicht, er schritt, beinahe stolzierte er die Place d'Armes entlang, so als sei er der Großherzog und wolle gleich eine Militärparade abnehmen. Er hatte wie immer etwas zu viel Gel in seinen halblangen schwarzen Haaren und trug einen etwas zu eng geschnittenen Dreiteiler, den er mit einem etwas zu bunten Pochette aufgepeppt hatte. In seiner Rechten ruhte die unvermeidliche Pfeife. Als der Polizeibeamte sich ihm auf wenige Meter genähert hatte, erkannte Kieffer, dass Manderscheids anderes unverzichtbares Accessoire verschwunden war: Noch vor Kurzem hatte ein schmales Menjou-Bärtchen die Oberlippe des Kommissars geziert. Nun war es verschwunden. Eine Verbesserung, wie Kieffer fand. Vielleicht hatte ihm endlich jemand gesagt, dass er damit aussah wie ein Eintänzer.

Der Polizist schien Kieffer nicht bemerkt zu haben. Er setzte sich zwei Reihen vor den Koch, bestellte Kaffee, nippte, und entfaltete dann mit behaglichem Grunzen das »Luxemburger Wort«. Kieffer wartete einige Minuten, rauchte eine weitere Zigarette. Dann sagte er: »Moien, Kommissär.«

Manderscheid fuhr herum. Er musterte den Koch mit missbilligender Miene. »Moien, Haer Kieffer.«

Dabei zog er das »Kie« in die Länge und spie dann »ffer« hinterher, als handele es sich um eine ansteckende Krankheit.

»Alles an der Rei, Kommissär?«

Anstatt zu antworten, biss Manderscheid auf das Mundstück seiner Bruyèrepfeife. »Was wollen Sie?«

»Ich habe eine Aussage zu machen. Es geht um den Mann, der von der Rouder Bréck gesprungen ist.«

»Aha. Und was haben Sie damit zu tun?«

»Ich glaube, dass er kurz vor seinem Tod bei mir war.«

Manderscheid zog die Pfeife aus dem Mundwinkel, in seinen Augen meinte Kieffer so etwas wie Interesse aufblitzen zu sehen. »In den ›Zwou Kierchen‹?«, fragte der Kommissar.

»Nein, auf der Fouer. Ich habe dort einen Stand.«

Der Polizist nahm einen Schluck Kaffee, schnalzte mit der Zunge und antwortete: »Wir haben die Identität des Mannes ja gar nicht an die Presse gegeben. Woher wissen Sie dann, wer es ist?«

Kieffer schüttelte den Kopf. »Wissen tue ich es nicht.« Er erklärte dem Kommissar, dass der Brückenspringer und der Betrunkene das gleiche Hemd getragen hatten.

Manderscheid legte seine von Geheimratsecken umfriedete Stirn in Falten. »Aha. Und das lässt Sie mutmaßen, dass Sie wieder einem Mord auf der Spur sind. Typisch, Kieffer! Ëmmer iwwerall derbäi sin, hmm? Immer überall die Finger drin haben wollen.«

Er sog ärgerlich an seiner erkalteten Pfeife. »Überlassen Sie diese Dinge lieber uns. Und außerdem«, er grinste triumphierend, »ist die Aufnahme einer Zeugenaussage, wenn Sie denn unbedingt eine machen möchten, operatives Ermittlergeschäft. Ich kümmere mich als Direktor der PJ inzwischen eher um die strategischen Aspekte.«

Kieffer ließ seinen Blick zwischen Manderscheids Kaffeetasse und dessen Zeitung hin- und herwandern. »Ich verstehe. Können Sie mir denn sagen, an wen ich mich bei der Police Grand-Ducale wenden darf?«

»Die zuständige Polizistin ist Inspecteur Joana Galhardo Lobato. Sie erreichen sie in Hamm bei der PJ.«

Kieffer bemühte sich, freundlich zu lächeln. Vermutlich wirkte es wenig glaubhaft. »Merci villmools, Kommissär.«

Manderscheid verschwand hinter seiner Zeitung. »Äddi, Haer Kieffer.«

Der Koch zahlte seinen Kaffee und beeilte sich, das Café Paräis zu verlassen, bevor ihm vielleicht noch eine Beamtenbeleidigung entfuhr. Dann rief er bei der Polizei an, hinterließ dort eine Nachricht für die zuständige Polizistin und ging zurück zum Parkhaus. Noch bevor er den Knuedler ganz überquert hatte, klingelte sein Handy.

»Xavier Kieffer, gudde Moien.«

»Hier Lobato. Sie wollen eine Zeugenaussage zu dem Mordfall machen?« Es klang, als handle es sich bei der Anruferin um eine jüngere Frau. Ihre Stimme war hell und schroff.

Mordfall. Kieffer musste schlucken.

»Sind Sie noch dran?«

»Ja, Entschuldigung, Madame. Das ist korrekt. Ich habe am Samstagabend einen Betrunkenen auf der Fouer gesehen, der ein froschgrünes Hemd anhatte.«

»Und Sie meinen, so ein Hemd gibt es in der ganzen Stadt nur einmal?«

»Nicht unbedingt. Aber in 200 Meter Umkreis vom … vom Tatort?«

»Wo finde ich Sie?«

»Vormittags im ›Deux Eglises‹«, sagte Kieffer und gab ihr die Adresse.

»Gut. Bin jetzt noch an der Brücke«, erklärte Lobato.

Sie musste nicht sagen, um welche Brücke es sich handelte. Er merkte, dass ihn fröstelte. Plötzlich sah er wieder den bleichen Jungen vor sich, das Sonntagshemd ganz schmutzig, umringt von all den anderen Unterstadtrangen, darunter auch er selbst, vielleicht zehn, zwölf Jahre alt. Wie sie alle ganz aufgekratzt auf ihren Freund eingeredet hatten – drängend, fragend, wie sie denn ausgesehen habe, d'Läich ënnert der Bréck. Blutig? Noch in einem Stück? Manchmal zerplatzten sie ja förmlich, das wusste man. Aber der Junge hatte überhaupt nichts gesagt, hatte sich an seinem Fahrrad festhalten müssen.

Lobato sagte etwas, aber Kieffer hatte nicht zugehört.

»Wie bitte, Frau Kommissärin?«

»Ich sagte: In fünfzehn Minuten bei Ihnen.« Dann legte sie auf.

Kieffer beeilte sich, zurück nach Clausen zu kommen. Als er das »Deux Eglises« erreichte und gerade auf den Parkplatz einbiegen wollte, tauchte hinter ihm plötzlich ein Motorrad auf. Der Fahrer war viel zu schnell unterwegs. Kieffer bremste scharf. Die Ducati preschte seine Auffahrt hoch, dass der Kies spritzte und kam vor der Eingangstür zum Stehen. Als Kieffer ebenfalls geparkt hatte, sah er, wie der Biker den Helm abnahm. Der Mann stand mit dem Rücken zu ihm. Er war ein recht schmales Bürschchen, mit kurzen schwarzen Haaren und olivfarbener Haut. Als der Motorradfahrer sich umdrehte, um seinen Helm auf dem Sozius festzumachen, sah Kieffer, dass es sich um eine Frau handelte.

»Madame Galhardo Lobato?«

Sie nickte und kam auf ihn zu. »Monsieur Kieffer. Wo können wir reden?«

Er zeigte mit der Linken auf die Terrasse des »Deux Eglises«. »Die gehört zu dieser Zeit uns alleine.«

Sie setzten sich an einen der Außentische. Joana Galhardo Lobato konnte kaum älter als dreißig sein. Sie hatte nussbraune Augen und ein Jungengesicht.

»Darf ich Ihnen etwas anbieten?«, fragte Kieffer. »Einen Kaffee vielleicht oder Wasser?«

Lobato schüttelte den Kopf. »Nichts.« Während sie ihren Notizblock vor sich auf dem Tisch positionierte und sich Datum und Anlass notierte, verzogen sich ihre Lippen zu einem schmalen Strich.

»Erzählen Sie.«

Kieffer erläuterte ihr, was sich im »Roude Léiw« zugetragen hatte. Mehrfach hakte Lobato nach und wollte weitere Details wissen.

Sie blickte nach oben, als denke sie nach. »Könnte hinkommen. Ich muss Sie bitten, sich den Mann anzuschauen.«

Kieffer schluckte. Er fühlte, wie sein Bauch wieder zu krampfen begann. »Natürlich komme ich mit ins Leichenschauhaus, wenn das notwendig ist.« Er suchte nach seinen Ducal.

Lobato schüttelte den Kopf. »Er ist mit dem Kopf zuerst aufgeschlagen. Nicht viel übrig. Aber ich habe ein älteres Bild, wenn auch kein sehr gutes.«

Erleichtert nahm Kieffer den Ausdruck entgegen, den die Kommissarin ihm reichte. Darauf war der Betrunkene zu sehen. Es bestand kein Zweifel daran, dass er es war, auch wenn er einige Jahre jünger schien und statt eines knallbunten Freizeithemds einen Businessanzug trug. Er ging mit mehreren Geschäftsleuten eine Granittreppe hinunter, dahinter waren neoklassizistische Säulen zu erkennen. Im Vordergrund fuhren Autos vorbei, darunter gelbe Taxis. Es sah nach New York aus, vielleicht eine Bank oder ein Gerichtsgebäude.

»Das ist er«, sagte Kieffer. »Ist das in Manhattan aufgenommen? In der Zeitung stand, er sei Amerikaner.«

Lobato schüttelte den Kopf. »Nein, er heißt Aron Kats und ist Russe. Emigriert, lebte lange in den USA, jetzt hier.«

»Er ist Banker, richtig?«

Sie hob eine Augenbraue. »Woher wissen Sie das?«

Kieffer erzählte Lobato nun auch von dem Anruf der mysteriösen Madame Coletti und von dem Schlüsselbund, den der Mann verloren hatte.

»Dass er Russe ist, stimmt, wie gesagt. Banker ist er auch, genauer gesagt Fondsmanager. Aber er arbeitete nicht für eine Firma namens Cipher Investments.« Lobato notierte sich den Namen auf ihrem Block. »Sondern für Lityerses. Hat die Frau diese Firma vielleicht erwähnt?«

»Nein, da bin ich mir sicher.«

»Und wo ist dieser Schlüsselbund jetzt?«

Kieffer holte den Ring mit dem roten, dem lilafarbenen und dem goldenen Schlüssel aus der Hosentasche seiner Cordhose und legte ihn auf den Tisch.

Lobato nahm ihn kurz in Augenschein und steckte den Bund dann ein. »Und die Keycard?«

»Die hat meine Freundin.«

Die Kommissarin machte sich eine Notiz. »Wie ist ihr Name und wo finde ich sie?«

»Sie heißt Valérie Gabin und lebt in Paris. Sie hat angeboten, die Karte per Post zu Ihnen zu schicken.«

»Nein. Das ist ein wichtiges Beweisstück. Vielleicht wichtiger als die Schlüssel, auf der Karte sind möglicherweise Daten gespeichert. Sie soll lieber direkt zum Quai des Orfèvres gehen«, sagte Lobato. Das Gebäude war der Sitz der Pariser Kriminalpolizei. »Geben Sie mir ihre Handynummer, dann organisiere ich den Rest.«

Kieffer tat, wie ihm geheißen. Dann zündete er sich eine neue Zigarette an und sagte: »Eine Frage: Warum denken Sie, dass es Mord war?«

Lobato runzelte die Stirn. »Sie kennen die Brücke?«

»Ja.«

»Die Absperrungen sind sehr hoch. Sicher zu hoch für einen Unfall. Nicht unbedingt zu hoch für einen Selbstmörder, aber …«

»Aber?«

Sie ignorierte seine Nachfrage. »Ist Ihnen an dem Mann etwas Besonderes aufgefallen, als er an Ihrem Stand war?«

»Er wirkte betrunken«, sagte Kieffer.

»Die Obduktion hat ergeben, dass er stocknüchtern war.«

»Wenn Sie es sagen. Auf mich wirkte er desorientiert.« Kieffer drehte die Zigarette zwischen Daumen und Zeigefinger hin und her und sah zu, wie eine dünne Rauchfahne seinen Handrücken emporkroch.

»Ich weiß nicht, wie ich es beschreiben soll ... er wirkte auf jeden Fall seltsam. Vielleicht war er in Panik oder auf der Flucht. Er schien mir ein seltsamer Mensch zu sein, auch wenn ich nicht genau weiß, woran ich das festmachen soll.«

Lobato nickte wissend. Kieffer blickte sie fragend an. Sie hielt seinem Blick stand, sagte aber nichts. Nachdem die Polizistin sich eine weitere Notiz gemacht hatte, erklärte sie: »Ich müsste Sie bitten, gleich heute Nachmittag aufs Revier zu kommen. Wir brauchen Phantombilder der beiden Männer, die Kats gefolgt sind.«

»Natürlich.«

»Gut. Ich melde mich, wenn es weitere Fragen gibt.«

Dann nickte sie ihm kaum merklich zu, stand auf und ging. Kieffer konnte den Kies spritzen hören, als sie wegfuhr.

9

Am Dienstag fuhr Kieffer nach Trier, wo er mittags mit Esteban verabredet war. Der Argentinier hatte ihn um ein persönliches Gespräch gebeten und dazu bereits vor vier Wochen seine Assistentin vorgeschickt, »zwecks Terminkoordination«. Sich mit dem Küchen-Leonardo auf einen Ort und eine Uhrzeit zu einigen, war rasch zu einer nervenaufreibenden Angelegenheit mutiert – seine jetsettende Freundin war im Vergleich dazu unproblematisch. Estebans Assistentin hatte zunächst Biarritz und Rom vorgeschlagen, um dann auf Kieffers Bitte einige Städte herauszusuchen, die schneller erreichbar waren. Schließlich befand sich das Restaurant des TV-Kochs im kaum siebzig Kilometer von Luxemburg-Stadt entfernten Bitburg. Kieffer verstand ohnehin nicht, warum man sich nicht dort, im »Revolución«, treffen konnte. Glaubte man allerdings der Assistentin, dann war der Pampaprinz in der Eifel kaum noch anzutreffen. Nach der Lektüre der »Bunte« ahnte Kieffer, warum.

Nachdem sie endlich einen Termin gefunden hatten, war dieser von Estebans Assistentin noch einmal verschoben und zweimal kurzfristig »gecancelt« worden.

Nun sollte das Treffen am Rande eines Poloturniers in der Nähe von Trier stattfinden. Als Kieffer gegen zehn Uhr in seinen klapprigen Lieferwagen stieg, rechnete er fest damit, Estebans Mitarbeiterin werde ihn jeden Moment auf dem Handy anrufen, um doch noch abzusagen. Diesmal schien jedoch alles zu klappen. Während er Richtung Autobahn fuhr, musste der Koch wieder an den Artikel in dem deutschen Klatschmagazin denken. Ob es sich bei der Assistentin, mit der er bereits mehrfach telefoniert hatte, um die Dame handelte, mit der Esteban auf den Fotos zugange gewesen war? Derlei Tratsch war eigentlich nicht seine Sache, aber in diesem speziellen Fall würde er es sich kaum verkneifen können, seinen Kollegen danach zu fragen.

Eine gute Stunde später erreichte er das Landgut, auf dem das Poloturnier stattfand. Kieffer parkte und ging in Richtung des Spielfelds. Es roch nach Pferdeäpfeln und Geld. Neben dem Rasen hatte man mehrere Pavillons aufgebaut, vor denen Damen mit gewagten Hüten standen und Champagner tranken. Männer in englischen Tweedjackets schmauchten Zigarren und begutachteten die Pferde, die Frauen und eine Reihe teurer Sportwagen. Kieffer gönnte sich eine Ducal und rief dann Estebans Assistentin an.

»Guten Tag, hier ist Xavier Kieffer. Ich bin gerade angekommen, wo finde ich denn Leo?«

»Hallo, Herr Kieffer. Auf der Sommerterrasse ist ein Tisch für Sie reserviert. Es dauert noch ein wenig, das Spiel hat gerade erst begonnen.«

»Wie, spielt er mit?« Kieffer wusste, dass Esteban ein passionierter Polospieler war. Ihm war aber nicht klar gewesen, dass der Starkoch an diesem Tag selbst im Sattel sitzen würde. Vielmehr war er davon ausgegangen, dass der Argentinier für das Catering der Veranstaltung zuständig war.

»Natürlich«, antwortete die Assistentin. »Es handelt sich um einen Charity-Event, alle Spieler sind Celebrities. Während des Tread-in kommt er zu Ihnen rüber.«

»Während des was?«, fragte Kieffer. Er wusste lediglich, dass man Polo vom Pferd aus spielte und alle Beteiligten in der Regel stinkreich waren. Damit waren seine Kenntnisse der Materie auch schon erschöpft.

»So nennt man die lange Pause zwischen dem zweiten und dritten Zeitabschnitt.«

Kieffer bedankte sich und legte auf. Dann lief er zu der Terrasse, die sich zwischen dem Feld und dem Gutshaus auf einer kleinen Anhöhe befand, setzte sich und wartete. Nach etwa zwanzig Minuten verließen die Spieler das Feld. Über die Stadionanlage bat ein Sprecher die Gäste auf den Rasen. Nun begann offenbar jenes Tread-in, bei dem die Zuschauer die von den Polopferden und -schlägern herausgerissenen Grassoden wieder festtraten.

Dann sah er die Fotografen. Es waren bestimmt fünf oder sechs, und sie umschwärmten einen Polospieler, der gemessenen Schrittes durch die Menschenmenge auf die Terrasse zusteuerte. Der Mann trug eine enge Reithose, Schaftstiefel und ein körperbetontes schwarzes Polohemd. Seinen Helm hatte er sich unter den Arm geklemmt, den Schläger lässig über die rechte Schulter gelegt. Esteban kam auf ihn zugelaufen, doch obwohl die Wegstrecke kaum mehr als zweihundert Meter betrug, dauerte der Vorgang mindestens zehn Minuten. Immer wieder hielt der Starkoch zwischendurch an, um für die Fotografen zu posieren.

Kieffer betrachtete das Schauspiel und verstand nun, warum der Argentinier hier war. Dass Leonardo Gutiérrez Esteban von Ritterdorf das Catering betreute, war eine naive Vorstellung gewesen. Der Starkoch kochte selbst kaum noch, und wenn überhaupt, dann ließ er kochen. Auch die Witwen oder Waisen, für die bei diesem Benefizturnier Polo gespielt wurde, waren nicht der Grund für seine Anwesenheit. Aber ein wichtiger Teil des Esteban'schen Vermarktungskonzeptes war die argentinische Herkunft des Kochs, er betonte sie bei jeder sich bietenden Gelegenheit. Und da man kaum etwas so sehr mit seiner Heimat assoziierte wie Polo, konnte Esteban hier unter Beweis stellen, was für ein waschechter Argentinier er war.

Der Starkoch machte einige Schritte und blieb dann wieder stehen, warf seine tiefschwarze Löwenmähne zurück und setzte sein strahlendstes Lächeln auf. Der Mann sah, das musste Kieffer neidlos zugeben, unverschämt gut aus. Diese Playmate-Figur war ein weiterer wichtiger Teil seines Erfolgsgeheimnisses: Esteban war der Brad Pitt des internationalen Küchenzirkus. Leos mehrheitlich weibliche Fans hatten es, so vermutete Kieffer, mehr auf sein Fleisch abgesehen als auf die Steakkreationen, für die der Argentinier bekannt war. Wohl deshalb musste der Mann sich so häufig außerhalb seiner Küche fotografieren lassen, in diesem Fall vermutlich, um jenen Teil seines weiblichen Klientels zu bedienen, der unerfüllte Reitlehrerfantasien hatte.

Dann entfloh der Argentinier plötzlich den Fotografen, die nun von einer jungen Frau zurückgehalten wurden, der Assistentin, wie Kieffer annahm. Sie war ausgesprochen ansehnlich, aber es handelte sich nicht um die Nixe von der Jacht. Esteban beschleunigte seine Schritte und eilte, jeweils zwei Stufen auf einmal nehmend, die Treppe zur Terrasse hinauf. Oben angekommen atmete er hörbar aus, so als sei er den ganzen Weg bis hierher gerannt. Kieffer stand auf, um ihm die Hand zu geben. Doch bevor er sich wehren konnte, hatte Esteban ihn bereits an seine nach Männerschweiß, Moschusparfum und Pferdehaaren riechende Brust gedrückt.

»Xavier! Mon frère! Gut, dass du hier bist.« Esteban gab ihn frei, ließ sich in einen Korbstuhl fallen und begann hektisch mit den Fingern zu schnippen. Ein Kellner eilte herbei.

»Wasser und ein doppelter Espresso, inmediatamente, sí?«

Er wandte sich Kieffer zu. »Ché, endlich können wir reden. Madre de dios, sich mit dir zu verabreden, ist muy difícil!« Er lächelte sein Meißnerlächeln. »Ist ja Bocuse einfacher.«

Bevor Kieffer etwas einwenden konnte, fuhr der Argentinier fort: »Ich brauche deine Hilfe.«

Er wartete darauf, dass Esteban weitersprach. Kieffer hatte sich angewöhnt, den Mann einfach reden zu lassen, Widerstand war seiner Erfahrung nach ohnehin zwecklos. Aber sein Gegenüber schwieg und schaute ins Leere. Es muss etwas Ernstes sein, dachte Kieffer. »Was ist das Problem, Leo?«

Der Kellner brachte den Espresso. Esteban stürzte ihn herunter, bevor der Mann das dazugehörige Wasser abgestellt hatte. »Noch einen. Und einen Brandy.«

Dann sagte er: »Ché, ich habe nicht ein Problem. Hay una multiplicidad, viele Probleme.« Wieder verfiel Esteban in den bei ihm eigentlich nicht existenten Aggregatzustand des Schweigens. Von sich und seinen diversen Heldentaten zu erzählen, war seine Passion, aber über Probleme zu reden, fiel dem Mann offensichtlich schwer.

»Ist es wegen des Fotos in der Klatschpresse, Leo? Diese Assistentin?«

Der Argentinier nickte unmerklich. »Ein Mann wie ich zieht die Frauen an, como miel las abejas, wie Honig die Bienen, está claro. War nie ein Problem, meine Frau versteht das.«

Irgendwie bezweifelte Kieffer diese Einschätzung, aber er nickte nur.

»Aber nun ... diese Paparazzi, especes de mierda, jetzt ist es público. Ein Gesichtsverlust für das Haus Ritterdorf, comprendes, ché? Sie lässt sich scheiden.«

»Das tut mir leid, Leo.«

»Wir haben ... wie sagt man das ... separación de bienes?«

»Gütertrennung?« Kieffer verstand augenblicklich, warum Esteban dreinschaute wie ein kastrierter Hahn. Den Verlust seiner Ehefrau hätte der leichtlebige Koch, so vermutete er, verschmerzen können, ebenso wie den seines Adelstitels. Aber Susanne von Ritterdorf war auch Estebans Geldgeberin gewesen. Sie hatte, so munkelte man, nicht nur die absurd teure Innenausstattung seines Show-Restaurants »Revolución« finanziert, sondern ihm außerdem geholfen, in der Gastropresse hervorragende Bewertungen für das Lokal zu bekommen – Bewertungen, die eigentlich viel zu gut für einen schnöden Steakbrutzler wie Leo waren.

Den Ritterdorfs gehörte eine der größten deutschen Brauereien, ihr Anzeigenbudget musste riesig sein. In der Branche war es ein offenes Geheimnis, dass jene Magazine, die das »Revolución« positiv bewerteten, mit ganzseitigen Farbanzeigen für »Ritterbräu« überschwemmt wurden. Publikationen, die sich über den egomanischen Küchen-Leonardo lustig machten oder an seinem Bife de lomo mit Guavenaioli herummäkelten, wurde hingegen der Hahn zugedreht. Mit dieser publizistischen Schützenhilfe würde nun Schluss sein.

»Kannst du das Restaurant halten?«

»No sé. Ich weiß nicht. Außerdem läuft meine Show aus.«

»Welche?« Seines Wissens trat Esteban in mehreren Kochshows auf. Er sprach fließend Spanisch, Französisch, Englisch und passabel Deutsch und war somit universell einsetzbar.

»La más importante, Xavier. ›Leonardos Küchenrevolution‹. Läuft in Frankreich und England, Prime Time. Aber jetzt ist Schluss, die Quote.«

Der Argentinier sah nun aus wie ein Häufchen Elend. So wie er dreinblickte, hätte man meinen können, er habe gerade seine gesamte Familie bei einem Flugzeugabsturz verloren. Dabei war er vermutlich immer noch Millionär, lediglich sein Selbstwertgefühl hatte einen herben Dämpfer abbekommen. Andererseits, dachte Kieffer bei sich, war Leos Ego von so gigantischen Ausmaßen und seine Meinung von sich selbst so stratosphärisch hoch, dass der Rücksturz zur Erde vermutlich schmerzhaft war.

»Du kannst ein neues Restaurant aufmachen, Leo. Du hast doch in den vergangenen Jahren verdammt viel Geld verdient.«

Esteban schwieg schon wieder. Kieffer zündete sich noch eine Ducal an. Da kam noch mehr. »Und dein drittes Problem?«

»Wie du weißt, kenne ich mich sehr gut mit Rind-fleisch aus. Está claro, ich bin Argentinier, und mein Bru-der arbeitet auf dem Mercado de Liniers.«

Esteban meinte den Fleischmarkt in Buenos Aires, einen der wichtigsten Rinder-Umschlagplätze der ganzen Welt.

»Und?«

»Ich bekomme mein Fleisch direkt von dort, und ich habe eine eigene Internetseite namens Steakology. Da ver-kaufe ich spezielle argentinische Fleischzuschnitte: Vacío, Asado de tira oder Entraña. Abgehangen in meinem eige-nen Kühlhaus. Wird directamente zu dir nach Hause ge-liefert.«

»Eine interessante Geschäftsidee, Leo. Aber was ist das Problem?«

»Ché, ich habe mich bei den Fleischpreisen geirrt.«

»Und jetzt bleibst du auf einem Kühlhaus voller Steaks sitzen?«

»Ich habe sie nicht wirklich gekauft, nur virtuell.«

»Dann ist doch alles gut.«

»Du verstehst das nicht, ché. Das sind Warentermin-geschäfte.«

Kieffer musste an die teuren Kartoffeln seines Groß-händlers denken. »Warum zum Teufel spekulierst du mit Steaks, Leo?«

Der Kellner brachte Esteban einen weiteren Kaffee so-wie einen Brandy, den dieser in seinen Espresso schüt-tete. »Das war keine Zockerei. Also, zumindest am An-fang nicht. Für mein Restaurant und für Steakology brauche ich etliche Tonnen im Jahr. Der Preis für dieses Premiumfleisch schwankt, und deshalb sichert man sich ab, mit Kontrakten.«

»Wie funktioniert das?«

»Wenn du, sagen wir, im Dezember zehn Tonnen argentinisches Rindfleisch brauchst, kaufst du heute zehn Kontrakte à eine Tonne zu dem Preis, der an der Rohstoffbörse aufgerufen wird. Sagen wir, zweitausend Dollar.«

»Und zu dem Preis bekommst du sie dann im Dezember geliefert.«

»No, ché, im Dezember musst du genauso viele Verkaufskontrakte verkaufen, wie du vorher Kaufkontrakte bezogen hast.«

Kieffer schüttelte den Kopf. »Leo, das ist mir zu hoch. Und ich verstehe auch nicht …«

»… un momento, ché. Esteban hat für zwanzigtausend Dollar Kontrakte geordert. Im Dezember kosten die Steaks aber fünfundzwanzig. Also verkaufe ich die Kontrakte zu dem Preis und mache fünftausend Dollar Gewinn, está claro?«

»Aber Steaks bekommst du keine.«

»No. Die kaufe ich in Buenos Aires, auf dem Mercado de Liniers. Aber«, Esteban hob triumphierend den rechten Zeigefinger, »den gestiegenen Preis dort kann ich mit meinem Börsengewinn von fünftausend Dollar ausgleichen.«

Kieffer konnte aus dem Augenwinkel sehen, dass die anderen Polospieler wieder aufs Feld gingen. Wie immer kam Esteban nicht zur Sache.

»Du hast aber gar keine fünftausend Dollar verdient, richtig?«

»Pero sí, ché. Sogar viel mehr. Zehntausende Dollar. Aber als es sehr gut lief, habe ich mehr Kontrakte gekauft, als ich zur Absicherung brauchte.«

»Du bist gierig geworden.«

Wütend hieb der Argentinier mit der flachen Hand auf den Tisch. Die Kaffeetassen schepperten. »Es war ein todsicheres Geschäft! Mein Bruder, er kennt alle Gauchos, alle Haciendas. Und er hat erfahren, dass im kommenden Jahr viel mehr Fleisch auf den Mercado kommt.«

»Warum?«

»Weil mehrere große Rancheros ihre Weizenanbauflächen in Weidegründe umwandeln. Está muy secreto, ché. Der Preis sollte in diesem Sommer ins Bodenlose fallen. Una gran caída! Ich habe auf fallende Kurse gesetzt.«

»Und nun steigen sie?«, fragte Kieffer.

»Sí. Seit Monaten. Imposible.« Esteban senkte seine Stimme. »Wenn das so weitergeht, bin ich nächsten Monat pleite.«

Die Pferde wurden aufs Feld geführt. »Wie kann ich dir da helfen, Leo?«

»Ich brauche eine neue TV-Show. Fernsehen verkauft Bücher, DVDs, Küchenmesser. Ist auch schon seit Monaten in Vorbereitung, das Konzept ist fertig. Wird fenomenal! Ein Kampf zwischen mehreren Spitzenköchen! Die Kochshow la más increíble del mundo!«

Kieffer begann zu ahnen, was Esteban von ihm wollte. »Und wie soll ich dich dabei unterstützen?«

»Ché, die Show sollte eigentlich im deutschen Fernsehen laufen, im ZDF, Samstagabends. Auf dem Sendeplatz, wo früher diese bescheuerte Wettshow lief.« Er verzog verächtlich den Mund. »Langweilig! Deren Quote schafft Esteban aus dem Stand!«

Kieffer pfiff anerkennend durch die Zähne. »Im Zweiten? Nicht schlecht, Leo.« Er sah den Argentinier prüfend an. »Aber?«

Esteban tat so, als wolle er sich die Löwenmähne raufen. »Seit die Quote von ›Küchenrevolution‹ abgeschmiert ist, wollen diese Kartoffelfresser davon plötzlich nichts mehr wissen. Sie wollen meine geplante Show kippen und stattdessen eine Volksmusikgala senden. Idiotas! Keine Ahnung vom Kochen. Keine Ahnung von Fernsehen. Keine Cojones!«

Mit einem verächtlichen Gesichtsausdruck kippte Esteban seinen mit Brandy verschnittenen Kaffee hinunter. »Ché, ich brauche etwas, um die zu überzeugen. Und zufällig weiß ich, dass der Guide Gabin gerade mächtig in Deutschland expandiert.«

»Valérie? Ich soll Valérie fragen, ob sie nicht vielleicht Lust hat, deine Show zu finanzieren?«

»No, no, no, ché gordo. Ist schon finanziert, completamente. Aber ich und der Gabin! Das sind zwei unglaublich starke Markennamen, ein dream team. Wenn der berühmteste Restaurantführer der Welt mit im Boot sitzt, wird der Sender mitziehen.«

»Ich kann gerne einen Kontakt herstellen, Leo. Aber ob der Gabin wirklich …«

»Mach' dir keine Sorgen, ché. Du musst mir nur die Tür öffnen. Überlass das Reden ruhig Esteban.« Der Argentinier stand auf und setzte seinen Helm auf. »Und nun muss ich los. Ohne mich gewinnen wir das Spiel auf keinen Fall.«

Wieder umarmte er Kieffer und drückte ihn fest an sich. Dabei raunte er ihm ins Ohr: »Ich zähle auf dich, hermano mío.«

Dann eilte er in Richtung Spielfeld. »Eine Sache noch, Leo!«, rief Kieffer ihm hinterher. Esteban drehte sich im Laufen halb um.

»Sí?«

»Wie soll diese Show denn eigentlich heißen?«

»›Krieg der Sterne‹, naturalmente!«

10

Kieffer überlegte kurz, ob er sich das Polospiel zu Ende anschauen sollte, entschied sich aber dagegen. Denn zum einen verstand er immer noch nicht so genau, was auf dem Spielfeld vor sich ging. Und zum anderen war das Hummer- und Schampuspublikum nicht nach seinem Geschmack. Statt jedoch gleich heimzufahren, machte er einen kleinen Umweg über die Trierer Innenstadt. Der Koch parkte seinen Lieferwagen unweit der Porta Nigra und schlenderte durch die hinter dem Torgebäude liegende Fußgängerzone bis zum alten Marktkreuz. Es war inzwischen früher Nachmittag und ihn hatte ein unerklärlicher Hunger auf Kuchen erfasst, und am Hauptmarkt gab es eine hervorragende Konditorei. Kieffer musterte die Auslage und bestellte bei der Kellnerin ein großes Stück Schokoladencremetorte nebst Kaffee. Er liebäugelte gerade damit, zur Sicherheit noch einen der hervorragend aussehenden Heidelbeerwindbeutel dazuzuordern, als sein Handy klingelte. Es war Valérie.

»Hallo Val. Ich wollte dich sowieso anrufen. Ich war gerade bei Esteban. Du ahnst nicht, was er mir vorgeschlagen hat.«

»Dass du in seiner Kochshow den Witzbold gibst?«

»Nein. Dass der Guide Gabin seine neue TV-Sendung präsentiert.« Kieffer begann, seiner Freundin einige der Details zu erzählen, hatte aber nicht den Eindruck, dass sie ihm wirklich zuhörte.

»Was ist los?«

»Ich … Xavier, irgendwas stimmt mit dieser Keycard nicht.« Ihre Stimme klang besorgt.

Die Kellnerin stellte die vierlagige Schokocremetorte vor ihn. Kieffer schob sie beiseite und fischte seine Zigaretten aus der Jackentasche. »Erzähl.«

»Zuerst hat diese Kommissarin hier angerufen.«

»Lobato.«

»Ja. Morgen Mittag soll ich zur Pariser Kripo gehen und die Karte dort abgeben. Und eine Aussage machen.«

»Du wirst vernommen, Val? Von der französischen Polizei?«

»Nein, eure Kommissarin kommt selbst und darf die Räumlichkeiten am Quai des Orfèvres benutzen. Amtshilfe. Aber das ist es nicht, was mich nervös macht, Xavier. Es interessieren sich noch andere Leute für die Karte.«

Kieffer zündete sich eine Ducal an. »Diese Firma, Cipher Investments?«

»Ich weiß es nicht. Heute Morgen klingelte mein Telefon. Der Anruf hatte keine Absenderkennung, also bin ich nicht rangegangen. Mich rufen sehr viele Spinner auf meinem Dienstapparat an. Aber er ließ nicht locker, und beim vierten Mal wurde ich wütend. Und da habe ich abgenommen. Es war ein Mann, er hat mir gedroht.«

»Was hat er gesagt?«

»Dass ich etwas besitze, das ihm gehört. Und dass ich die Keycard abliefern soll.«

»Und wo?«

»Heute um acht Uhr abends, im ›Le Bateau Bleu‹. Das ist eine Brasserie in der Nähe der Gare de Lyon. Dort ist ein Tisch reserviert, auf den Namen Torrence. Ich soll die Karte in die Serviette stecken und dann wieder gehen.«

»Val, lass dich da auf keinen Fall drauf ein!«

»Natürlich nicht. Ich habe ihm gesagt, dass das überhaupt nicht geht, dass ich die Karte am Mittwoch der Polizei übergeben muss.«

»Und dann? Was hat er erwidert?«

»Er hat ganz ruhig gesagt: ›Davon rate ich Ihnen ab.‹ Und dass ich es bereuen würde.«

Kieffer konnte hören, wie Valérie schniefte. »Val, ich komme zu dir. Wir gehen zusammmen zur Polizei, okay?«

Valéries Schluchzer kamen nun stoßartig.

»Hey, du musst keine Angst haben. Ich setze mich in den nächsten Zug, dann bin ich in ein paar Stunden bei dir. Okay?«

»Aber du musst doch auf deine Kirmes.«

»Scheiß auf die Kirmes, Val. Das hier ist hundertmal wichtiger. Okay?«

»Okay. Danke.«

»Bleib einfach im Büro, ich hole dich dort ab.« Kieffer beendete das Gespräch und dachte kurz nach. Dann klemmte er einen Zehner unter die Kaffeetasse und wickelte eine Serviette um das Tortenstück, das umgehend in seine Bestandteile zerfiel. Mit einem Blick des Bedauerns legte der Koch den Schokocrematsch zurück auf den Teller und hastete, sich die Finger ableckend, zu seinem Auto. Mit dem klapprigen Peugeot würde er von hier bis Paris mindestens fünf Stunden brauchen. Der Trierer Hauptbahnhof war ebenfalls keine Option, er verdiente die Bezeichnung kaum. Lediglich ein paar Regionalzüge zuckelten hier durch. Er musste zunächst zurück nach Luxemburg.

Während der Fahrt informierte er Claudine, dass er am Abend als Gromperekichelcher-Fabrikant ausfiel. Dann fuhr er direkt zum Hauptbahnhof und löste dort ein Ticket für den nächsten TGV zur Gare de l'Est. Von Luxemburg fuhren regelmäßig Züge in die französische Metropole, der nächste ging bereits in fünfzehn Minuten. Die Zeit reichte gerade noch für den Kauf eines neuen Stücks Schokoladenkuchen.

Als er im Zug saß und draußen die Landschaft vorbeifliegen sah, zerbrach sich Kieffer den Kopf darüber, wie diese Kerle seine Freundin überhaupt so rasch ausfindig gemacht hatten. Außer Lobato und ihm wusste ja eigentlich niemand, dass Valérie die Keycard besaß. Er beschloss, die Kommissarin anzurufen. Es dauerte einen Moment, bis er ihre Visitenkarte fand, denn das Futter seiner Jacke befand sich in noch beklagenswerterem Zustand als deren abgeschabtes Oberleder. Das fragliche Stück Papier war zusammen mit allerlei Münzgeld, einem Bleistift und weiteren Utensilien durch den aufgerissenen Boden der Innentasche in die Untiefen des Kleidungsstücks gerutscht. Als er die Karte endlich aus dem Futter gefischt hatte, streikte das Handynetz. Erst, als sie die Pariser Vororte erreichten, gelang es Kieffer, ein Gespräch aufzubauen.

»Lobato hier«, meldete sich die Polizistin. Ihre Stimme klang noch mürrischer als beim letzten Mal.

»Xavier Kieffer. Moien, Frau Kommissärin. Ich habe gehört, dass Sie morgen meine Freundin treffen.«

»Hmm. Sie hatten mir nicht gesagt, dass sie *die* Gabin ist.«

»Sie hatten auch nicht gefragt.«

Kieffer meinte etwas zu hören, das wie ein Knurren klang.

»Was wollen Sie, Haer Kieffer?«

»Ich wollte Sie darüber informieren, dass sich außer Ihnen noch jemand für diese Keycard interessiert.«

»Diese Coletti? Die ist ein Phantom.«

»Phantom? Wie meinen Sie das?«

»Ich habe den Namen dieser Firma überprüft, Cipher Investments. Existiert nicht. Und bei Lityerses, der Firma für die Kats gearbeitet hat, gibt es auch keine Coletti.«

Kieffer war nicht erstaunt. Eigentlich war es genauso, wie er erwartet hatte. Er vermutete, dass selbst, wenn sich die PJ die Mühe machte, den Anruf Colettis zu seinem Festnetz zurückzuverfolgen, nichts dabei herauskäme.

»Ich verstehe. Aber jetzt hat sich bei Valérie noch jemand anderes gemeldet, der die Karte ebenfalls haben will.«

Kieffer erzählte der Kommissarin von dem Anrufer, von dessen Drohung und dem Treffen, bei dem Valérie die Karte abgeben sollte. »Was sollen wir jetzt tun, Madame?«

»Nichts. Sie soll da auf keinen Fall hingehen. Unter anderen Umständen ...«

»Was ist das Problem?«, fragte er.

»Das Problem ist, dass es in Frankreich ist. Wäre der Treffpunkt in Luxemburg, könnte man dieses Restaurant vielleicht observieren lassen.«

»Aber Ihre Pariser Kollegen könnten das doch machen. Zumal eine Drohung ausgesprochen wurde, gegen eine recht bekannte Persönlichkeit.«

Wieder vernahm Kieffer dieses Knurren. »Theoretisch vielleicht. Praktisch war es schon schwierig genug, so kurzfristig für zwei Stunden einen Konferenzraum im Orfèvres zu bekommen. Die grenzüberschreitende Kooperation mit den Franzosen funktioniert recht gut, aber …«

Kieffer ahnte, was sie sagen wollte. Er wusste von Manderscheid, dass dieser sich in der Vergangenheit mehrfach die Zähne an seinen französischen Kollegen ausgebissen hatte. Als das winzige Land, das Luxemburg nun einmal war, mussten dessen Behörden ständig mit denen der Nachbarländer kooperieren, sei es bei polizeilichen Ermittlungen oder beim Bau von Straßen. Das funktionierte meist auch; im Hauptquartier der Police Grand-Ducale saßen, das hatte er einmal auf RTL gesehen, deutsche, belgische und französische Beamte unter den einträchtig nebeneinander hängenden Porträts ihrer Staatschefs und bearbeiteten luxemburgische Anfragen zu Kennzeichen oder Personendaten direkt vor Ort. Aber ein Polizeieinsatz mitten in Paris war eine ganz andere Dimension. Kieffer vermutete, dass die Franzosen bei so etwas äußerst eigen waren und Gesuche aus dem Ausland zunächst einmal eingehend prüften.

»Also soll Valérie das einfach aussitzen?«

»Wäre mein Ratschlag. Es steht ihr natürlich frei, die Pariser Polizei anzurufen, wobei mir die Drohung wenig konkret erscheint. Wenn sie beunruhigt ist, soll sie einfach zu Hause bleiben, vielleicht mit einer Freundin.«

»Ich bin gerade auf dem Weg zu ihr«, sagte Kieffer.

»Gut. Wenn etwas ist, rufen Sie mich an. Ansonsten erwarte ich Madame Gabin morgen um zwölf Uhr am Quai des Orfèvres.« Dann legte Lobato grußlos auf.

11

Kurz vor sechs erreichte Kieffers TGV die Gare de l'Est. Er stieg in die Métro, fuhr bis Sèvres-Lecourbe und ging von dort bis zur Avenue de Breteuil, einem breiten Haussmann'schen Boulevard, der von Süden her auf den Invalidendom zulief. In dieser Straße befand sich der Hauptsitz des Gabin-Imperiums, standesgemäß untergebracht in einer prächtigen Stadtresidenz aus dem siebzehnten Jahrhundert, die einst dem Bruder Louis XIV. gehört hatte.

Bei Sterneköchen führte mitunter schon die Erwähnung der Adresse 51, Avenue de Breteuil zu Schweißausbrüchen. Noch schlimmer war es, wenn man sie aufsuchen musste. Sobald der Guide einen Küchenchef zu einem persönlichen Gespräch ins Hauptquartier vorlud, fragte sich dieser natürlich, ob möglicherweise einer seiner Sterne in Gefahr war. Kieffer hatte von diesen Treffen gehört. Der Gabin bestellte die Köche aus heiterem Himmel ein, nie gab es einen ersichtlichen Anlass. Während des Gesprächs versuchten die Köche verzweifelt herauszufinden, was sie zu tun oder vielleicht zu lassen hatten, damit der Guide zufrieden war. Doch es gab keine konkreten Hinweise, bestenfalls fielen Andeutungen: Ja, die Weinkarte im Tour d'Or sei ganz hervorragend. Aber einige der Bordeauxlagen … Ganz exzellent habe der Gabin-Inspektor bei seinem letzten Besuch den Salat vom Kalbshirn gefunden. Aber der im »Fluide« sei ebenfalls sehr gut. Die bemitleidenswerten Köche, die während dieser Rapporte wie Schuljungen bei der mündlichen Prüfung auf ihrem Stuhl hin- und herrutschten, verließen das Gebäude nach dem Gespräch meist in heller Aufregung.

Kieffer war während seiner Zeit als Souschef eines Sternerestaurants zum Glück nie in die Avenue de Breteuil einbestellt worden. Und sein »Deux Eglises« besaß keine Sterne, man konnte ihm also nichts wegnehmen, was Besuche beim Guide Gabin wesentlich angenehmer machte. Er warf die Zigarette weg und betrat das Foyer des Gebäudes, eine von pausbäckigen Cherubim besiedelte Halle, mit Säulen aus roséfarbenem Marmor. Der Saal wurde von einem großen, mit viel Gold intarsierten Eichentresen dominiert, über dem ein fünfzackiger Stern mit einem großem G in der Mitte angebracht war. Die Rezeptionistin kannte ihn bereits. »Guten Abend, Monsieur Kieffer. Ich sage Madame Bescheid, dass Sie hochkommen.«

Er nickte, lief rechts an dem Schalter vorbei und stieg die Freitreppe empor. Valéries Büro befand sich im dritten Stock, auf der Straßenseite; man konnte von dort auf die Place de Breteuil hinunterschauen und rechter Hand sogar eine Rundung der Domkuppel erhaschen. Durch die Glastür sah er, wie sie konzentriert auf einen riesigen Bildschirm starrte. Die Jeans und die Chucks waren ebenso verschwunden wie das T-Shirt mit dem kleinen Koch. Valérie trug nun einen blauen Blazer und eine weiße Bluse. Sie lächelte, als sie Kieffer bemerkte und winkte ihn herein.

»Gut, dass du da bist, Xavier.« Valérie drückte ihn an sich. Sie roch nach Chanel und Gauloises. Über ihre Schulter hinweg sah Kieffer, dass der Aschenbecher auf dem Schreibtisch überquoll. Seine Freundin kam normalerweise mit zwei Schachteln pro Woche aus. Nur wenn sie nervös war, qualmte sie wie ein Schlot. Er gab ihr einen Kuss auf die Nasenspitze und deutete auf den Ascher.

»Du rauchst zu viel, Val.«

Sie musterte ihn spöttisch: »Sagt Mister-dreihundert-Ducal-die-Woche.«

»Ich bin nur besorgt, weil du sonst nicht so viel paffst.«

Sie betrachtete den Aschenbecher. »Stimmt. Aber diese Sache zehrt ganz schön an meinen Nerven.« Sie schaute ihn an. »Ich werde ja öfters mal beschimpft, meist wegen unserer Restaurantkritiken, manchmal droht mir auch einer. Deshalb dachte ich, ich hätte ein dickes Fell. Aber das hier war anders.«

»Inwiefern?«

»Der Mann am Telefon war nicht wütend, nicht mal erregt. Er sprach mit ganz ruhiger Stimme. Und als er sagte, ich würde das bereuen, da klang es nicht wie eine leere Drohung. Eher wie eine Feststellung. Und diese Stimme ...«

»Was war damit?«

»Sie klang sehr kalt. Er hat Englisch gesprochen, mit einem starken deutschen Akzent.« Sie verschränkte die Arme, als ob ihr fröstelte. »Richtig schnarrend klang der. Ein bisschen wie ein Nazi in einem Hollywoodfilm.«

Er nahm ihre Hand. »Ich bleibe jetzt bei dir, und morgen gehen wir zusammen zur Polizei. Danach bist du die Karte los.«

»Du hattest wieder mal recht. Es war kindisch von mir, diese Keycard zu vertauschen.«

Kieffer beschloss, dass sich eine hervorragende Gelegenheit bot, nichts zu erwidern. Valérie Gabin ging zu ihrem Schreibtisch und steckte sich eine Gauloise an. Ihre Bewegungen wirkten fahrig. Nachdem sie eine dicke Schwade ausgeblasen hatte, sagte sie: »Ich habe die Keycard unserer EDV übergeben.«

»Und was tun die damit?«

»Sie versuchen, die Daten darauf auszulesen. Komm, wir gehen mal rüber und schauen, ob es schon etwas gibt.« Valérie bedeutete Kieffer, ihr zu folgen und ging durch ein angrenzendes Großraumbüro, in dem etwa 20 Menschen vor Computern saßen, zum Treppenhaus. Sie stiegen die marmornen Stufen hinab und betraten im zweiten Stock ein weiteres Büro. Es sah so aus wie IT-Abteilungen von Unternehmen gemeinhin aussahen – mit dem Unterschied, dass die Männer an den Rechnern in einem riesigen Raum saßen, der einstmals wohl ein Empfangssaal gewesen sein musste. Er war gut sechs Meter hoch, an den Wänden hingen halb erblindete Spiegel, die Decke zierte ein Fresko mit himmlischen Heerscharen. All das hatte Valéries Computergnome nicht daran gehindert, es sich gemütlich zu machen. Überall standen Kisten mit Kabeln und ausrangierten Rechnern herum, über die Spiegel hatte jemand Filmposter von »Star Trek« und »Iron Man« geklebt. Seine Freundin steuerte auf einen Tisch am anderen Ende des Raumes zu. Dort saß ein rundlicher Endvierziger mit Geheimratsecken und Musketierbart vor insgesamt vier Bildschirmen, was Kieffer vermuten ließ, dass er der Chef der Abteilung war.

»Hallo, Gérard. Xavier, das ist der Leiter unserer EDV. Gérard, das ist mein Freund Xavier.«

Gérard erhob sich aus seinem Bürostuhl und schüttelte Kieffer die Hand. »Hallo. Ihr kommt wegen der Karte?«

»So ist es. Hast du schon was?«

Der IT-Mann nickte stumm. Dann setzte er sich wieder, klickte auf seiner Maus herum und rief eine Textdatei auf. »Also. Diese Karte ist auf den ersten Blick eine ganz normale RFID-Keycard.«

Kieffer wusste nicht, wie es Valérie ging, aber er war bereits mit der ersten Abkürzung überfordert. Ihm fehlte in technischen Fragen tiefere Sachkenntnis und außerdem jedweder Enthusiasmus, außer vielleicht, wenn es um Küchengeräte ging. Er hielt Computer für eine jener Erfindungen, die eine gewisse Berechtigung besaßen, die es aber wann immer möglich zu meiden galt. Sie gehörten für ihn in die gleiche Kategorie wie Fertigpizzen, Kreditkarten oder Lightbier. »Was bedeutet diese Abkürzung?«, fragte er.

»Erklär es doch bitte so, dass Xavier es auch versteht, Gérard«, fügte Valérie hinzu.

»Kein Fan von Computern?«, fragte der EDV-Chef. Kieffer schüttelte den Kopf.

»Okay. Auf manchen Plastikkarten ist ein Magnetstreifen drauf. Auf dieser hingegen befindet sich ein Radio Frequency Identification Chip. Der ist in das Plastik eingegossen, man kann ihn mit einem entsprechenden Lesegerät aktivieren und auslesen. Was ich auch getan habe.«

»Und was war drauf?«, fragte Kieffer.

»Erwartungsgemäß nicht viel. Diese Chips speichern

in der Regel lediglich einen Code. Aus Sicherheitsgründen sind Name oder Adresse des Besitzers nicht auf der Karte hinterlegt, sondern in einer Datenbank. Das muss man erst miteinander verknüpfen. Wenn man also die Keycard ausliest, sagt der Code darauf dem Computer, um welchen Datensatz es sich handelt, und dann erscheint der auf dem Bildschirm.«

»Das heißt, du hast beim Auslesen irgendeinen Zahlensalat bekommen, mit dem wir nichts anfangen können?«, fragte Valérie.

»So ist es. Damit wollte ich die Sache schon abschließen, aber dann ist mir noch etwas aufgefallen.« Gérard tippte auf seinem Rechner herum und öffnete ein Programm. Einer Schreibtischschublade entnahm er die weiße Keycard des Bankers und steckte sie in ein kleines Lesegerät, das neben dem Monitor stand.

»Dieses Programm analysiert den RFID-Chip. Es liest nicht nur die Daten aus, sondern sagt mir auch, um was für ein Fabrikat es sich handelt und zeigt die Spezifikationen des Chips an. Ich musste es extra kaufen.« Er schaute Valérie entschuldigend an.

»Dieser Chip ist von Fujitsu. Und er hat eine Speicherkapazität von ... vierundsechzig Kilobyte!« Der IT-Experte schaute erwartungsvoll. Kieffer musterte Valérie, doch sie schien Gérards Hinweis ebenso wenig zu verstehen wie er.

»Das ist ... sehr wenig, oder?«, versuchte es Valérie Gabin. »So viel wie bei einem alten Commodore-64-Computer?«

Gérard schüttelte den Kopf. »Ja und nein. Für einen Computer wäre das sehr wenig Speicher. Aber für so einen Chip ist es irre viel.«

»Und ist auf dem Extraspeicher was drauf?«, fragte Valérie.

»Mein Lesegerät hat zunächst nichts gefunden. Der Speicher ist vorhanden, schien aber leer zu sein. Doch es gab ein weiteres, leider recht kostspieliges Spezialprogramm des Herstellers«, wieder schaute er Valérie entschuldigend an, »mit dem ich es dann geschafft habe, den verborgenen Speicher auszulesen.«

Er wechselte nun wieder zu der Textdatei. »Drei Sachen habe ich gefunden. Zum einen diese einprägsame Telefonnummer:+41-33-222222.«

»Schweizer Vorwahl«, bemerkte Valérie.

Gérard nickte »Kanton Bern, um genau zu sein. Außerdem einen Namen: Persephone.«

»Wie die griechische Göttin?«

»Sieht so aus. Und dahinter kommt dann, auf der Länge des restlichen Speichers, das hier.« Er scrollte hinunter. Kieffer sah einen Bildschirm voller Zeichensalat:

hIwDOds8UfDZJ60BA/9IkThuRPJUtYCoaYFdNusnSGg/GR9luIGh6GI5azCgk6qHVe4CRODsc0saKle5ZHWOsTSFpIOsdofE4Nms7a70xL/WjYBN4ZBedRgUe7ox0AC3D18Z6baJ+xeSoGxbn4oOfdh …

»Was ist das?«

»Ein kryptografischer Code«, erwiderte Gérard. »Es sieht für mich aus wie ein Primzahlschlüssel.«

»Und wie knackt man den?«

Der IT-Mann lachte freudlos. »Überhaupt nicht. Der Verschlüsselung liegen sehr große Primzahlen zugrunde. Es gibt aber kein mathematisches Verfahren für deren Berechnung, also muss der Rechner rumprobieren. Je größer die Primzahl, desto länger dauert das.«

»Wie lange bräuchte er denn hierfür?«

»Selbst wenn du richtig viel Rechenpower hättest, würde es immer noch ein paar Jahre dauern. Aber in diesem Fall gibt es ja gar nichts zu knacken.«

»Wieso das?«

»Na, weil das auf der Karte nur der Schlüssel ist. Irgendwo da draußen gibt es eine Datei, die mithilfe von Kryptografie unlesbar gemacht worden ist. Nur wenn man den Code auf dieser Karte besitzt – und natürlich die dazugehörige Entschlüsselungssoftware – kann man die Datei öffnen.«

Kieffer schaute Valérie an. »Was für Daten könnten das bloß sein? Und wo sind die?«

»Vielleicht erfährt man unter dieser Schweizer Nummer mehr«, schlug Gérard vor.

Valérie seufzte: »Darum kann sich dann ja morgen gerne die PJ kümmern.«

Gérard druckte nun das auf seinem Bildschirm geöffnete Dokument aus. Den Bogen steckte er zusammen mit der Keycard in einen Umschlag und reichte diesen Valérie. »Die Daten habe ich natürlich auch gespeichert, falls du sie später noch brauchst.«

Kieffers Freundin nahm das Kuvert entgegen und dankte ihrem IT-Chef. Dann gingen sie zurück zu Valéries Büro. »Was hast du als Nächstes vor?«, fragte Kieffer.

»Heimfahren. Ich bin ziemlich erschöpft und könnte mich gut zu Hause aufs Sofa knallen.«

»Und was gibt es zu essen?«, fragte Kieffer.

Sie lachte. »Der Guide Gabin empfiehlt Pizza. Und dazu ein paar Bier.«

»Solange es keine Tiefkühlpizza ist«, brummte Kieffer.

Sie musterte ihn tadelnd. »Süßer, was denkst du eigentlich von mir? In meiner Straße ist doch dieses sardische Restaurant. Da holen wir uns zwei schöne Scheiben. Dazu gibt es tschechisches Bier. Quasi Fusion-Küche.«

»Gekauft.« Luxemburgisches Bier war Kieffer natürlich am liebsten, aber tschechisches war auch nicht schlecht.

Sie fuhren zu Valérie und holten bei dem Restaurant um die Ecke eine Funghi e Prosciutto sowie eine Calabrese, die sie im Wohnzimmer vertilgten. Währenddessen schauten sie sich im Fernsehen »Clan der Sizilianer« an, einen steinalten Schwarz-Weiß-Streifen, in dem (der mit Valérie nicht verwandte) Jean Gabin ausnahmsweise den Gangsterboss gab, während die Knastvisage Lino Ventura den Kommissar spielte. Am besten gefiel Kieffer, dass es in dem Film weder Handys noch Forensiker mit Laptops gab. Außerdem rauchten sämtliche Darsteller ununterbrochen, sogar im Flugzeug.

Während des Films schaute Valérie immer wieder nervös auf ihr Handy. Für acht Uhr hatte sie der anonyme Anrufer ins »Le Bateau Bleu« befohlen, und nun war es bereits kurz vor zehn. Auch Kieffer erwartete, dass ihr Telefon jeden Moment klingelte. Doch niemand rief an, Commissaire Le Goff konnte den hinterlistigen Vittorio Manalese völlig ungestört durch halb Paris jagen. Valérie und Kieffer guckten den Film und leerten ein Sixpack Pilsener Urquell. Ein bisschen kam er sich dabei vor wie die eine Hälfte eines alten Ehepaars. Es fühlte sich nicht übel an. Als der Film endete, gingen sie sofort ins Bett und schliefen binnen Minuten ein.

12

Er steht oben auf der Brücke. Es ist ganz still. Normalerweise hört man das Geräusch der Motoren, vermengt mit
dem Donnern, das die Autos verursachen, wenn sie über
die Brücke fahren. Aber nun ist es wie ausgestorben. Er
schaut nach oben, ins Zwielicht, will wissen, ob Tag oder
Nacht ist. Aber so genau lässt sich das nicht sagen. Der
Luxemburger Himmel ist dunkelgrau und wolkenverhan-
gen, keine Sonne zu erkennen.

Er schaut durch die verkratzte Plexiglasscheibe und
sieht in der Ferne Notre-Dame auf dem Bockfelsen. Unter ihm liegt Pfaffenthal. Vielleicht kann er den Russen ja
von hier erspähen, der Mann liegt schließlich irgendwo
dort im Tal. Er weiß genau, welche die Rue Ménager ist.
Wenn er hinab in den Abgrund blickt, müsste er jenes
schwarze Band erkennen können, das sich durch das
struppige Grün der Unterstadt schlängelt. Und damit
ließe sich abschätzen, von wo hier oben der Mann gesprungen ist.

Kurz überlegt er, ob die Polizei vielleicht irgendwo
Markierungen angebracht hat, nach denen er Ausschau
halten könnte. Aber dann wird ihm klar, dass dies erst

später passieren wird. Er guckt hinunter, aber er sieht weder die Ménager noch sonst irgendetwas. Eine dicke Suppe brodelt unter der Brücke und verwehrt ihm den Blick ins Tal.

Man müsste irgendwie näher ran. Er schaut sich die Wand an. Sie ist drei Meter hoch und zur Innenseite der Brücke gewölbt, damit man nicht hinüberklettern kann. Er weiß, dass jahrelange Proteste nötig waren, bis man die Antiselbstmordvorrichtung baute, den dispositif anti-suicide, wie die Wand im Beamtenfranzösisch heißt. Wenn einer sprang, landete er in der luxemburgischen Selbstmordstatistik, Unterpunkt précipitation d'un lieu élevé, Sturz von einem erhöhten Ort. Was die Statistik nicht erwähnte, war, dass es sich bei besagtem Ort fast immer um die Rout Bréck handelte.

Er streicht mit seiner Hand über das verkratzte Plexiglas. Es fühlt sich seltsam warm an. Viele in der Oberstadt sahen nicht ein, warum man eine teure Schutzwand errichten sollte, nur damit Unterstädtler nicht in die Unterstadt sprangen. Zumal die Plexiglaswände nicht nur teuer waren, sondern auch sehr hässlich. Das fällt ihm auf, als er die menschenleere Brücke entlanggeht, über deren gesamte Länge sich der dispositif erstreckt. Die Plastikmauer zerstört das Gesamtkunstwerk, sie verschandelt eine Ikone. Gut, dass der Architekt das nicht mehr erleben musste. Vermutlich wäre er gleich als Nächster gesprungen.

Diese seltsamen Gedanken gehen ihm durch den Kopf, während er die Hände nach oben ausstreckt, mit den Fingern die Kante umschließt, und sich hochzieht. Ihm ist nicht ganz klar, wie er das macht, aber es geht ganz leicht. Schon ist er darüber hinweg, hinab, schon ist die

Brücke über ihm. Er taucht in die milchige Suppe ein und gleitet hindurch.

Und dann steht er neben der Alzette, er kann den Fluss plätschern hören und über ihm rumpelt es. Die Autos fahren wieder. Er geht die Straße entlang, er weiß ja, wo der Mann liegt, irgendwer muss es ihm gesagt haben. Es ist gleich da vorne am Ufer, hinter dem Haus, wo Welschbillig, der Spengler, wohnt. Praktisch, hier einen Dachdecker vor Ort zu haben, denkt er sich, denn oft fallen sie ja nicht auf die Straße oder in den Fluss, sondern schlagen durch Dachziegel und First. Dann hat der alte Welschbillig wieder zu tun.

Er läuft die Rue Ménager entlang, will sich vergewissern, dass alles so ist, wie er es erinnert. Und nun kann er ihn sehen. Wie ein Schiffbrüchiger liegt er da vorne am Ufer, die Beine in der Uelzecht, den Oberkörper am Hang. Der Mann ist irgendwie komisch verdreht, selbst eine Akrobatin des chinesischen Staatszirkus könnte sich nicht so verrenken. Der Körper ist noch weit genug von ihm entfernt, dass er die Details nicht so genau erkennen kann, vor allem nicht jenen Teil oberhalb der Schultern.

Er läuft weiter den Weg entlang, den Blick auf die Füße gerichtet. Die Leiche liegt rechts von ihm. Es gibt noch mehr zu sehen, aber nun packt ihn plötzlich kalte Furcht. Deshalb geht er schnellen Schrittes weiter, bis er unter der Brücke hindurch ist. Wenn er weiterläuft, kommt erst Clausen, und dann Grund, wo er wohnt. Deshalb beeilt er sich, denn von seinem Haus aus kann man die Brücke nicht sehen.

13

Als er am darauffolgenden Morgen in Valéries riesige Küche tapste, fühlte sich Kieffer noch ein wenig bierdimpfelig. Die Wohnung seiner Freundin befand sich mitten in Saint-Germain-des-Prés, in einer Seitenstraße des gleichnamigen Boulevards. Geld hatte weder bei der Wahl der Immobilie noch bei der Einrichtung eine Rolle gespielt. Auch die Küche war mit allen erdenklichen Extras ausgestattet, allerdings hatte ihm Valérie gebeichtet, sie benutze lediglich den Toaster und die Kaffeemaschine. Wie üblich saß sie bereits hellwach am Küchentisch vor dem Laptop.

»Soll ich uns Croissants holen?«, schlug Kieffer vor.

»Warum nicht, gute Idee.«

Kieffer zog sich rasch etwas über und lief zur Bar gegenüber, wo er einige Hörnchen erstand. Dann fuhr er mit dem Fahrstuhl wieder ins Obergeschoss. Als der Lift anfuhr, wurde ihm etwas schwummerig. Er hatte nicht nur zu viel süßliches Bier getrunken, sondern auch schlecht geschlafen. Vage erinnerte er sich daran, hanebüchenen Unsinn zusammengeträumt zu haben. Zurück in der Küche machte er sich einen Kaffee und erzählte Valérie davon.

»Und was soll dein Traum bedeuten? Dass du suizidgefährdet bist?«

»Keine Ahnung. Vermutlich, dass mich die Sache irgendwie beschäftigt.«

»Das ist ja nur verständlich, wenn man jemanden gesehen hat, kurz bevor er starb.« Sie betrachtete die hölzerne Tischplatte. »Mir geht es genauso.«

Kieffer schüttelte den Kopf. »Das ist es nicht. Es ist nicht wegen diesem Kats. Es ist wegen der Brücke, wegen der Art und Weise, wie er gestorben ist. Irgendetwas muss ich übersehen haben, aber ich komme nicht drauf.«

»Du meinst in den Zeitungsartikeln? Oder etwas, das Lobato gesagt hat?«

»Lobato kriegt kaum die Zähne auseinander, sie hält sich sehr bedeckt. Ich weiß es nicht, Val. Es ist nur so ein Gefühl, dass ich mich an etwas Wichtiges erinnern sollte.«

Valérie sah, dass Kieffer noch nichts gegessen hatte und schob ihm die Tüte mit den Croissants hin. »Iss. Du siehst ein bisschen blass aus, Süßer.«

»Ich habe keinen Hunger, mein Traum liegt mir schwer im Magen.« Er wollte nach den Gauloises auf dem Tisch greifen, sah jedoch Valéries kritischen Blick. Pflichtschuldig biss er ein Stück Schokocroissant ab und mümmelte lustlos.

»Gehen wir gleich zusammen zur Polizei, Val?«

Sie schaute auf die Küchenuhr, die hinter ihnen hing. »Später. Es ist ja erst halb neun. Wir könnten zusammen zum Guide fahren. Ich setze dich davor ab und du suchst dir ein nettes Café. Und um halb zwölf fahren wir dann gemeinsam hin.«

»Mit dem Auto?«

»Das Hauptquartier der PJ liegt auf der Île de la Cité, da kann man nirgendwo parken. Wir nehmen ein Taxi, am Boulevard de Montparnasse ist ein Stand.«

Kieffer war einverstanden, bestand allerdings darauf, dass Valérie nicht allein vom Guide Gabin zum fünfhundert Meter entfernten Taxistand lief, sondern sich von ihm abholen ließ. Sie quittierte das mit einem Augenrollen, sagte aber nichts, woraus der Koch schloss, dass sie über das Angebot in Wahrheit nicht unglücklich war. Mit Valéries Sportwagen, der in der Tiefgarage stand, fuhren sie kurz darauf zum Büro. Der Verkehr war so dicht, dass es dafür keines Porsche 911 bedurft hätte, nie fuhren sie schneller als dreißig. Vor dem doppelflügeligen Eingangstor des Gabin-Hauptquartiers gab er Valérie noch einen Kuss, stieg aus, und beobachtete, wie sie auf den Parkplatz fuhr. Als sich die Tore wieder geschlossen hatten, schlenderte Kieffer den Breteuil hinauf und suchte sich ein Café. Inzwischen war seine höchst uncharakteristische Appetitlosigkeit nämlich verschwunden und hatte einem stattlichen Hunger Platz gemacht, der, wenn er seinen Bauch richtig interpretierte, nur durch Ei gestillt werden konnte.

Kieffer vertilgte eine große Portion Œufs Benedict und vergrub sich dann in den auf Holzrahmen gespannten Zeitungen, die am Eingang auf einem Ständer hingen. Als er wieder auf die Uhr schaute, war es fast zwölf. Er betrachtete die vorbeieilenden Pariser. Das Café befand sich an einer lauten Kreuzung, auf der gegenüberliegenden Straßenseite war an einer Häuserwand eine jener riesigen Videotafeln angebracht, die inzwischen ganz Paris verschandelten. In einer Endlosschleife war darauf ein hübsches, sehr sommerbesprosstes Mädchen zu sehen, das sich ein quietschrotes Handy ans Ohr hielt und dabei mit den Hüften wackelte. Zum Schluss erschien immer eine Sprechblase neben ihrem Mund: »Ruf an und gewinne den Jackpot!«, gefolgt von einer Telefonnummer.

Manchmal wusste Kieffer nicht so genau, warum er bestimmte Dinge tat. Auch in diesem Moment war ihm nicht ganz klar, warum er sein Handy aus der Jackentasche holte und zu wählen begann. Vielleicht, weil ihn die Werbung daran erinnerte, dass er dies eigentlich schon gestern Abend hatte tun wollen. Vielleicht aus dem Bauchgefühl heraus, dass sich nun möglicherweise die letzte Gelegenheit dazu bot. Kieffer wählte nicht die Nummer auf dem Videoscreen gegenüber, sondern den Schweizer Landescode, gefolgt von der 33 222 222. Dann wartete er. Bereits nach dem ersten Freizeichen nahm jemand ab. Kieffer bereitete sich darauf vor, seinen Namen zu sagen, doch die Männerstimme am anderen Ende kam vom Band.

»Hallo. Wenn du hier anrufst, hast du die Karte ausgelesen und besitzt den Schlüssel.«

Fluchend stand Kieffer auf und lief mit dem Handy am Ohr zur Bar. Er signalisierte dem Barkeeper, ihm schnell einen Stift und einen Kellnerblock zu geben.

»Das Schloss befindet sich in der Rütligass 1, Jaggiwald. Sage dem Wächter meinen Namen sowie den der Göttin. Die Wahrheit befindet sich auf dem Zwillingsserver. Zu seiner Aktivierung benötigst du die vier Faktorschlüssel. Drei aus Hephaistos', einer aus Hades' Hand. Wir treffen uns am besprochenen Ort, wenn alles gelaufen ist.«

Dann hörte er ein Piepen. Die Verbindung brach ab.

Kieffer legte das Handy weg und wischte sich die Stirn ab. Er schwitzte am ganzen Körper, und sein Bauch hatte wieder zu krampfen begonnen. Denn die Stimme, die er eben gehört hatte, dieser hohe, vor sich hin knödelnde Singsang, gehörte einem Toten. Es war die Stimme des Betrunkenen aus dem »Roude Léiw«.

Kieffer zahlte und lief zurück zum Guide Gabin. Valérie wartete bereits im Foyer auf ihn. »Ich habe bei dieser Schweizer Nummer angerufen«, sagte er, während sie das Gebäude verließen.

»Wollten wir das nicht der Polizei überlassen?« Sie hakte sich bei ihm ein, als sie in Richtung des Boulevard Montparnasse schlenderten, wo sich der Taxistand befand. »Wer ist denn drangegangen?«

»Ein Tonband. Ich kannte die Stimme von der Kirmes, ich bin mir sicher, dass der Besitzer der Keycard diese Nachricht hinterlassen hat.« An der Place de Breteuil bogen sie in eine kleine Seitenstraße ab. Kieffer wollte seiner Freundin gerade den Inhalt der kryptischen Nachricht erläutern, als er durch schnelle Schritte aufgeschreckt wurde. Er drehte sich um und sah zwei Männer auf sie zurennen. Beide trugen schwarze Kleidung und Strumpfmasken. Es gelang ihm noch, Valérie eine Warnung zuzurufen, bevor der erste Mann ihn erreichte. Kieffer hob zur Abwehr die Arme, worauf der Angreifer in Boxstellung ging, nur um dann mit seinem durchgestreckten Bein seitlich gegen Kieffers Oberkörper zu kicken. Er meinte, eine Rippe knacken zu hören, bevor er in die Knie ging. Der Schmerz war so enorm, dass er den darauffolgenden Kinnhaken kaum noch spürte. Als er wieder Luft bekam, kniete der Angreifer über ihm und machte sich an den Innentaschen seiner Jacke zu schaffen. Benommen nahm er wahr, wie der Maskierte nach seinem Portemonnaie griff. Auf dem Boden liegend sah Kieffer, wie der Mann die Fächer des Geldbeutels durchwühlte. Dabei fluchte er. Kieffer hörte Kleingeld über das Trottoir kullern. Dann warf der Maskenmann die Brieftasche achtlos weg und entfernte sich.

Nach einigen Sekunden gelang es ihm, wieder aufzustehen. Der Mann war weiter die Straße hinuntergelaufen, in Richtung des Boulevard Montparnasse. Aus dieser Richtung hörte Kieffer nun einen bestialisch klingenden Schrei. Die Stimme gehörte nicht Valérie, sondern einem Mann, so viel war sicher. Kieffer lief den Bürgersteig entlang, Passanten beiseiteschubsend, in Richtung des Gebrülls. Einige Meter weiter kniete einer der Maskenmänner auf dem Boden. Vor ihm stand Valérie, in der Hand eine Büchse mit Pfefferspray, mit der sie nun den zweiten Angreifer in Schach hielt. Von hinten konnte Kieffer sehen, wie der Mann in den rückwärtigen Bund seiner Hose griff, eine riesige Pistole herauszog und diese mit beiden Händen umschloss.

Als Sohn eines Soldaten hatte Kieffer in seinem Leben bereits viele Handfeuerwaffen gesehen, aber noch nie eine so grotesk große wie diese. Das Monstrum richtete der Mann nun auf Valérie. Dann sagte er, mit einem vernehmbaren deutschen Akzent: »Se cart. Now.«

Valérie zögerte einen Sekundenbruchteil – zu lang für den Geschmack des Maskenmannes. Ohne weitere Vorwarnung drückte er ab. Der Lärm war enorm, Kieffer konnte einen Nachhall in seinen Ohren hören, der ewig anzuhalten schien. Valérie stand noch immer auf dem Trottoir. Die massive Holztür des Wohngebäudes hinter ihr sah aus, als habe sie jemand minutenlang mit einer Feuerwehraxt bearbeitet; auf Höhe von Valéries Brust wies das Portal ein klaffendes, rauchendes Loch von der Größe eines Kindskopfes auf. Sie zitterte. Es klapperte metallisch, als die Pfefferspraydose über die Gehwegplatten kullerte.

Der Mann machte einen Schritt auf sie zu und griff nach ihrer Handtasche. Mit einem brutalen Ruck riss er sie weg und stieß Valérie nach hinten. Kieffer machte einen Schritt nach vorn. Der Maskierte musste ihn gehört haben oder über besondere Sinne verfügen, denn bevor der Koch eine weitere Bewegung machen konnte, wirbelte der Angreifer herum und richtete die Pistole auf ihn. Er trug eine schwarze Feldjacke sowie Springerstiefel und überragte Kieffer deutlich. Als besonders absurdes Accessoire hatte er Valéries Designerhandtasche über seine linke Schulter gehängt. Mit der freien Hand griff er seinen immer noch wimmernden Kompagnon, der inzwischen wieder auf die Beine gekommen war und lief in Richtung Straße. In diesem Moment hielt ein schwarzer VW-Transporter neben den beiden, ließ sie einsteigen und schoss davon.

14

Immerhin mussten sie nun nicht mehr zum Quai des Orfèvres fahren. Die Kripo kam zu ihnen, dazu Schutzpoli-
zisten, welche die Straße abriegelten, die police techni-
que sowie Sanitäter, die Valérie und Kieffer untersuchten.
Er beobachtete seine Freundin, die in eine Decke gehüllt
auf dem Rücksitz eines Polizeiwagens saß und mit einem
Handy telefonierte, das einer der Beamten ihr geliehen
hatte. Kieffer ließ sich unterdessen von einem Sanitäter
abtasten.

»Scheint keine Rippe gebrochen zu sein. Aber Ihre
rechte Flanke ist ziemlich blau, ich gebe Ihnen gleich ein
Eispack. Danach fahren wir ins Krankenhaus und machen zur Sicherheit noch ein Röntgenbild.«

»Hat das nicht auch bis morgen Zeit? Ich würde das
lieber zu Hause machen lassen, in Luxemburg.«

Der Sanitäter zuckte mit den Achseln. »Ihre Entscheidung, Monsieur. Aber ich rate Ihnen dringend, sich von
einem Arzt untersuchen zu lassen, und zwar noch heute.«

Kieffer nickte matt und dankte dem Mann für das
Kühlpad. Dann bemerkte er Lobato. Sie stand mit mehreren ihrer französischen Kollegen neben der ramponier-

ten Tür. Kieffer ging, immer noch schwer atmend, zu ihr herüber.

»Moien, Kommissärin«, sagte er. »Sie haben die Keycard geklaut. Aus Valéries Tasche.«

Lobato schaute missmutig. »Habe mir schon gedacht, dass das kein normaler Raubüberfall war.« Sie musterte das Loch in der Tür. Es war so groß, dass man den dahinter liegenden Innenhof sehen konnte.

»Was machen Sie jetzt?«, fragte der Koch.

Ihr Blick wurde noch finsterer. »Hier kann ich gar nichts tun. Schießerei mitten in der Stadt, mit einem prominenten Opfer«, sie deutete mit der Linken auf die immer noch telefonierende Valérie Gabin, »das ist natürlich erst einmal Sache meiner französischen Kollegen. Die wollen auch gleich noch mit Ihnen sprechen.«

Kieffer zündete sich eine Ducal an. Sie schmeckte ihm nicht. Er rauchte sie trotzdem. »Gibt es denn irgendwas Neues zu diesem Aron Kats?«

»Nach eingehender Untersuchung muss man wohl doch eher von einem Selbstmord ausgehen.«

Er sah Lobato entgeistert an. »Ist das Ihr Ernst?«

Dann erzählte er ihr von dem Kryptografie-Code auf der Keycard. Sie nickte pflichtschuldig, wie jemand, der signalisieren will, dass er für die Verärgerung seines Gegenübers volles Verständnis hat. »Lassen Sie uns ein Stück da rübergehen, Haer Kieffer.«

Er folgte ihr und schaute sie erwartungsvoll an.

»Meine persönliche Meinung ist, dass es hier um irgendeine Form von Industriespionage oder Finanzbetrug geht«, sagte Lobato.

»Scheint mir auch so. Aber warum persönliche Meinung? Was ist mit Ihrer dienstlichen?«

»Directeur Manderscheid interessieren nur die Fakten, den Staatsanwalt sowieso. Und die sind, zumindest was die Mordhypothese angeht, dürftig. Kats hat für Lityerses gearbeitet, einen Investmentfonds, als Finanzmathematiker. Drei Tage vor seinem Tod hat er gekündigt. Daraufhin wurde er sofort von seinen Aufgaben freigestellt.«

»Freigestellt? Wieso das?«

Sie zuckte mit den Achseln. »Sicherheitsbedenken. Diese Leute bewegen Milliarden von Euro, da ist es üblich, dass einen die Security sofort aus dem Gebäude geleitet. Es gibt ansonsten wenig Auffälliges an ihm. Zumindest nicht in seiner jüngeren Vergangenheit. Er ist in den USA vor Jahren von einem ehemaligen Arbeitgeber vor Gericht gezerrt worden, wegen angeblichen Geheimnisverrats. Wurde aber freigesprochen. Das scheint ihn jedoch nachhaltig beeindruckt zu haben. Über drei Jahre lebte er schon in Luxemburg, und seit er hier ist, hat er nicht einmal ein Parkticket bekommen.«

»Und warum sollte er dann von einer Brücke springen?«

»Sein ehemaliger Vorgesetzter berichtet, Kats habe eine Zeit lang unter Depressionen gelitten und sei deswegen auch früher in New York behandelt worden«, antwortete Lobato. »Vielleicht hatte er einen Rückfall. Das lässt einen Selbstmord nicht unplausibel erscheinen.«

Kieffer begann, die Geduld zu verlieren. Auf der einen Seite freute er sich, dass Lobato endlich ein paar Informationen preisgab. Auf der anderen irritierte ihn, dass die Frau das Offensichtliche ignorierte: Dass jemand Kats umgebracht haben musste.

»Das ist doch Unsinn! Da sind diese zwei Männer, die ihn auf der Schueberfouer verfolgt haben. Und dann die Leute, die hinter der Keycard her sind ...«

»… wenn Kats Informationen besaß, die diese beiden Männer haben wollten – warum sollten sie ihn dann schnellstmöglich von einer Brücke werfen? Die Schlägerei in Ihrem Zelt ereignete sich kurz nach 23 Uhr, richtig?«, fragte Lobato.

»Ja, in etwa. Vielleicht auch halb zwölf.«

»Eine Stunde später war Kats bereits tot. Das ist nicht viel Zeit, um jemanden zu kidnappen und auszuquetschen. Alles deutet vielmehr darauf hin, dass er den Männern von der Kirmes entwischt ist und allein die Brücke betreten hat.«

Kieffer schüttelte den Kopf. »Aber auch ein Selbstmörder braucht doch einen Grund. Das mit der Depression könnte außerdem vorgeschoben sein. Möglicherweise will Lityerses die Sache vertuschen.«

Lobato zuckte mit den Achseln. »Unsere Wirtschaftsabteilung wird dem nachgehen. Sicher könnte Kats theoretisch an irgendeinem Finanzbetrug beteiligt gewesen sein und sich deshalb das Leben genommen haben. Ich persönlich halte das für eine nicht ganz abwegige Hypothese. Aber einen Mord können wir ausschließen.«

»Wieso sind Sie sich da plötzlich so sicher?«

Sie zögerte einen Moment. Dann sagte sie: »Auf beiden Seiten der Rouder Bréck gibt es Kameras mit Bewegungssensoren. Die registrieren, wenn jemand die Brücke betritt oder verlässt. Kats ist eine halbe Stunde nach Mitternacht an einer der Kameras vorbeigelaufen und fotografiert worden. Allein. Er kam nie auf der anderen Seite an. Davor und danach hat niemand die Brücke überquert, auf den Ihre Beschreibung der mutmaßlichen Verfolger passt.«

Ein Selbstmord also, ohne Zweifel. »Eine Frage noch, Madame. Diese angeblichen Freunde von Kats, waren das

Leute, die im Auftrag seines ehemaligen Arbeitgebers handelten?«

Lobato schüttelte den Kopf. »Die haben wir nicht gefunden. Aber Melivias Personalchef hat zu Protokoll gegeben, man habe sich von Kats in bestem Einvernehmen getrennt.«

»Moment. Wer ist Melivia?«, fragte er. Kieffer erinnerte sich nun, dass dieser Name auf der Keycard aufgeklebt gewesen war.

»Melivia ist der Mutterkonzern von Lityerses. Ein großer börsennotierter Schweizer Rohstoffhändler.«

»Und wie geht es jetzt weiter?«

»Ich werde Madame Gabin bitten, meinen Kollegen diese Codes zur Verfügung zu stellen. Die werden dann vielleicht auch noch einmal mit Ihnen sprechen wollen.«

»Welche Kollegen?«

»Aus der Abteilung Wirtschaftskriminalität. Das ist wie gesagt kein Mordfall mehr, und damit nicht mehr meine Sache. Wenn Sie mich jetzt bitte entschuldigen würden. Ich muss noch mit Ihrer Freundin sprechen. Mir scheint, sie wird gleich abgeholt.«

Kieffer fuhr herum und sah, dass hinter dem Streifenwagen, in dem Valérie saß, zwei dunkle Limousinen ohne Markierung vorgefahren waren. »Wer sind die?«, fragte er Lobato.

»Keine Polizei. Vielleicht RG.«

»RG?«

»Direction des Renseignements Généraux«, antwortete sie.

Direktion für Allgemeine Informationen. Es klang nach Nachrichtendienst. Er lief zu Valérie hinüber. »Kommen die deinetwegen?«

Sie nickte. »Ich habe François angerufen.«

Als Chefredakteurin des bekannten Gastronomieführers besaß Valérie Gabin einflussreiche Freunde auf der ganzen Welt – und einer der wichtigsten war François Allégret, der Pariser Bürgermeister. Auch Kieffer kannte den Mann inzwischen. Bei einem von Allégret veranstalteten Galadinner war ein Sushikoch ums Leben gekommen, und der Bürgermeister hatte ihn um seine Hilfe bei der Aufklärung des Falls gebeten. Damals hatte er Allégret besser kennengelernt, viel besser, als ihm lieb war. Kieffer hielt den Politiker für einen geld- und machtgierigen Menschenfänger der schlimmsten Sorte. Dass François Allégret, wie zu lesen war, bei den Präsidentschaftswahlen im kommenden Jahr antreten wollte, musste einem Angst machen.

»Und der hat diese Typen geschickt? Sind das Geheimdienstleute?«

»Nicht ganz, sie sind vom SPHP, Service de Protection des Hautes Personnalités. François' Personenschützer, sie sollen uns abholen.«

Der staatliche Dienst zum Schutz hochrangiger Persönlichkeiten – Kieffer behagte die Sache nicht. »Und wo bringen die dich hin?«

»Zum Anwesen von François. Er ist jetzt der offizielle Kandidat der Konservativen, sein Haus dürfte einer der bestgeschützten Orte Frankreichs sein.« Sie schaute ihn irritiert an. Offenbar hatte sie gerade erst registriert, dass er nicht »uns« gesagt hatte. »Wieso nur mich, Xavier? Du sollst mitkommen. Du bist genauso in Gefahr wie ich.«

Kieffer schüttelte den Kopf. »Ich werde mich nicht eine Woche oder länger in einem französischen Jagdschloss verstecken. Das geht auch gar nicht, ich muss zurück in meine Küche, und auf die Fouer.«

»Xavier, der Typ hatte eine Waffe! Er hat auf uns geschossen.«

Nein, dachte er, das hat er nicht. Kieffer war selbst oft
genug mit seinem Vater auf dem Schießstand gewesen,
um zu wissen, dass der Maskenmann sie nicht hatte töten
wollen. Aus dieser Entfernung verfehlte ein Profi niemanden. Angesichts des großen Kalibers wären ihre Überle-
benschancen minimal gewesen. »Der hat jetzt ja, was er
wollte. Die Keycard. Wir sind den Mann los, glaube ich.
Ich passe schon auf mich auf, Val.«

Sie antwortete nicht. Er nahm sie in den Arm und
hielt sie lange fest. Dann löste sie sich von ihm und stieg
in eine der schwarzen Limousinen, ein breitschultriger
Mann im Anzug schloss die Fondtür. Als sie wegfuhr,
dachte Kieffer über seinen letzten Satz nach: »Er hat jetzt
ja, was er wollte.«

Stimmte das? Oder hoffte er es nur? Er war sich nicht
sicher.

15

Nachdem ihn die französischen Kriminaler eine halbe Stunde lang vernommen hatten, entließen sie Kieffer. Langsam lief er die Straße entlang. Die Aufregung und das Adrenalin waren verschwunden und hatten einer bleiernen Müdigkeit Platz gemacht, der Luxemburger fühlte sich, als habe er eine vierzehnstündige Küchenschicht hinter sich gebracht. Am Boulevard des Invalides ließ er sich auf eine Bank sinken und rauchte eine Zigarette. Danach nahm er sein Handy aus der Hosentasche und wählte nochmals die Schweizer Nummer. Als er aufgelegt hatte, fasste er einen Entschluss. Zunächst rief er seine Souschefin an und bat sie, ihn auf der Fouer und im Restaurant einen weiteren Tag zu vertreten. Als das erledigt war, wählte er Vatanens Büronummer.

»Ah, der Kartoffelkönig! Was verschafft mir die Ehre deines Anrufs?«

Nachdem Kieffer seinem finnischen Freund erzählt hatte, was seit ihrem Grillfest am Freitagabend passiert war, wich der frotzelige Unterton aus dessen Stimme. »Du musst dich in Acht nehmen. Die Typen werden zurückkommen.«

»Das werden sie«, pflichtete Kieffer ihm bei.

Vatanen räusperte sich. »Wieso läufst du überhaupt weiter wie Freiwild da draußen rum? Solltest du nicht mit deiner Freundin in Allégrets Villa sitzen, gut bewacht von der französischen Polizei?«

»Mich so zu verkriechen, das liegt mir nicht«, brummte Kieffer. »Außerdem geht mir dieser Kats nicht aus dem Kopf. Ich hätte ihn vielleicht retten können.«

»Quatsch, Xavier! Wie hättest du wissen sollen, dass jemand hinter dem Kerl her ist?«

Kieffer antwortete nicht. Natürlich hatte er nicht ahnen können, dass der Fondsmanager in Gefahr war. Er trug keine Schuld an dessen Tod. Doch immer, wenn er an Kats Sturz von der Rouder Bréck dachte, zog sich sein Magen zusammen, und er fühlte, dass er die Sache nicht auf sich beruhen lassen konnte. Er musste wissen, wie der Russe gestorben war – und warum. Selbst wenn der Todesfall ihn kaltgelassen hätte, gab es nun kein Zurück mehr. Seit einigen Minuten war Kieffer klar, dass er ein Pfand benötigen würde, um aus dieser Sache heil herauszukommen.

»Brauchst du Hilfe, Xavier?«, fragte Vatanen. Für einen Moment hatte er ganz vergessen, dass der EU-Beamte noch am Telefon war. Kieffer kramte die zerknitterte Mitschrift der Mailboxansage aus seiner Jackentasche. »Ja. Vielleicht kannst du für mich herausfinden, was sich in der Rütligass 1 in Jaggiwald befindet. In der Schweiz.«

»Ich dachte eher an seelischen Beistand, du Sturkopf«, bemerkte Vatanen. »Aber meinetwegen auch das. Moment.«

Kieffer konnte hören, wie die Tastatur seines Freundes klackerte. »Danke dir. Außerdem«, fuhr der Koch fort,

»habe ich hier drei griechische Götternamen: Hephaistos, Hades und Persephone. Hades ist der Totengott, oder? Die anderen sagen mir leider nichts.«

»Woher stammen die?«

»Sie wurden in der Mailboxnachricht erwähnt, Pekka.«

»Okay. Ich kümmere mich noch heute darum, sobald die Spinner weg sind.«

»Was für Spinner?«

»Leute von der Europäischen Kommission. Sind wegen der Reform der Agrarpolitik hier, eine Idee des neuen Landwirtschaftskommissars. Sie wollen«, er konnte hören, wie Vatanen kicherte, »mehr Effizienz in das System bringen.«

»Gute Idee.«

»Größenwahnsinnige Idee. Eher schafft man es, einem Blauwal Stepptanz beizubringen. Aber egal, die geben schon wieder auf. Zu einem deiner Götter kann ich dir sofort etwas sagen. Mit Persephone hat, gewissermaßen von Amts wegen, jeder aus dem Agrarsektor zu tun. Viele Bauern benutzen die Dame als Glücksbringer. Sie ist nämlich die griechische Fruchtbarkeitsgöttin. Na ja. Meistens jedenfalls.«

»Was heißt meistens?«, fragte Kieffer.

»Sie ist für den Frühling zuständig, für das Aufgehen der Saat und so weiter. Aber sie ist auch eine Totengöttin.«

»Und wie passt das zusammen?«

»Die kleine Persephone hat sich, wenn ich mich richtig entsinne, von Hades austricksen lassen. Er gab ihr einen Granatapfel, und als sie hineinbiss, fuhr sie schnurstracks zur Hölle, also eigentlich in die Unterwelt. Und dort muss sie seitdem als Totenwächterin arbeiten, allerdings nur in Teilzeit, drei Monate im Jahr. Die restliche Zeit verbringt sie auf der Erde. Für die alten Griechen war das die Erklärung, warum im Winter nichts gedeiht.«

»Okay. Nicht, dass ich jetzt mehr von der Botschaft verstehe als vorher, aber trotzdem danke. Da fällt mir noch etwas ein. Kennst du ein Unternehmen namens Melivia?«

Vatanen schnaubte. »Natürlich. Du etwa nicht?«

»Nein, sollte ich?«

»Melivia ist der größte Rohstoffhändler des Planeten. Die handeln mit Öl, Aluminium und Seltenen Erden, aber auch mit Weizen, Sojabohnen, Mais, einfach mit allem.«

»Und die produzieren diese Rohstoffe auch? Oder handeln sie nur damit?«, fragte Kieffer.

»Das weiß ich nicht so genau. Ich weiß nur, dass sie recht umstritten sind, weil sie sich in der Vergangenheit mit dem einen oder anderen Despoten ins Bett gelegt haben, um an Gold, Diamanten oder was weiß ich zu kommen.«

Kieffer versuchte, die Ducalschachtel zu finden. Sie hatte sich irgendwo in seinem löchrigen Innenfutter verkrochen. »Du sagtest, die sind groß. Wie groß?«

»Moment«, wieder klackerte Vatanens Tastatur. »Laut Wikipedia machen sie 123 Milliarden Franken Umsatz.«

»Schweizer also?«

»Ja, das größte Unternehmen des Landes, wenn ich richtig informiert bin.«

Kieffers Linke fand das verbeulte Päckchen und zog es heraus. »Seltsam, dass ich noch nie von denen gehört habe.«

»Na ja, da sie die Rohstoffe nur großhandeln, steht ihr Name auf keiner Packung und Werbung machen die vermutlich auch keine. Es soll sich um einen sehr verschwiegenen Laden handeln. Ich meine, in einem Wirtschaftsmagazin letztes Jahr mal einen Artikel über Melivia gelesen zu haben, vielleicht kann ich dir den besorgen. Wenn du genau wissen möchtest, was die handeln und verkaufen, dann müsstest du vielleicht mal mit einem Banker sprechen.«

Banker kannte Kieffer einige. Nicht, dass er sich sonderlich für Börsengeschäfte interessierte – Aktien besaß er nicht, den Großteil seines Geldes hatte der Koch in Rotwein investiert. Aber Luxemburg war einer der wichtigsten Finanzplätze der Welt. Vor allem bei Investmentfonds war das Großherzogtum führend. Es wimmelte dort folglich von Vermögensverwaltern, Investmentbankern und anderen Finanzexperten. Der eine oder andere von ihnen aß regelmäßig in Kieffers Restaurant. Der Koch zündete sich eine Zigarette an. »Ja. Ich habe bereits eine Idee, wen ich fragen könnte.«

»Einen deiner Kunden? Kenne ich den?« Pekka Vatanen war Stammgast im »Deux Eglises«, er gehörte praktisch zum Inventar; fast jeden Abend saß er an seinem Platz an der Bar, trank Riesling und erzählte Kieffer den neuesten Tratsch aus EU-Kreisen. Oder er beschrieb in großer Ausführlichkeit die Vorzüge vielversprechender Bewerberinnen für einen immer wieder neu zu vergebenden Posten: den der nächsten Miss Vatanen.

»Kann sein, Pekka. An dem Tisch vor der Bar sitzen doch manchmal diese Engländer. Darunter ist einer, der besonders knallbunte Hemden trägt, erinnerst du dich? Die mit den irren Manschettenknöpfen.«

»Mein Gott, ja. Daumengroße Bienen aus Gold, verziert mit Edelsteinen, jede vermutlich so teuer wie ein Monatsgehalt. Und was macht der Typ?«

»Er heißt Charles Sykes und ist Fondsmanager bei einer

deutschen Bank. Der müsste sich doch mit Rohstoffhandel auskennen. Und vielleicht auch mit dieser Schweizer Firma und ihrer Fondsgesellschaft.« Kieffer blies Rauch aus. »Sag mal, Pekka, diese Melivias sitzen nicht zufällig in der Rütligass?«

»Nein, der Firmensitz befindet sich in Weggis, das ist bei Luzern. Jaggiwald liegt im Berner Oberland. Viel scheint dort allerdings nicht zu sein. Auf der Karte sehe ich an der Stelle nur ein bisschen Wald, wie der Name ja schon andeutet.«

»Findet dein Computer denn unter der Adresse irgendeine Firma?«

Wieder klackerte es. »Saatana!«, rief Vatanen.

»Bitte kein Finnisch, Pekka. Was ist los?«

»Laut Google Maps befindet sich dort eine Einrichtung des Schweizer Militärs«, antwortete der Finne.

»Eine Kaserne?«

»Keine Ahnung, Xavier. Erkennen lässt sich auf der Karte nichts. Da ist nur so eine Stecknadel und daneben steht »Schweizer Armee / Armasuisse.«

»Okay. Vielen Dank für deine Hilfe, Pekka. Und falls du später auch mal nach diesem Aron Kats stöbern könntest …«

»… na klar. Kommst du heute noch zurück nach Luxemburg? Dann könnte ich dir meine Ergebnisse später bei einem Glas Riesling präsentieren. Vielleicht auch bei zweien.«

»Leider nein, Pekka. Ich fahre jetzt erst einmal nach Jaggiwald.«

»Du spinnst doch. Was wirst du da tun?«

»Das, was Aron Kats mir aufgetragen hat: ›Sage dem Wächter meinen Namen und den der Göttin‹.«

»Er hat es nicht dir aufgetragen, Xavier. Die Nachricht war für jemand anderen bestimmt.«

»Ja, aber für wen?«

»Vielleicht für Valérie«, schlug Pekka vor. »Schließlich ist der Schlüsselbund ja bei ihr gelandet. Und vielleicht war das kein Zufall.«

»Val ist jetzt erst einmal raus aus der Sache.« Kieffer war fest entschlossen, dafür zu sorgen, dass dies auch so blieb. Aber irgendwo da draußen las in diesem Moment jemand die gestohlene Keycard aus. Ihm blieb also nicht viel Zeit. »Ich muss jetzt los. Wer weiß, wann der nächste Zug geht.«

Sie verabschiedeten sich, dann legte Kieffer auf. Er schaute auf die Uhr. Wenn er sofort in ein Taxi stieg, konnte er es bis zur Gare de Lyon schaffen, bevor der Nachmittagsstau die Pariser Innenstadt in Frankreichs größten Parkplatz verwandelte. Er lief bis zu dem Stand am Boulevard Montparnasse, den er eigentlich gemeinsam mit Valérie hatte ansteuern wollen und stieg in einen Wagen. An der Gare de Lyon angekommen, kaufte er sich ein Ticket für den nächsten Zug nach Bern.

Weil ihm vor der Abfahrt noch eine halbe Stunde Zeit blieb, beschloss Kieffer, sich anständig zu verproviantieren. Es war inzwischen fast halb zwei, und die Eier Benedict waren nur noch eine vage Erinnerung. Ohne eine weitere Stärkung würde er die Reise kaum überstehen. Die diversen Bistro- und Burgerketten im Bahnhof ignorierend verließ Kieffer das Gebäude und lief in Richtung des Boulevard Diderot. Dort, so meinte er sich zu erinnern, gab es einen alteingesessenen Feinkostladen. Er hatte Glück; das Geschäft sah noch exakt so aus wie vor fünfzehn Jahren, auch die Auslage schien praktisch unverändert. Behängt mit mehreren kleinen Tütchen eilte er kurz darauf zurück zur Gare de Lyon. Fast wäre ihm der Zug vor der Nase weggefahren.

An einem Tischplatz machte Kieffer es sich gemütlich. Er war froh, die Reise mit dem Zug absolvieren zu können, denn er hielt nicht allzu viel vom Fliegen. Erstens waren die Check-in-Prozeduren lang und quälend, und zweitens durfte man, was viel schlimmer war, praktisch nichts mehr mit zu essen an Bord nehmen. Den Flugzeugfraß rührte er aus Prinzip nicht an, weswegen Fliegen für ihn stets gleichbedeutend war mit Hungern.

Im Zug hingegen konnte man noch tafeln. Unter den Blicken seiner Mitpassagiere entnahm Kieffer einem der Tütchen zwei kleine, in Wachspapier eingeschlagene Pakete und öffnete sie. Eines enthielt einen Morbier aus dem Jura, das andere einen Picandou aus Schafsmilch, der mit Waldhonig beträufelt war. Aus der zweiten Tüte fischte er eine Plastikschale mit getrockneten Feigen, ein saucisson sec aus Aveyron sowie ein kleines Landbrot. Erst, als er all dies auf dem Tisch vor sich positioniert und sein Taschenmesser aus der Jackentasche geholt hatte, wickelte er die pièce de resistance aus, die den Höhepunkt seines Mahls bilden würde: eine dicke Scheibe foie gras de la maison, getrüffelt und mit Pistazien verfeinert, die Spezialität des Feinkostladens. Daneben stellte er eine kleine Flasche süßlichen Sauternes. Die nächste Stunde dachte Kieffer weder an Kats noch an Codes, sondern ausschließlich ans Essen.

Es war bereits Abend, als er in Bern eintraf. Hatte ein Armeebunker Öffnungszeiten? Es gab nur eine Möglichkeit, es herauszufinden. Kieffer lief zum Taxistand und fragte einen Fahrer, wie weit es nach Jaggiwald sei.

»Eine halbe Stunde vielleicht«, erwiderte der Mann. Er versuchte augenscheinlich, Hochdeutsch zu sprechen, dennoch verstand ihn Kieffer nur mit Mühe. »Gut, dann fahren Sie mich bitte hin. Die Adresse lautet Rütligass 1.«

Der Fahrer nickte wissend. »Der alte Armeebunker.«

»Dort sitzt die Armee? Was genau ist dort, eine Kaserne?«

»Nein, schon lange nicht mehr«, antwortete der Mann, während er sich in den Verkehr einfädelte. »Wir haben in der Schweiz viele solcher Bunker, aber die Armee braucht sie nicht mehr, deshalb wurden die meisten vermietet.«

Kieffer schwieg. Während der Fahrt grübelte er über die Botschaft auf der Mailbox und die Keycard nach. Griechische Götter. Primzahlcodierungen. Vier Faktorschlüssel, »drei von Hephaistos, einer aus der Hand des Hades«. Als er vorhin zum zweiten Mal die mysteriöse Mailbox angerufen hatte, war die Nachricht nicht mehr da gewesen. Nach dem ersten Rufton hatte der Computer die Verbindung unterbrochen.

Kurz hatte er überlegt, ob die Leute, die ihn und Valérie bedroht hatten, das Tonband abgeschaltet haben könnten. Doch das schien ihm unwahrscheinlich. Der EDV-Mann des Gabin hatte mehrere Stunden gebraucht, um der Keycard ihre Geheimnisse zu entlocken. Nein, weder die unbekannten Häscher hatten die Nachricht gelöscht noch die Polizei. Sondern Kats. Dies war nach Kieffers Überzeugung die schlüssigste Erklärung dafür, dass die Leitung nun tot war. Der Softwareexperte musste die Mailbox mit einer Art Selbstzerstörungsmechanismus ausgestattet haben. Kieffer wusste nicht viel über Computerhacker, eigentlich gar nichts, aber er vermutete, dass diese Leute so vorgingen. Wer Keycards mit versteckten

126

kryptografischen Codes versah, wer Codenamen wie Hades und Hephaistos benutzte – kurz, wer derart viel Wert auf Geheimniskrämerei legte, der sorgte auch dafür, dass eine Botschaft, die ihren Empfänger erreicht hatte, nicht länger im Netz blieb, sondern umgehend verschwand. In alten Agententhrillern waren die Nachrichten aus Papier und gingen nach der Lektüre in Flammen auf. Dies hier war anscheinend die moderne Entsprechung.

Es war fast halb acht, als sie ankamen. Sie passierten ein paar Höfe, eine Kirche und eine Wirtschaft, dann war Jaggiwald auch schon wieder zu Ende. Hinter dem Dorf bogen sie auf einen kleinen Weg ab, der bergauf in Richtung eines Waldstücks führte. Nach fünf Minuten hielt das Taxi vor einer Felswand. In den Granit war eine stählerne Doppeltür eingelassen, an die drei Meter hoch und gut sechs Meter breit. Darüber waren mehrere orangene Leuchten sowie zwei große Scheinwerfer angebracht. Die einzige Beschriftung war eine kleine blaue Tafel rechts neben dem Eingang, auf der »Tor 1« stand.

»Sind Sie sicher, dass Sie hierher wollen?«, fragte der Fahrer.

»Nein. Aber könnten Sie bitte warten? Sonst komme ich hier nie wieder weg.«

Kieffer stieg aus und ging zum Tor. Er bemerkte, dass darüber Kameras angebracht waren, die ihn misstrauisch zu beäugen schienen. Unter der Tafel befand sich eine Gegensprechanlage mit einer einzelnen Klingel. Er drückte auf den Knopf.

»Data Vault Security Services«, ertönte es aus dem Mikrofon. »Sie wünschen?«

»Xavier Kieffer ist mein Name.« Er stockte kurz, denn er hatte sich nicht so genau überlegt, was er sagen würde.

Er hatte damit gerechnet, auf Soldaten zu treffen, aber die schien es hier nicht zu geben. »Ich möchte etwas abholen«, versuchte er es.

»Einen Moment, bitte.«

Kieffer konnte hören, wie eine Hydraulik ansprang, dann setzten sich die Torflügel in Bewegung. Dahinter lag ein in den Fels getriebener Schacht, eher schon eine Halle. Mehrere Fahrzeuge standen darin: ein Unimog sowie zwei Porsche Cayenne. Rechter Hand war ein Panzerglasfenster in die Wand eingelassen, hinter dem ein Mann saß. Er trug eine dunkelblaue Uniform, hinter ihm hingen zwei Sturmgewehre. Der Pförtner musterte Kieffer kurz, dann sagte er: »Grüezi. Sind Sie der Kontoinhaber?«

»Nein, der heißt Aron Kats«, erwiderte Kieffer.

Der Mann tippte etwas in seinen Computer und nickte dann. »Ich rufe kurz den Night Manager, Herrn Heyl. Er wird Sie dann ins Vault begleiten.«

Kieffer verstand nicht ganz, was der Mann meinte, schwieg aber. Nach wenigen Minuten öffnete sich eine Panzertür im hinteren Teil des Raums. Hindurch trat ein Mann um die fünfzig. Er trug einen teuer aussehenden dunkelblauen Anzug und lächelte Kieffer zu. Seine Mimik und seine Augen verrieten Diskretion und Zurückhaltung, sie sagten: »Hier ist Ihr Geheimnis gut aufgehoben.« Unter anderen Umständen hätte der Koch ihn vielleicht für einen Genfer Vermögensverwalter gehalten.

Der Mann trat auf Kieffer zu und gab ihm die Hand. »Gero Heyl, sehr erfreut. Herr Kats hat uns Instruktionen für die Abholung hinterlassen. Wenn Sie mir bitte folgen wollen.«

Kieffer lief hinter Heyl her, durch die Stahltür in der Rückwand, einen Gang entlang. Während der vordere

Teil der Bunkeranlage militärisch-spartanisch gewirkt hatte, sah es hier aus wie in einem ganz normalen Bürokomplex, minus der Fenster. An den Wänden hingen Monet-Drucke, der Boden war mit Teppich ausgelegt. Kieffer blickte beim Vorbeigehen durch eine offene Tür und sah einen Schreibtisch, neben dem ein Gummibaum stand. Nach etwa hundert Metern gelangten sie in einen kleinen Konferenzraum, mit noch mehr Monets und Bäumen.

»Kaffee oder Wasser, Herr Kieffer?«

»Nein, vielen Dank. Sagen Sie, was genau ist das hier für eine Anlage?«

»Sie befinden sich im Hauptquartier von Data Vault Security. Wir sind eine private Firma und bewahren sensible Daten für unsere Kunden auf.«

»In einem Alpenbunker?«

»Daten sind heutzutage das Wertvollste, was ein Unternehmen besitzt. Hier sind sie perfekt geschützt. Vor Hackern vor allem, denn wir betreiben ein sogenanntes kaltes System, das keinerlei Verbindung zum Internet besitzt. Außerdem vor so ziemlich allem anderen.«

»Wie zum Beispiel?«

Heyl hob die Hände und ließ sie wieder sinken. »Nuklearwaffen, biologische Angriffe, Terroristen. Der Bunker war im Zweiten Weltkrieg Teil des Alpenreduits, danach diente er als Evakuierungsort für hochrangige Politiker. Er bietet vor so ziemlich allem Schutz, was man sich vorstellen kann.«

Der Schweizer musterte Kieffer kurz, dann sagte er: »Ich schließe aus Ihren Fragen, dass Herr Kats Sie nicht über diese Details informiert hat.«

Kieffer wollte etwas erwidern, aber Heyl winkte ab. »Sie müssen mir nichts erklären, Herr Kats hat genaue

Instruktionen hinterlassen, jener Person, die seinen Account als Erster aufruft und das Passwort besitzt, die Daten zu übergeben. Weitere Autorisationen sind nicht erforderlich. Würden Sie mir das Passwort nun freundlicherweise nennen?«

»Persephone.«

»Ausgezeichnet.« Heyl griff zu einem Telefon, das zu seiner Rechten stand und wählte eine Nummer. »Die Kats-Daten, bitte.«

Er wandte sich wieder Kieffer zu. »Der Datensatz wird nun überspielt. Das Ganze wird rund zehn Minuten dauern. Dann wird er Ihnen ausgehändigt.«

»Um was für Daten handelt es sich denn?«

»Das weiß ich leider nicht. Und selbst wenn ich es wüsste, wäre ich nicht befugt, es Ihnen zu sagen. Die Instruktionen von Herrn Kats waren diesbezüglich sehr eindeutig. Ich darf keine Fragen zu seiner Person oder seinem Konto beantworten, sondern soll Ihnen lediglich die Daten aushändigen. Und Sie darauf hinweisen, dass das hiesige Konto danach vollständig gelöscht wird.«

Sie warteten schweigend. Dann betraten zwei Wachleute den Raum. Einer händigte Heyl eine flache schwarze Ledertasche aus, in etwa so groß wie ein Blatt Papier. Der Mann schob sie zu Kieffer hinüber und stand dann auf. »Das war es auch schon. Wir werden Sie jetzt kurz alleine lassen, damit Sie die Daten prüfen können. Wenn Sie fertig sind, wählen Sie einfach die Null, dann begleite ich Sie hinaus.«

»Sehr freundlich, aber das ist nicht nötig«, erwiderte Kieffer. »Ich würde gerne sofort aufbrechen.«

»Wie Sie wünschen.« Heyl geleitete ihn zum Ausgang, wo der Taxifahrer wartete. Kieffer bat den Mann, zurück zum Bahnhof zu fahren. Sein Rücken schmerzte von der langen Herfahrt, trotzdem würde er versuchen, noch einen späten Zug nach Hause zu erwischen. Während sie zurück nach Bern fuhren, öffnete Kieffer das lederne Etui. Darin befand sich ein Tabletcomputer. Das Display war schwarz. Kieffer hatte noch nie solch ein Gerät in der Hand gehabt, weswegen es etwas dauerte, bis er den On-Schalter fand. Der Bildschirm flammte auf, mehrere Symbole erschienen. Kieffer ließ seine Finger über das Display gleiten und drückte auf einige der Icons. Es schien sich größtenteils um Börsensoftware zu handeln, auf dem Tablet erschienen Kursnotierungen und Charts. Diese waren nicht statisch, sondern schienen in Bewegung zu sein, hektisch blinkte es in Rot oder Grün, wenn sich ein Preis änderte. Offenbar war das Tablet mit dem Internet verbunden.

Um was für Vermögenswerte es sich handelte, war auf den ersten Blick nicht zu erkennen. Das Programm zeigte nur Börsentickersymbole wie »GLRD« oder »WSRT« an. Das einzige ihm bekannte Wort auf dem Display lautete »Matif«. So hieß die Pariser Rohstoffbörse. Nach einigem Hin- und Herprobieren gelang es ihm, wieder auf den Startbildschirm zurückzugelangen. Insgesamt gab es drei Börsenkurs-Programme, von Bloomberg, Reuters sowie Dow Jones. Außerdem fand er ein Computerspiel mit dem Titel »Furious Foxes« sowie eine weitere App namens SRW. Als Kieffer diese öffnete, erschien auf dem Bildschirm die Zeile »Soft Red Winter V. 3.1«. Nach wenigen Sekunden öffnete sich ein Programm, das im Wesentlichen aus einer Kursgrafik sowie mehreren darunter liegenden Reglern bestand, die man mit dem Finger auf dem Touchscreen hin- und herschieben konnte. Tat man dies, veränderte sich der Chart.

Was hatte das alles zu bedeuten? Er beschloss, gleich morgen früh seinen britischen Banker-Stammgast anzurufen und ihn um Hilfe zu bitten. Am Berner Hauptbahnhof kaufte er sich Zeitungen sowie etwas zu essen und bestieg einen Nachtzug, der über Straßburg und Metz nach Luxemburg fuhr. Nachdem er in seinem Pullman-Sessel Platz genommen hatte, schlug er eines der Journale auf und blätterte lustlos darin. Er fand eine längere Geschichte im Sportteil, die ihn interessierte, doch vor der Lektüre wollte er sich kurz ausruhen. Kieffer lehnte sich zurück und schloss für einen kleinen Moment die Augen. Als er wieder zu sich kam, waren sie bereits hinter Straßburg.

16

Kieffer hatte Sykes eigentlich mit einem Gratisessen ins
»Deux Eglises« locken wollen. Nicht, dass man den Banker mit so etwas bestechen konnte; den Bordeaux mit
großen Namen und noch größeren Preisen nach zu urteilen, die der Brite bei seinen Besuchen stets bestellte,
konnte sich Sykes jedes Essen leisten, das er wollte. Der
Koch hatte dem Fondsmanager jedoch angeboten, ihm ein
persönliches Wunschmenü zu kochen. Kieffer war zu allem bereit gewesen, er hätte sogar Steak Ale Pie mit York-
shire-Pudding-Kruste, zerkochtes Lamm oder andere
Sonderbarkeiten der britischen Küche zubereitet. Aber
der Banker hatte nicht angebissen.

»Das Quartalsende naht«, hatte er am Telefon erklärt.
»Der Albtraum jedes Fondsmanagers, nur noch vier Tage,
um die Renditen hübsch zu machen.« Sykes hatte Kieffer deshalb gebeten, bei ihm vorbeizuschauen, und so
fuhr der Koch vor seiner Abendschicht auf der Fouer auf
den Kirchberg. Obwohl sich dieser nur wenige Kilometer von seinem Restaurant in der Unterstadt entfernt befand, kam er fast nie her. Es gab dort oben nichts, was
ihn interessierte. Die nordöstlich der Stadt gelegene An-

höhe bestand im Wesentlichen aus einer langen, sechs-
spurigen Straße, die von der Rouder Bréck Richtung
Flughafen führte. Rechts und links dieser Avenue Kennedy genannten Rennstrecke standen Bürokästen. Erst
kamen ein paar auffälligere Gebäude, höher als der Rest,
mit vergoldeten Fensterfronten oder anderem Blendwerk.
In ihnen residierte die Europäische Union. Den Übergang
vom Europa- ins weiter stadtauswärts gelegene Bankenviertel erkannte man vor allem daran, dass die Glaskästen
niedriger und seelenloser wurden. Austauschbare Boxen
waren das, nur die Schriftzüge verrieten, wer darin saß:
Amerikanische Investmentbanken, Londoner Anwalts-
kanzleien, französische Wirtschaftsprüfer und vor allem
Fonds, Fonds und nochmals Fonds. Läden oder Restaurants gab es keine. Die einzigen Geschäfte, die auf Nor-
malverbraucher abzielten, waren ein Multiplexkino und
ein Hypermarché. Es gab nicht viele Dinge, die Kieffer
derart zuwider waren wie diese überdimensionierten
französischen Supermärkte, in denen man sich stets die
Hacken wund lief, weil Milch und Cornflakes dreihundert Meter weit auseinander standen. Ähnlich verzicht-
bar erschienen ihm Kinos, in denen gleichzeitig fünfzehn
austauschbare Hollywoodfilme liefen und Cola in liter-
großen Pappbechern serviert wurde. Ein Vollplastikver-
gnügen war das, es passte zur ganzen Künstlichkeit des
Kirchbergs.

Er stellte seinen Wagen im Parkhaus unter dem Hypermarché ab und machte sich ächzend auf den Weg zum
Ausgang. Beim Laufen tat Kieffer seit dem Überfall in Paris die rechte Flanke weh. Er überlegte, sich zunächst in
der Supermarkt-Apotheke eine Packung Voltaren zu kaufen, entschied sich dann aber dagegen, denn er war spät

dran. Als Treffpunkt hatten sie den »Langen Banker« ausgemacht. Sykes war noch nicht da. Kieffer verkürzte sich die Wartezeit mit einer Ducal und betrachtete die Statue. Der »Lange Banker« trug einen dunklen Anzug mit Krawatte, hatte eine Finanzzeitung unter den Arm geklemmt und umschloss mit seiner Rechten einen Regenschirm, den er als Spazierstock benutzte. Kieffer blies Rauch aus und studierte das Gesicht der Statue. Dazu musste er den Kopf weit in den Nacken legen, denn der »Banker« war gut sieben Meter hoch, er sah aus, als habe man ihn in die Länge gezogen. Trotzdem blickte er nicht unglücklich drein, eher im Gegenteil. Vielleicht hatte er gerade seinen Jahresbonus oder eine staatliche Kapitalspritze erhalten. Als die Statue im Finanzviertel aufgestellt worden war, hatte in der Zeitung ein Kunstexperte erklärt, die Größe des Bankers sei ein ironischer Seitenhieb auf das überzogene Selbstverständnis der Finanzbranche. Kieffer besah sich die vorbeilaufenden Anzugträger, die weder ihn noch ihren hochgeschossenen Kollegen eines Blickes würdigten. Er vermutete, dass sich die meisten von ihnen für zu wichtig nahmen, um für derlei Sarkasmus empfänglich zu sein. Er schaute nochmals zu der Statue auf. Wenn der Künstler mit seinem Werk Kritik am Kapitalismus äußern wollte, so hatte er es auf jeden Fall sehr behutsam getan.

»Ich finde, man hätte ihm noch einen Bowlerhut und eine Havana verpassen sollen.«

Kieffer drehte sich um und schaute in das Mondgesicht Charles Sykes', der ihm sogleich seine Pranke hinhielt. Der Engländer war genauso groß beziehungsweise klein wie Kieffer. Jedes Mal, wenn der Koch den Banker sah, wurde ihm bewusst, dass er sich wegen seines Übergewichts nicht allzu viele Sorgen machen musste – gegen Sykes war er ein Hänfling. Der Brite gehörte zu jenem Männertyp, der nicht nur an Bauch und Hüften zulegte, sondern im Ganzen aufging, so als habe man ihn an eine Luftpumpe angeschlossen. Rumpf, Arme, Beine, ja sogar die Finger, alles wirkte aufgeblasen, von dem medizinballartigen Kopf ganz zu schweigen. Auch Sykes' Tausend-Pfund-Anzug konnte das kaum kaschieren; in einem billigeren Zwirn hätte er vielleicht wie ein Hundertzwanzig-Kilo-Banker ausgesehen. Dank der Künste seines Savile-Row-Schneiders ging er als Hundertzehn-Kilo-Banker durch. Als Kieffer Sykes' Hand ergriff, fiel sein Blick auf dessen Manschettenknöpfe. Heute waren es Meerjungfrauen. Sie waren so groß wie Ein-Euro-Münzen und bestanden aus Sterling-Silber und grünem Glas. Nein, vermutlich waren es eher Edelsteine.

»Danke, dass Sie sich die Zeit nehmen, Charles. Ich habe einige Fragen zur Finanzbranche und bin mit meinem Latein am Ende«, sagte Kieffer

»Mal sehen, was ich tun kann. Kommen Sie, wir gehen in unsere Cafeteria.«

Sykes führte ihn durch das Atrium eines benachbarten Bürogebäudes in eine sehr modern eingerichtete Kaffeebar. Nachdem sie zwei Espressi bestellt und auf einer Ledercouch Platz genommen hatten, schaute der Engländer auf seinen Blackberry. »Sie müssen entschuldigen, aber die Wall Street macht in einer halben Stunde auf. Die Indikatoren prophezeien ein ziemliches Gemetzel, deshalb muss ich zwischendurch immer mal wieder schauen.« Er legte das Telefon vor sich auf den Glastisch und faltete die Hände in seinem Schoß. Sie waren frisch maniküt und erinnerten Kieffer an bayerische Weißwürste. »Worum geht's denn, Xavier?«

»Um einen Mann namens Aron Kats. Er hat hier auf dem Kirchberg gearbeitet, für ein Unternehmen namens ...«, Kieffer musste einen Moment überlegen, »Lityerses.«

Sykes nickte. »Kenne ich. Na ja, kennen ist zu viel gesagt. Ich habe von denen gehört, und von diesem Kats, jeder in der Branche hat das wohl.«

Kieffer griff in seine Innentasche, zögerte dann aber. In Luxemburg durfte man, anders als in Deutschland oder Frankreich, in einigen Cafés und Bars noch immer rauchen. Doch niemand in diesem Coffeeshop tat es. Dann erspähte er das Nichtraucherschild auf dem Tisch. Er ließ die Ducalpackung in die Tasche zurückgleiten. »Was ist an dem Mann denn so besonders?«

»Lityerses hat eine Spitzenperformance. Die machen dreißig, vierzig Prozent mehr Rendite als der Markt, und zwar jedes Jahr. Und es gilt als ausgemacht, dass es das Verdienst von Kats ist. Mathematiker, Promotion in Princeton, Harvard oder so. Der Typ hat die Investmentstrategien für mehrere Hedgefonds entwickelt, die ganze Software für den Handel. Früher war er bei Silverstein in New York, glaube ich, und jetzt arbeitet er hier in Luxemburg, für Lityerses. Er ist ein verdammtes Genie, einer der bekanntesten Quants der Finanzbranche.«

»Charles, was bitte ist ein Quant?«

»Das kommt von dem Begriff ›quantitative Analyse‹. Als Quants bezeichnen wir jene Eierköpfe, die komplexe mathematische Modelle und Algorithmen für unseren Computerhandel entwickeln.«

»Ich verstehe. Und was haben Algorithmen mit Wertpapiergeschäften zu tun?«

Sykes hob eine seiner Pranken und winkte der Kell-

nerin. Kieffer sah die Meerjungfrau im Licht eines De-
ckenstrahlers grünlich aufblitzen. Er tippte auf Sma-
ragdsplitter.

»Kann ich bitte ein Stück von dem Mile High Chocolate Layer Cake bekommen? Mit Sahne? Danke.« Er
wandte sich wieder Kieffer zu. »Okay, es läuft folgendermaßen. Langweilige alte Fonds, so wie der Aktienfonds,
den ich betreue, kaufen Wertpapiere – in der Hoffnung,
dass deren Kurse steigen. Unsere deutlich gierigeren und
aggressiveren Brüder, die sogenannten Hedgefonds, tun
das auch. Aber gleichzeitig wetten sie darauf, dass die
Kurse anderer Wertpapiere fallen.«

»Und auf was für Wertpapiere wettet so ein Hedgefonds?«

»Aktien, Schatzbriefe, Rohöl, Rinderhälften, you name
it. Und dann hoffen sie, dass sie mit der Summe all ihrer
ausstehenden Wetten am Ende Geld verdienen.«

»Und das funktioniert?«

»Solange man mehr dieser Einzelwetten gewinnt als
verliert, funktioniert es. Der Clou ist, dass sich die Wetten auf steigende und fallende Kurse gegenseitig aufhe-
ben. Das funktioniert im Prinzip wie beim Roulette im
Spielkasino: Diese Typen setzen gleichzeitig auf Rot
und Schwarz, auf Gerade und Ungerade. Und das sehr
oft.«

Kieffer nippte an seinem Kaffee. »Wieso sehr oft?«

»Bleiben wir beim Roulette: Wenn man nur eine einzige Wette eingeht, muss man viel Geld setzen, damit
ein ordentlicher Gewinn rauskommt. Hat man hingegen
gleichzeitig Zigtausende Wetten laufen, ist es okay, immer nur ein paar Cent zu gewinnen. Es ist auch okay, zu
verlieren, solange man insgesamt eine bessere Quote hat

als die Spielbank. Wenn Sie also wissen, dass Rot an einem Tisch 0,0001 Prozent öfter fällt als Schwarz, können Sie das ausnutzen.«

»Und diese Hedgefonds verwenden dafür Computerprogramme?«

»Genau. Und wenn man im Hochfrequenzhandel aktiv ist, wie unsere Freunde von Lityerses, dann braucht man sogar besonders komplexe Software, mit extrem ausgefeilten mathematischen Gleichungen, also Algorithmen. Und für die ist Aron Kats in der Branche bekannt. Sagen jedenfalls die Leute, die ich kenne.«

Die Kellnerin brachte ein sehr großes Kuchenstück. Kieffer versuchte die nachdrückliche Forderung seines Körpers nach einer Ducal zu ignorieren. »Sie haben mich schon wieder abgehängt, Charles. Was ist Hochfrequenzhandel?«

»Die Idee dahinter ist, Wertpapiere nur ein paar Millisekunden lang zu halten, bevor man seine gerade aufgebaute Position wieder liquidiert.«

»Könnten Sie das mit einem Beispiel …?«

»Klar. Also, ein Hochfrequenzfonds wettet auf alle in London gehandelten Aktien, das sind vielleicht 4000 Titel. Sekundenbruchteile später liquidiert er alle seine Positionen wieder. Das Spielchen wiederholt er zighundertmal am Tag.«

Kieffer seufzte. »Ich verstehe noch nicht, was der Sinn des Ganzen ist.«

»Moment. Kurze Kuchenpause.« Sykes rutschte auf dem Sofa etwas nach vorne und ergriff die in seiner rechten Hand winzig wirkende Dessertgabel. Mit der linken umfasste er seinen Blackberry. Während er seine Nachrichten überflog, inhalierte er den Chocolate Cake. Es war kein schöner Anblick. Dann leckte er sich die Lippen und fuhr fort.

»Das Spielchen lohnt sich, wenn Ihr mathematisches Modell eine Ineffizienz entdeckt hat und bei jedem dieser Käufe und Verkäufe ein paar Cent hängen bleiben. Vielleicht, weil ein Londoner Börsencomputer eine halbe Millisekunde lahmarschiger ist als ein anderer. Vielleicht, weil es einen statistischen Zusammenhang zwischen den Kursbewegungen gibt. Was Sie verstehen müssen, Xavier: Es geht bei diesen Börsengeschäften ausschließlich um Wahrscheinlichkeitsrechnung, um Stochastik.«

Kieffer lächelte. »Dann sind meine Chancen, das Ganze zu verstehen, noch geringer, als ich befürchtet hatte.«

»Also, es gab in den Sechzigern diesen Ami, Ed Thorp. Auch so ein Zahlengenie wie Kats. Thorp entwickelte ausgefeilte mathematische Methoden, um die Casinos in Las Vegas und Atlantic City aufs Kreuz zu legen.«

»Und das hat funktioniert?«

»Oh ja, er sprengte eine Bank nach der anderen. Später hat man kapiert, dass Thorps Modelle auch an der Börse funktionieren. Die Hedgefonds nutzen sie, legen aber nicht den Croupier aufs Kreuz, sondern den Markt. Sie schaffen das dank zwei Naturgesetzen der Wahrscheinlichkeitsrechnung. Das Erste ist das Gesetz der großen Zahlen. Wenn Sie eine Pfundmünze dreimal werfen, dann kriegen Sie vielleicht dreimal hintereinander die Königin. Aber wenn Sie sie dreihundertmal werfen, dann kriegen Sie hundertfünfzigmal Elizabeth und hundertfünfzigmal das Windsor-Wappen. Die Abweichung vom statistischen Mittel wird bei großen Zahlen immer kleiner. Soweit verstanden?«

»Ich denke schon.«

»Das Zweite, was diese Typen sich zunutze machen: Prognosen funktionieren umso besser, je kürzer der Vorhersagezeitraum ist. Ich kann die Wall-Street-Handelsdaten der letzten achtzig Jahre durch einen Supercomputer jagen, um zukünftige Kursbewegungen vorherzusagen. Aber es wird logischerweise immer einfacher sein, den Kurs der nächsten Sekunde vorauszusagen als den der nächsten Woche. Und deshalb«, Sykes kratzte einen Sahnerest von seinem Teller und leckte den Löffel ab, »ist es sinnvoll, Wertpapiere ultrakurze Zeit zu halten und sie so häufig zu handeln, wie es geht. Immer vorausgesetzt, Sie haben eine Erfolg versprechende Strategie. Aber viel hilft viel, und rasend schnell hilft noch mehr. Kats macht das für Melivia, denen wiederum Lityerses gehört.«

»Aber Melivia ist doch ein Rohstoffkonzern. Handelt Lityerses auch mit Rohstoffen?«

»Aber ja, die konzentrieren sich meines Wissen ausschließlich darauf. Genauer gesagt auf sogenannte weiche Rohstoffe, also Weizen oder Reis, kein Gold oder Kupfer.« Sykes blickte nervös auf seinen Blackberry. »Schon minus hundert Punkte! Ich muss weg, also letzte Fragerunde. Ich hätte übrigens auch noch eine.«

»Bitte, Charles.«

»Sie haben mir noch gar nicht gesagt, warum Sie sich für diesen Aspi interessieren.«

»Aspi?«

»Aspi. Asperger-Syndrom. Eine Autismusform, die häufig mit hoher Intelligenz einhergeht. Ich kenne diesen Kats ja nicht persönlich, aber nach dem, was mir ein Kumpel erzählt hat, der auch für so einen Hedgefonds arbeitet, muss der Typ extrem schrullig sein, Sozialkompetenz eines Taschenrechners. Also warum interessiert er Sie?«

»Er war an meinem Stand auf der Schueberfouer an einer Schlägerei beteiligt.«

»Wirklich? Kann man sich bei so jemandem kaum vorstellen. Und dann?«

»Die Polizei glaubt, dass er später am Abend von der Roten Brücke gesprungen ist. Er ist vor drei Tagen gestorben.«

Sykes schaute entgeistert. »Was? Das war Kats? Ich habe davon in der Zeitung gelesen, aber ich wusste nicht … auf dem Kirchberg wird seit Tagen darüber spekuliert, wer der in der Presse genannte Banker war. Donnerwetter. Trotzdem muss ich jetzt los.« Er schaute auf sein Telefon. »Gleich kommen die Einkaufsmanagerzahlen und die Arbeitslosenanträge. Wird ein heißer Ritt.«

»Eine Bitte noch, Charles. Ihr Freund, dieser Hedgefonds-Experte. Der hat Kats persönlich gekannt?«

»Ich denke schon, ja.«

»Glauben Sie, ich könnte mal mit dem sprechen?«

Sykes nahm ein silbernes Visitenkartenetui sowie einen Montblanc-Füller aus der Tasche. Auf eins der Kärtchen schrieb er eine E-Mail-Adresse und gab sie Kieffer. »Gustas Kwaukas von Pickman Invest. Schreiben Sie ihm eine Mail, mit schönem Gruß von mir.«

»Hat er keine Telefonnummer?«

»Doch, aber er würde eh nicht rangehen. Glauben Sie mir, E-Mail ist Ihre beste Chance.« Sykes streckte Kieffer die Wurstfinger hin. Der Koch nahm seine Hand.

»Vielen Dank, Charles. Kommen Sie bald wieder einmal zum Essen vorbei. Sie kriegen ein Spezialmenü.«

»Mache ich. Spätestens übernächste Woche, wenn das Quartal zu Ende ist und der Wahnsinn abebbt.« Dann schickte sich Sykes an, zu verschwinden. Er war

schon halb durch die Tür, als Kieffer noch etwas einfiel.
»Charles!«

»Ja, bitte?«

»Wissen Sie zufällig, was ›Soft Red Winter‹ bedeutet?«

Der Fondsmanager überlegte kurz. »Das ist eine Weizensorte.«

17

Auf der Fouer blieb es am Abend vergleichsweise ruhig. Der Ansturm der ersten Woche hatte nachgelassen, es waren weniger Ausländer auf dem Glacis unterwegs. Es mochte am Ferienende liegen, am nicht mehr ganz so makellosen Wetter – oder vielleicht daran, dass manch einer an den ersten Kirmestagen bereits derart viel Backfisch, Nougat oder Waffeln in sich hineingeschaufelt hatte, dass ihm vor einem weiteren Besuch grauste. Kieffer hingegen konnte nie genug von der Kirmes bekommen. Schon in seiner Kindheit war das so gewesen. Inzwischen hatte er zwar kein Interesse mehr an Autoscooterfahrten oder Luftgewehrschießen, ganz zu schweigen von jenen neuartigen Fahrgeschäften, für die man eigentlich ein Astronautentraining absolviert haben musste. Trotzdem kam er jedes Jahr an drei bis vier Tagen her und aß sich durch das Angebot.

Dieses Jahr würde Kieffer die Fouer wegen seines Stands weitaus öfter besuchen, und er musste zugeben, dass ihm das Dauergedudel ein wenig auf die Nerven zu gehen begann. Es war etwas anderes, wenn man Besucher war und jederzeit in die ruhige Unterstadt flüchten konnte. Oder hatte seine Nervosität andere Gründe? Bei jeder unbedeutenden Rempelei vor seinem Stand zuckte er neuerdings zusammen. Ständig ließ er seinen Blick über die Menschenmenge gleiten, auf der Suche nach verdächtigen Gestalten.

Stundenlang frittierte er an diesem Donnerstag Gromperekichelcher. Wider alle Kaufmannsvernunft hatte er bei seinem Trierer Großhändler erneut die sündhaft teure »Rose de France« bestellt. Zuvor hatte er kurz mit einer namenlosen Supermarktkartoffel experimentiert, doch die daraus resultierenden Reibekuchen waren ein Reinfall gewesen, mehlige Fettschwämme ohne Biss und Geschmack. Deshalb blieb er bei »Rose«, auch wenn deren Kilopreis seit seiner letzten Bestellung um weitere zwanzig Cent gestiegen war.

Gegen zehn Uhr abends wurde es Kieffer zu viel. Er überließ den »Roude Léiw« seiner Stellvertreterin Claudine und lief hinüber zum Riesenrad. Er war jedes Jahr gefahren, seit er zehn war, mindestens. Nun schien ihm ein guter Zeitpunkt zu sein. Die Sonne war bereits untergegangen und sandte ihre letzten rötlich-goldenen Strahlen in den Luxemburger Himmel, als Kieffer in einer der Gondeln Platz nahm. Er schaute hinab, auf den kleiner werdenden Kirmesplatz. Dahinter erblickte er die Oberstadt, Notre-Dame, das spitze Türmchen der Luxemburger Sparkasse, das Alzettetal. Als es wieder abwärtsging, schaute Kieffer in die andere Richtung, zum Plateau de Kirchberg.

Was hatte Aron Kats das Leben gekostet? Was hatte ihn veranlasst, von der Brücke zu springen? Und wieso hatte er Valérie seinen Schlüsselbund gegeben? Nach allem, was Kieffer bislang in Erfahrung hatte bringen können, musste es etwas mit Börsengeschäften zu tun haben, vermutlich mit computergesteuerter Spekulation auf Nahrungsmittel. Das seltsame Programm auf Kats' Tabletcomputer war offenbar nach einer Weizensorte benannt, aber was genau tat es?

Die Gondel glitt zwischen den Stahlträgern hindurch, an denen das Riesenrad aufgehängt war, und setzte zu einer weiteren Runde an. Zunächst hatte er Gérard das Tablet geben wollen, dem EDV-Chef des Guide Gabin, sich dann aber dagegen entschieden. Kieffer wollte seine Freundin aus der Sache heraushalten. Sobald Valérie dies bemerkte, was sicherlich irgendwann passierte, würde sie sich fürchterlich aufregen, würde ihm erklären, sie könne verdammt noch mal auf sich selbst aufpassen, sie sei kein zartes Hascherl, das man vor der Welt beschützen musste. Kieffer wusste, dass sie damit recht hatte und er unrecht; ihr nichts von dem Schweizer Bunker zu erzählen, nichts von dem dort gefundenen Tablet zu sagen – all das würde sie ihm als unverzeihlichen Vertrauensbruch auslegen, als altväterliche Bevormundung, als die Art von Galanterie, auf die eine emanzipierte Frau gut verzichten konnte. Seine Entscheidung, Valérie aus allem Weiteren herauszuhalten, dessen war er sich bewusst, garantierte ihm irgendwann eine Beziehungskrise unkalkulierbaren Ausmaßes.

Sykes hatte er den Computer ebenfalls nicht zeigen wollen. Zum einen, weil er ihm dann hätte erklären müssen, wie er an das Gerät des toten Mathematikgenies gekommen war. Kieffer war sich nicht sicher gewesen, was für eine Geschichte er dem Banker dazu hätte auftischen sollen. Zum anderen war er der Ansicht, dass der Brite mit dem Tablet auch nicht viel mehr anfangen konnte als er selbst; allen Spuren nach zu urteilen, die Kats bislang hinterlassen hatte, war das eher eine Aufgabe für einen Hacker denn für einen fünfzigjährigen Fondsmanager. Er klopfte eine Ducal aus der Schachtel. Vielleicht sollte er Kwaukas ins Vertrauen ziehen, den Hedgefondsmanager, dessen E-Mail-Adresse Sykes ihm gegeben hatte? Der Mann hatte sich bisher nicht auf Kieffers Anfrage gemeldet. Außerdem konnte er diesen Fremden noch viel weniger einschätzen als Sykes. Was war, wenn er Kieffer übers Ohr haute und die Informationen auf dem Tablet, falls es welche gab, für seine eigenen Börsenspekulationen nutzte?

Die Gondel hatte ihre zweite Runde vollendet. Kieffer stieg aus der schwankenden Kabine und beschloss, noch einmal kurz im »Deux Eglises« nach dem Rechten zu sehen und danach von dort nach Hause zu laufen. Rauchend schlenderte er zu seinem Lieferwagen, stieg ein und fuhr Richtung Clausener Unterstadt. Wenn er das Tablet der Luxemburger Polizei aushändigte, wäre er den ganzen Ärger dann vielleicht auf einen Schlag los? Er bezweifelte es. Da war zunächst der Umstand, dass sich die Wirtschaftsermittler bisher trotz zweimaliger Rückrufbitte noch nicht bei ihm gemeldet hatten. Würden diese behäbigen Leute schnell etwas herausfinden? Vermutlich dauerte die Untersuchung mehrere Wochen. Kieffer war sich nicht sicher, ob Valérie und er so viel Zeit hatten. Irgendwie war seine Freundin in das Visier einiger sehr skrupelloser Leute geraten, und deshalb wollte er lieber heute als morgen mehr über die Bedrohung in Erfahrung bringen, der sie ausgesetzt war. Sobald die Polizei Kats' seltsamen Rechner einkassierte, würde er lange nichts mehr davon hören – vielleicht niemals, falls alle Beamten so schmallippig waren wie die knurrige Lobato.

Irgendwem, das war ihm klar, würde er das verdammte Tablet zeigen müssen, und zwar bald. Von allein würde es seine Geheimnisse kaum preisgeben. Was er brauchte, war ein Computerexperte, und zwar möglichst einer, der nichts mit Banken und Börsen zu tun hatte und außerdem halbwegs vertrauenswürdig war. Als er die Montée de Clausen hinabrollte, fiel es ihm plötzlich ein.

Sundergaard. Sundergaard könnte so etwas. Es würde ihm vermutlich sogar einen Heidenspaß bereiten. Und vielleicht traf Kieffer ihn sogar noch an, es war schließlich erst halb elf, durchaus noch Bürozeit für seinen Bekannten. Kieffer parkte vor dem »Deux Eglises« und hechtete, seinem Chef de Service einen wortlosen Gruß zuwerfend, ins Büro. Er öffnete seinen Safe und entnahm ihm das Tablet. Dann ging er zu Fuß hinab ins Zentrum des Stadtteils, zu den Rives de Clausen. Dort angekommen eilte Kieffer durch das große Steintor, das den Eingang des Geländes markierte.

Die Unterstadt war früher ein Arbeiterviertel gewesen, in dem die Luxemburger all jene Gewerbe untergebracht hatten, die sie in der Oberstadt nicht haben wollten: Gerbereien, Papierfabriken, Leimhersteller. Auf dem Gelände der Rives de Clausen war die Mousel-Brauerei untergebracht gewesen. Kieffer konnte sich aus seiner Jugend noch an den säuerlich-malzigen Geruch erinnern, der durch das Viertel waberte, wenn die Maischebottiche geöffnet wurden. Inzwischen war die Bierproduktion abgewandert, und die Rives waren zu einer Ausgehmeile mit Bars und Restaurants umfunktioniert worden. Der Koch durchquerte den lang gezogenen, gepflasterten Innenhof, der parallel zur Alzette lag. Grelles Scheinwerferlicht erleuchtete die renovierten Backsteingebäude. Ihre Caipirinhas und Alkopops umklammernd standen Touristen und Büroangestellte in Grüppchen vor den Bars und unterhielten sich. Kieffer schob sich durch die Menge und lief bis zum Ende des Hofs, wo die Bars nagelneuen Bürogebäuden Platz machten. In den meisten von ihnen brannte noch Licht.

Dort hoffte er, Per Sundergaard anzutreffen. Der Schwede arbeitete für eine jener Internetfirmen, die sich in den vergangenen Jahren in der Luxemburger Unterstadt angesiedelt hatten. Für gewöhnlich residierten ausländische Unternehmen auf dem Kirchberg. Aber den Bossen dieser Technologie-Startups war es offenbar uncool erschienen, ihre jungen Mitarbeiter in dem verschlipsten Bankenviertel unterzubringen. Also hatten sie nach einer hippen Alternative gesucht und diese in Clausen gefunden. Kieffer beobachtete die Entwicklung mit einer gewissen Sorge. Zwar freute er sich über die zusätzliche Kundschaft und hatte – nicht zuletzt auf Sundergaards Drängen – sogar einen WLAN-Hotspot im »Deux Eglises« installieren lassen. Doch gleichzeitig befürchtete er, dass all die gut betuchten Hipster seine Unterstadt allmählich kaputt machten. In Clausen lebten nicht einmal tausend Menschen, Ähnliches galt für Grund, wo sich sein Wohnhaus befand. Das Ganze konnte schnell kippen.

Sundergaard zumindest war okay, wenn Kieffer auch nie ganz verstanden hatte, was der Mann genau tat. Er arbeitete für eine Firma namens Horus Eye, die zu einem finnischen Handykonzern gehörte und Kartensoftware entwickelte. Soweit Kieffer wusste, war Sundergaard Programmierer. Zumindest zeigte der Bildschirm des Laptops, den er im »Deux Eglises« stets auf seinem

Tisch stehen hatte, meist lange Reihen von Codes an. Der junge Mann hatte Kieffer schon einmal geholfen. Vielleicht würde er ja dem Tablet dessen Geheimnisse entlocken können.

Der Koch lief an den Firmenschildern von Skype und Ebay vorbei und klingelte an einem dahinter liegenden Glaskasten. Es fiepte, dann öffnete sich die Tür mit einem sonoren Summen. Er war noch nie in dem Gebäude gewesen. Erstaunlicherweise war der Empfang noch besetzt. Dort saß eine junge Frau, sie musterte ihn argwöhnisch. Lag es an seinem Alter? Oder an der Cordhose? Vermutlich gab es noch zehn andere Dinge an ihm, die der Sekretärin signalisierten, dass er nicht hierhergehörte.

»Gudden Owend, Monsieur. Der Lieferanteneingang ...«

Kieffer schüttelte den Kopf. »Ich möchte zu Per Sundergaard. Ist er da?«

»Haben Sie einen Termin?«

»Nein. Aber sagen Sie ihm, Xavier Kieffer hat einen Code zu knacken.«

»Ich verstehe nicht ...«

»Er ist ein Bekannter von mir. Es wäre sehr freundlich, wenn Sie es ihm ausrichten könnten. Wenn er mich nicht sehen will, bin ich gleich wieder weg.«

Die Empfangsdame telefonierte kurz. »Er ist schon auf dem Weg.«

Wenige Minuten später kam Sundergaard den Gang hinuntergewatschelt. Er war Mitte dreißig, semmelblond und pausbäckig. Es war bereits abzusehen, dass es für seine zukünftige Figur nur zwei Optionen gab: Entweder versuchte er, sich mit mehr Sport und weniger Creamcheese-Bagels dem skandinavischen Schönheitsideal zumindest ein wenig anzunähern. Oder er machte weiter wie bisher und sähe dann in zwanzig Jahren so aus wie Sykes ohne Anzug. Wie immer trug der Schwede eine wuchtige Hornbrille sowie ein albernes T-Shirt. Es war mit dem bekannten Schwarz-Weiß-Foto bedruckt, auf dem Elvis Präsident Nixon die Hand gab. Nixon war allerdings herausretuschiert und durch Darth Vader ersetzt worden. Kieffer erhob sich von dem kreischroten Ikea-Sessel, auf dem er zwischenzeitlich Platz genommen hatte. Sundergaard schüttelte ihm die Hand.

»Xavier! Hi, Mann! Das ist ja eine Überraschung!«

»Bitte entschuldige den Überfall. Habe ich dich gestört?«

»Ehrlich gesagt ja, ich war gerade im Tunnel.«

»Im Tunnel?«

»Ich habe gecodet. Programmiert. Jetzt ist statistisch gesehen die beste Zeit, weil einen da«, Sundergaard kicherte, »mit an Sicherheit grenzender Wahrscheinlichkeit niemand stört. Aber so viel zur Statistik. Komm, wir gehen in meine Höhle.«

Sundergaards Büro sah aus, als ob es ein Achtjähriger mit zu viel Taschengeld eingerichtet hätte. Es gab Lichtschwerter, knallbunte Spielzeuggewehre und überdimensionierte Lavalampen. Vor einem Sitzsack stand eine Playstation, von der Decke baumelte ein Lego-Nachbau des Todessterns. Die restlichen freien Flächen waren bedeckt mit Laptops, Bildschirmen und Dutzenden Handy-Prototypen. Sundergaard ließ sich in seinen Schreibtischstuhl fallen und deutete auf den Sitzsack. »Was geht ab?«

»Ich habe ein etwas mysteriöses Problem. Es geht um Computerhacker, Kryptografie und Börsenspekulation. Glaube ich zumindest.«

»Klingt verwegen.«

Kieffer erzählte Sundergaard von Kats und von dem, was er und Valérie bisher herausgefunden hatten. Dann legte er das Tablet auf den Tisch. Der Schwede nahm es aus der Hülle und schaltete es ein. Nachdem er etwas herumprobiert hatte, steckte er ein Kabel in das Gerät und schloss es an einen Rechner an.

»Kaltes System«, sagte er, »ich habe keine Lust, mir irgendeinen Virus zu fangen. Ich lasse mal ein Analyseprogramm drüberlaufen.«

Nach einigen Minuten sagte er: »Wer immer das hier gemacht hat, wusste, was er tut. Das ist ein handelsüblicher Tabletcomputer. Der Besitzer dieses Geräts, wie hieß er gleich?«

»Aron Kats.«

»Der gute Aron hat alles runtergekratzt und eine neue, frisierte Software aufgespielt, ein Betriebssystem mit festgeschweißter Kühlerhaube sozusagen. Nur die Hardware ist noch original. Ansonsten alles doppelt und dreifach gegen Missbrauch gesichert, Kopierschutz, Datenübertragung über eine verschlüsselte Mobilfunkverbindung. Die Börsenprogramme sind anscheinend alle Standardware, dito Furious Foxes. Geiles Spiel übrigens. Diese App namens Soft Red Winter scheint mir hingegen selbst gestrickt zu sein. Was soll das eigentlich bedeuten? Weicher, roter Winter?«

»Ist eine Weizensorte, sagt einer meiner Bankerfreunde.«

»Aha. Moment.« Sundergaard tippte etwas in einen Laptop. Er zeigte auf das Display. »Guck mal hier.«

Der Bildschirm zeigte eine Börsenseite mit hektisch blinkenden Grafiken. Darüber stand »Soft Red Winter Wheat, Mar 14, CBOT«.

»Das ist die Kursgrafik für diesen Weizen am Chicago

Board of Trade, der größten US-Rohstoffbörse. Zum Liefertermin Ende März nächsten Jahres kostet er 9,89 Dollar je Scheffel, was sich«, Sundergaard tippte etwas, »in etwa mit dem auf deinem Tablet angegebenen Weizenpreis deckt.«

»Und was bedeutet das?«

»Keine Ahnung. Vermutlich, dass in diese Red-Winter-App auf dem Tabletcomputer aktuelle Preisdaten der Chicagoer Rohstoffbörse einlaufen.«

»Und wozu sind diese Schieberegler da?«, fragte Kieffer.

»Wenn du mir das Ding über Nacht hierlässt, schaue ich mal, ob ich es herausfinde.«

»Okay. Aber du musst dir meinetwegen nicht die ganze Nacht um die Ohren ...«

Sundergaard schüttelte den Kopf und hob gebieterisch die Hand. »Die Nacht ist die Braut des Programmierers! Schon okay, aber jetzt muss ich dich vor die Tür setzen, der Künstler muss arbeiten. Morgen rufe ich dich an.«

Kieffer bedankte sich und verließ das Büro. Über eine kleine Brücke gelangte er von den Rives auf einen Fußpfad, der an der Alzette entlangführte, Richtung Grund. Nach kurzer Zeit erreichte er die Wenzelsmauer, hinter der die alte Münsterabtei stand und überquerte deren Innenhof. Rechts von ihm ragte die hohe Wand des Bockfelsens auf, mit den Oberstadthäusern darüber. Kurz überlegte er, in dem kleinen Café an der Alzettebrücke noch etwas zu trinken. Doch obwohl der Laden nur spärlich besucht war, schienen ihm selbst die wenigen dort sitzenden Menschen auf einmal unsäglich laut, und so ging er rasch vorbei, bog in die Tilleschgass ein, und schloss die Tür des Hauses mit der Nummer 27a auf. In der Küche versorgte sich Kieffer mit einer Flasche gekühltem Riesling, einer Schale Kalamata-Oliven sowie einigen Fenchelkräckern, die er kürzlich an einem Stand auf dem Knuedler gekauft hatte. Dann setzte er sich in seinen Liegestuhl im Garten und schaute auf den Fluss. Fast wäre er dort eingeschlafen.

18

Wenn sich Kieffer mit seinem Freund Pekka Vatanen zum Mittagessen verabredete, galten eigentlich feste Regeln: Erstens fanden die Treffen stets im »Deux Eglises« statt. Zweitens wollte der Finne an einem bestimmten Tisch links neben der Theke sitzen, unter einem verwitterten Ölgemälde der Abbaye de Neumünster. Und drittens spülten sie ihr Mahl stets mit seltenen luxemburgischen Rivaner- oder Rieslinglagen aus Kieffers persönlicher Reserve herunter. In all den Jahren, die sie sich kannten, hatte es nie Abweichungen von diesem Prozedere gegeben. Und so war der Koch erstaunt gewesen, als sein Freund ein vietnamesisches Restaurant im Stadtteil Hollerich vorgeschlagen hatte. »Meine neueste Entdeckung«, hatte Vatanen gesagt. »Das musst du gesehen haben.«

Nun saß Kieffer an einem langen Tisch auf einer schmalen harten Bank, ein wenig wie im Biergarten, und wartete. Der Laden verzichtete auf die übliche asiatische Folklore – keine Drachen, keine Buddhas, nicht einmal die unvermeidlichen Lampions. Wären da nicht die Pho-Suppen und Reisnudeln auf der Speisekarte gewesen, hätte man auch jede andere Art von Restaurant in der alten Fabrikhalle vermuten können. Vatanen trudelte zwanzig Minuten zu spät ein. »Verzeih, mein Lieber. Aber der Verkehr! Luxemburg steht wieder mal kurz vor dem Totalkollaps.«

Der Finne nahm ihm gegenüber Platz und rieb sich die Hände. »Schon etwas ausgesucht? Dies hier, das Rindfleisch mit den zerbröselten Erdnüssen, das ist wirklich großartig. Und es gibt auch noch andere Attraktionen.«

»Zum Beispiel?«

»Wirst du gleich sehen.«

Er hätte sich eigentlich denken können, dass es Vatanen nicht ums Essen ging, sondern um eine der Kellnerinnen, eine kleine, gertenschlanke Vietnamesin mit strahlendem Lächeln und tiefschwarzen Katzenaugen. Vatanen war anscheinend bereits per du mit ihr, und sie schien sehr von ihm eingenommen. Als sie bestellt hatten, fragte Kieffer: »Ihr kennt euch bereits?«

»Oh ja. Jimmy und ich gehen morgen zusammen auf die Fouer. Sie ist zauberhaft.«

Kieffer konnte dem nur beipflichten, auch wenn die Frau überhaupt nicht in Vatanens Beuteschema passte. »Was ist denn aus Maria geworden, Pekka?«

Der Finne hob schicksalsergeben die Hände. »Ein sehr flatterhaftes Mädchen, völlig bindungsunfähig.« Er schüttelte den Kopf. »Ich weiß auch nicht, was ich in der gesehen habe.«

Jimmy brachte ihnen zwei Ingwer-Eistees.

Kieffer nippte. »Ich habe ein bisschen was über Kats herausfinden können.«

Er erzählte Vatanen, was er bei Sykes über den Mathematiker und Hedgefonds-Manager erfahren hatte.

»Das deckt sich teilweise mit meinen Informationen.

Ich habe ausgiebig für dich recherchiert, unter anderem in unserer Pressedatenbank. Es gibt ein paar Artikel über ihn, in Branchenpublikationen und der ›Financial Times‹. Einmal war er sogar in den ganzen normalen Blättern, wegen eines Guinnessrekords.«

»Im Geld verdienen?«

»Nein, im Aufzählen von Primzahlzwillingen.«

»Was soll das genau sein?«, fragte Kieffer.

»Ein Primzahlzwilling ist ein Paar aus zwei Primzahlen, deren Abstand zwei ist. Also drei und fünf oder elf und dreizehn. Kats hat vor etwa zehn Jahren bei einer Benefizveranstaltung des Washingtoner Smithsonian Institute ohne Hilfsmittel die ersten fünftausend Primzahlzwillinge aufgesagt. Darüber gab es einen Artikel in der ›Washington Post‹.«

»Hat er die auswendig gelernt?«

»Anscheinend nicht. Er hat sie live berechnet. Aber ich fange mal vorne an.«

Die schöne Vietnamesin, die, ihrem exzellenten Lëtzebuergesch nach zu urteilen, eine Einheimische war, brachte das Essen. Kieffer bekam knusprige Nem-Rollen, gefüllt mit Shrimps, dazu einen Salat mit gemahlenen Erdnüssen obenauf. Vatanen stellte sie eine dampfende Pho-Suppe mit Nudeln hin.

»In der ›Post‹ stand, er sei ein Wunderkind«, sagte Vatanen zwischen zwei Schlürfern. »Als kleiner Junge aus Russland eingewandert – na, wohl eher geflohen –, Eltern Juden und Dissidenten dazu. Mit fünfzehn hat er in Yale ein Mathematikstudium begonnen, mit zweiundzwanzig hatte er seinen Doktor. Dann fehlen ein paar Jahre, aber irgendwann scheint er im Hedgefondsgeschäft aufgetaucht zu sein, erst bei kleineren Fonds, dann bei Silverstein Green. Das ist, wie du sicherlich weißt, die größte und gierigste Investmentbank des Planeten.«

Vatanen bugsierte mit seinen Holzstäbchen weitere Reisnudeln zu seinem Mund und sog diese geräuschvoll ein. »Für die hat Kats einen großen Rohstoff-Hedgefonds aufgebaut, der jedes Jahr über dreißig Prozent Gewinn gemacht hat.«

»Dann war er reich?«

»Die eine oder andere Million müsste er eigentlich besessen haben. Ich meine, dass in dem ›Post‹-Artikel stand, er habe der Antikensammlung irgendeines US-Museums fünfhunderttausend Dollar gespendet. War offenbar ganz vernarrt in die ollen Griechen. Götter, Sagen und solches Zeug.«

Kieffer nickte. »Dazu passt, dass er Codewörter wie Hades und Persephone verwendet. Eine halbe Million Dollar, sagst du? Klingt nach einem schönen Leben.«

»Gell? Später gab es allerdings Ärger.«

»Inwiefern?«

»Nun ja, als vor einigen Jahren die Preise für Weizen, Mais und Soja durch die Decke gingen, da warf man Silverstein und anderen – übrigens auch diesen Schweizern – vor, sie würden durch ihre Spekulationsgeschäfte die Preise hochjazzen, und in der Folge müssten Leute hungern.«

»Und? Stimmt das?«

»Dazu gibt es verschiedene Meinungen.« Vatanen fischte die letzten Nudeln aus seiner Suppe, dann schob er sie weg. »Rohstofftermingeschäfte haben ja durchaus einen Sinn, das sind Absicherungsgeschäfte.«

»Aber diese Fonds sichern sich gegen gar nichts ab«, wandte Kieffer ein. »Die zocken doch nur.«

»Mag sein, Xavier. Aber der Übergang ist da fließend. Melivia zum Beispiel besitzt eigene Kornspeicher, die horten Abertausende Tonnen Mais oder andere Lebensmittel. Deshalb müssen sie sich an der Terminbörse absichern.«

Kieffer musste an Estebans ruinöse Rinderhälften denken. »Wenn das alles so koscher ist, warum hatten Kats und Silverstein dann Ärger?«

»Inzwischen übersteigt der spekulative Handel mit Rohstoffen die seriösen Absicherungsgeschäfte anscheinend um ein Vielfaches. Und die meisten dieser Rohstofffonds verhalten sich wie Aktienfonds. Sie kaufen und halten – verkaufen tun sie nie etwas. Das treibt dann möglicherweise tatsächlich die Preise in die Höhe. Es gab dazu in den USA eine Untersuchung des Kongresses. Silversteins Topmanager wurden besonders in die Mangel genommen. Irgendein Investigativjournalist hatte herausgefunden, dass diese Typen versucht haben, die Software der Chicagoer Börse auszutricksen, indem sie superschnell Computerorders platziert und dann sofort wieder zurückgezogen haben. Außerdem haben sie Weizen gehortet.«

Kieffer schnaubte. »Was will denn eine Investmentbank mit Weizen?«

»Vielleicht Brot backen?« Vatanen lächelte gequält. »Die wollten vermutlich die verfügbaren Bestände verknappen und damit den Preis treiben. Wie auch immer, die Untersuchung ging aus wie das Hornberger Schießen, denn es konnte letztlich nicht schlüssig bewiesen werden, dass irgendwer den Markt manipuliert hat. Und Zocken ist schließlich nicht verboten. So blieb alles beim Alten.«

»Zuletzt hat Kats für Melivia gearbeitet. Der Mann scheint ja ein Faible für moralisch verrottete Konzerne gehabt zu haben.«

»Ja, Xavier, es scheint so. Zu Melivia habe ich auch noch etwas. Die werden wegen ihres Geschäftsgebarens in der Dritten Welt von so ziemlich allen angeprangert – Amnesty, Transparency International, Greenpeace. Das ist alles richtig unappetitlich.«

Vatanen schaute angewidert. »In Kolumbien soll Melivia rechte Paramilitärs finanziert haben, damit die in ihrer dortigen Kupfermine aufmüpfige Gewerkschaftsvertreter verschwinden lassen.«

Kieffer schob sein restliches Essen ebenfalls beiseite. Es war nicht übel, aber irgendwie war ihm der Appetit vergangen. »Okay. Sonst noch was?«

»Nein, außer der Guinness-Geschichte scheint es nur wenige öffentliche Anlässe gegeben zu haben, bei denen dieser Kats seinen brillanten Kopf gezeigt hat. Ein ganz scheues Rehkitz dieser Mann, keine Interviews, nichts. Ganz selten ein wissenschaftlicher Vortrag. Zuletzt am siebten Juni dieses Jahres, bei einer Mathematikerkonferenz an der London School of Economics, über Markov-Prozesse.«

»Was sind Markov-Prozesse?«

»Irgendwas mit Statistik, keine Ahnung.«

Kieffer griff nach einem der verbliebenen Nem-Röllchen und biss ab. Es war bereits kalt und pappig. »Mir fällt noch etwas ein, Pekka. Die Polizei hat mir ein Foto von Kats gezeigt, auf dem er vor einem großen Gebäude steht, vermutlich in Manhattan. Es sah aus wie ein Zeitungsausschnitt, und ich vermute, dass es sich um ein Gerichtsgebäude gehandelt hat. Hast du dazu etwas gefunden?«

Der Finne schüttelte den Kopf. »Nein, nichts. Vielleicht hatte es ja auch mit dieser Kongressanhörung zu tun, wer weiß.« Vatanen musterte ihn. »Was wirst du nun tun, Leibkoch?«

»Rauchen. Und danach diesen Hedgefondsmanager besuchen, den mir Sykes genannt hat.«

»Ah! Er ist bereit, mit dir zu sprechen?«

»Ja«, antwortete Kieffer. »Seine Firma sitzt in der Innenstadt. Kennst du dieses bizarre Gebäude nahe dem Pont Adolphe?«

»Meinst du den schwarzen Glaskasten, der aussieht, als würde er von einer nordfinnischen Eishexe bewohnt? Und dort arbeitet der Kerl?«

»Genau da. Ich fahre gleich rüber.«

Sie zahlten an der Bar. Kieffer musste noch einige Minuten warten, bis Vatanen und die Kellnerin fertiggeturtelt hatten. Dann gingen sie zu ihren Autos. »Was macht eigentlich deine Freundin?«, fragte der EU-Beamte. »Hockt die immer noch im Jagdschloss des Bürgermeisters?«

»Wenn ja, dann bestimmt nicht mehr lange. Ich kann mir nicht vorstellen, dass Val es lange in diesem goldenen Käfig aushält. Ich rufe sie später mal an.«

Vatanen klopfte ihm freundschaftlich auf die Schulter. »Tu das.« Dann zögerte er einen Moment. »Wenn ich dir einen kleinen Tipp zum Handling von Frauen geben darf, so unter Männern …«

Kieffer glaubte zwar nicht, dass er von einem Hagestolz und Schürzenjäger wie Vatanen in dieser Beziehung allzu viel lernen konnte; doch statt etwas zu erwidern, schaute er seinen Freund erwartungsvoll an.

»Deine Freundin ist am Mittwochmittag in einer schwarzen Limousine verschwunden. Und jetzt, zweiundsiebzig Stunden später, kannst du mir nicht sagen, ob sie immer noch bei Allégret ist. Oder zu Hause. Oder wo auch immer.«

Kieffer blinzelte. »Val ist sehr eigenständig, sie kommt gut alleine klar. Sie mag es nicht, wenn man ihr dauernd hinterhertelefoniert. Dann fühlt sie sich ... kontrolliert.«

Vatanen atmete hörbar aus. Dann schüttelte er den Kopf. »Mein lieber Xavier, du weißt schon, was Projektion ist, hmmm?«

Der Koch suchte nach seinen Ducal. »Wieso Projektion?«

»Im psychologischen Sinn. Das Übertragen seines eigenen innerpsychischen Konflikts auf andere.«

»Pekka, das ist doch ...«

»Herrgott! Dass du ein Brummbär bist, und nur sporadisch mit anderen Menschen reden magst – meinetwegen. Dass du noch weniger Lust auf Small Talk hast, seit dir jemand eine Knarre vor den Kopf gehalten hat – verständlich. So etwas muss man erst einmal verarbeiten. Aber deine Freundin, auf die man sogar geschossen hat, die braucht jetzt deine Hilfe. Kann sein, dass sie normalerweise eine superselbstständige Frau ist. Aber jetzt«, Vatanen umfasste mit den Händen Kieffers Schultern, »jetzt braucht sie jemanden, und dieser jemand ist nicht der schnöselige Pariser Bürgermeister. Dass du sie nicht anrufst, weil sie angeblich nicht angerufen werden will, ist eine Ausrede vor dir selbst.«

»Danke für das Therapiegespräch, Pekka.«

Der Finne rang einen Moment mit sich. Er geriet selten aus der Fassung, aber Kieffer meinte, erste Vorzeichen eines Wutausbruchs in Vatanens Gesicht zu erkennen. Dann sagte sein Freund leise: »Patzigkeit ist eine weitere vorhersehbare Verleugnungsreaktion. Denk über meine Worte nach.«

Vatanen stieg in sein Auto und fuhr weg. Kieffer sah ihm nach und zündete sich eine Ducal an. Danach eine zweite. Erst dann nahm er sein Handy aus der Tasche und wählte Valéries Nummer.

»Hallo, Xavier.«

»Hallo Val. Geht es dir gut? Es tut mir leid, dass ich erst jetzt anrufe.«

»Ja, ich hatte mir schon ein bisschen Sorgen gemacht.«

»Sorry.«

»Ich bin gerade auf dem Rückweg nach Paris. Es war ganz nett in François' Landhaus, aber dann hab ich ziemlich schnell Lagerkoller gekriegt.«

»Und wer passt jetzt auf dich auf?«, fragte er.

»Ich auf mich selbst.« Es klang etwas pampig.

»Val, so meine ich es nicht ...«

»... sorry, Süßer, es tut mir leid. Die SPHP ist ja eigentlich nur für Politiker, deshalb wird die Pariser Polizei bis auf Weiteres zwei Beamte abstellen, die vierundzwanzig Stunden vor dem Guide-Büro beziehungsweise vor meiner Wohnung stehen. Außerdem hat man mir geraten, eine private Sicherheitsfirma zu engagieren.«

»Bodyguards?«

»Ja. Scheiße, ich will das nicht. Typen, die einem auf Schritt und Tritt folgen. Ich kenne viele Leute, die solche Fiffis haben, ich will so nicht leben!«

»Das kann ich verstehen.«

»Vielleicht kann ich es einfach aussitzen«, sagte sie. »Vielleicht klärt sich die Sache noch auf. Außerdem habe ich ja gar nichts mehr, was diese Typen wollen könnten.«

Er begriff erst in diesem Moment, wie töricht es gewesen war, sie nicht früher anzurufen. Vatanen hatte völlig recht gehabt. Noch idiotischer war es gewesen, ihr nichts von dem Tablet zu erzählen. Er hatte sie in dem Glauben gelassen, die Gefahr sei mit dem Verschwinden der Keycard vorüber. Dabei musste man davon ausgehen, dass der Mann mit dem deutschen Akzent inzwischen herausgefunden hatte, dass die Daten auf der Karte, vor allem die Telefonnummer, eine Sackgasse waren.

»Val, hör zu ich … ich habe Mist gebaut. Ich habe dir etwas verschwiegen.« Er erzählte ihr nun von seinem Ausflug ins Berner Oberland, von dem Tablet und von den Dingen, die er über Kats in Erfahrung gebracht hatte. Sie hörte ihm zu, ohne Fragen zu stellen.

Als er geendet hatte sagte sie: »Warum hast du mir das verschwiegen?«

»Ich glaube, ich wollte dich beschützen.« Kieffer zog an seiner Zigarette und bereitete sich auf Valéries unvermeidlichen Wutausbruch vor. Er würde mit einer Kanonade allgemeiner Verwünschungen beginnen, auf die dann eine lange Liste spezifischer Vorhaltungen folgte. Aber nichts dergleichen passierte. Stattdessen seufzte sie leise und sagte: »Lieb von dir. Aber schlauer wäre es gewesen, mir das Tablet zu geben, damit Gérard es untersuchen kann. Oder es der Polizei auszuhändigen. Wo ist es jetzt?«

»Bei einem Computerhacker, den ich kenne.«

»Du kennst Hacker?«

»Ja, nein. Er arbeitet eigentlich für eine Handyfirma.«

»Okay, dir ist schon klar, dass ich mich jetzt nicht gerade sicherer fühle, oder?«

»Val, es tut mir so leid. Ich werde das Tablet der Polizei übergeben, sobald ich es von Sundergaard zurückbekomme. Und vielleicht solltest du über die Bodyguards wirklich ernsthaft nachdenken. Es muss ja nur für einige Wochen sein.«

»Okay. Und wenn dieser Boche mit der Knarre wieder auftaucht, schicke ich ihn einfach zu dir.« Sie versuchte ein Lachen. »Wenn du mich persönlich beschützen und deinen Patzer wiedergutmachen möchtest, solltest du übrigens am Sonntagabend mit mir nach Hamburg fliegen.«

»Wieso musst du nach Hamburg?«

»Weil dort Estebans Show produziert wird.«

»Oh Gott, Ihr wollt also tatsächlich …«

»… unbedingt. Ich habe länger mit Leo gesprochen.«

»Er hat dich ohne Unterbrechung vollgesäuselt, meinst du.«

»Ja, aber das macht nichts. Das Konzept seiner Sendung ist ein wenig eigenwillig, ein bisschen viel Show-klimbim, aber es könnte funktionieren.«

»Und warum will der Gabin bei so etwas mitmachen?«

»Weil wir seit über zwei Jahren versuchen, den deutschen Markt zu erschließen und uns bisher die Zähne dran ausbeißen. Wenn wir mit Esteban zusammenarbeiten, kommen wir zur allerbesten Sendezeit ins Fernsehen. Der Guide Gabin wird der offizielle Hauptsponsor der Show, der ›Presenter‹, wie man sagt. Alle Medien werden über die Sendung berichten, eine Riesenwerbung für uns. Und das Line-up ist auch gut.«

»Line-up? Welche Köche hat er denn verpflichtet?«

»Schörglhuber, Jensen, Vernier und Grønberg haben fest zugesagt.«

Kieffer zählte im Stillen nach. Insgesamt sechs Sterne.

»Und die geben sich für diesen Zirkus her?«

»Süßer, es läuft Samstagabends um 20.15 Uhr. Dafür würden die meisten von denen vor laufender Kamera Dosenravioli aufwärmen, wenn der Regisseur es von ihnen verlangt.«

»Aber wie wirst du dafür sorgen, dass Esteban dich nicht über den Tisch zieht? Der Typ ist ein Hasardeur, ein …«

»… indem ich mir vertraglich einen Supervisor habe zusichern lassen«, sagte sie. »Jemanden, der dafür sorgt, dass in der Sendung keine Tütensuppen beworben werden. Der aufpasst, dass die Sache kein Desaster wird.«

»Und wer …. oh nein.«

»Bitte, Xavier!«

»Aber ich habe doch überhaupt keine Ahnung von Fernsehen.«

»Das ist in diesem Fall wohl eher ein Vorteil. Ich will jemanden dahaben, der Ahnung vom Kochen hat, jemanden, der diesem ganzen Blendwerk kritisch gegenübersteht. Außerdem muss er Esteban gut kennen. Xavier, du musst mir helfen. Alles was du tun sollst, ist hingehen, zuschauen und bei allzu großen Geschmacklosigkeiten Alarm geben.«

»Ein Spitzeljob.«

Sie seufzte. »Nur, bis die ersten Folgen gesendet sind. Dann engagiere ich jemand anders. Aber ›Krieg der Sterne‹ soll bereits kommenden Monat starten. Deshalb brauche ich jetzt sofort jemanden, dem ich vertrauen kann. Denn wenn die Nummer in die Hose geht, können wir uns unsere Deutschlandexpansion abschminken.«

Kieffer sah nicht, wie er ihr diesen Wunsch abschlagen sollte, auch wenn sich alles in ihm gegen die Vorstellung sträubte, bei einer Fernsehshow mitzumachen.

»Ich muss aber nicht vor die Kamera?«

»Auf keinen Fall. Alles backstage.«

»Wenn es sein muss«, brummte er.

»Du bist ein Schatz! Das Treffen mit den Köchen ist Montagmorgen. Ich reserviere uns Flüge und ein Zimmer in einem schönen Hotel mit Alsterblick. Jetzt muss ich Schluss machen.«

»Pass auf dich auf, Val.«

»Versprochen, Süßer.« Dann legte sie auf.

19

Kieffer beobachtete seinen Vorbereitungskoch, der gerade die Wildhasen für den Hasenpfeffer auseinandernahm. Am Vorabend waren dreißig Stück geliefert worden, aus einer Freilandzucht in Ontario. Lieber wären ihm Luxemburger Tiere gewesen, aber das war eine allzu romantische Vorstellung; heimische Hasen gab es schlichtweg nicht in ausreichender Zahl. Jene Tiere, die Jägern auf dem Ösling, dem dünn besiedelten Norden, vor die Schrotflinte kamen, fanden ihren Weg zudem nur selten in den Großhandel. Sie landeten direkt in heimischen Kochtöpfen. Die Tiere für die Gastronomie kamen deshalb heutzutage entweder aus China oder Kanada. Die Hongkonghasen waren Kieffer suspekt, weswegen er sich für die kanadischen entschieden hatte. Ihr Fleisch war in Wahrheit besser als das der Mümmelmänner, die man in Frankreich oder Deutschland kaufen konnte. Er fand, dass auch ein nordamerikanischer Hase als »richtegen Lëtzebuerger Kascht« durchgehen konnte, vorausgesetzt man bereitete ihn so zu, wie es sich gehörte: mariniert in Rotwein und Kräutern, in einem gusseisernen Topf in einer mit Johannisbeergelee angedickten Soße geschmort und garniert mit Speck und Pilzen – civet de lièvre, wie es schon seine Mutter und seine Großmutter gekocht hatten.

Sein Koch nahm die gehäuteten Tiere auseinander, parierte die einzelnen Stücke und legte sie dann in große Bräter, die er zuvor mit Gemüse, Pfefferkörnern sowie einem Bouquet garni befüllt und mit Burgunder übergossen hatte. Drei Tage würde der Hase nun in dieser Marinade liegen, dann war er so weit, dass Kieffer ihn in Lëtzebuerger Huesenziwwi verwandeln konnte. Seit einiger Zeit entdeckte er auf den Speisekarten anderer Restaurants immer wieder neuartige Hasenpfeffer-Varianten, die besonders zeitgeistig daherkommen wollten, etwa Huesenziwwi mat Schokelaszooss. Schon bei dem Gedanken wurde Kieffer ganz flau im Magen. Fehlte nur noch, dass der Hase vorher in Zitronengras, Physalisfrüchten und grünem Tee mariniert wurde. Derlei kam im »Deux Eglises« nicht auf den Tisch.

Nachdem er sich vergewissert hatte, dass in der Hasenmarinade weder Sternanis noch Ingwerstücke schwammen, ging Kieffer in sein Büro, wie jeden Samstag vormittag, bevor die Mittagsgäste kamen. Er sah die Reservierungen durch und überprüfte seinen Anrufbeantworter. Noch immer wartete er auf einen Rückruf der Wirtschaftspolizei, die er mehrmals zu erreichen versucht hatte. Da Kommissarin Lobato nach eigenen Angaben von dem Fall abgezogen worden war, würde er das Tablet ihren Kollegen aus der Abteilung für Wirtschaftskriminalität übergeben müssen. Er schaute auf seine Uhr. Am Nachmittag war er mit Kwaukas verabredet. Dass der Mann sich an einem Samstag mit ihm treffen wollte, hatte Kieffer verwundert. Den meisten Bankern, die er kannte, waren Dienstschluss und Wochenende hochheilig. Das galt vor allem für die vielen Ausländer, die am Freitagnachmittag in ihre Heimatländer zurückjetteten und erst am Montagmorgen wieder am Flughafen Findel auftauchten.

»Ich habe kein Wochenende«, hatte Kwaukas ihm gemailt. Als Gastronom hatte Kieffer ebenfalls keines, und so war es ihm recht gewesen. Das Telefon klingelte. Es war Jacques, sein Chefkellner.

»Was gibt es?«

»Besuch für dich, Xavier. Es ist dieser Internetschwede.«

»Sundergaard?«

»Seinen Namen hat er mir nicht gesagt. Er ist dicklich, trägt eine Hornbrille und hat einen Schnauzer wie der Mann aus ›Magnum‹.«

Kieffer grinste. »Das ist er. Ich komme sofort.«

Sundergaard saß auf der Terrasse und vertilgte gerade ein Stück Luxemburger Traubenkuchen, während er gleichzeitig mit seinem Smartphone herumspielte. Kieffer vermutete, dass es sich um sein Frühstück handelte. Die Terrasse des »Deux Eglises« war fast leer, bis auf eine asiatische Großfamilie und zwei Männer in Bikermontur war niemand da. Der Koch setzte sich zu Sundergaard. Das heutige T-Shirt des Schweden zeigte ein Häufchen weißen Pulvers. Bei genauerem Hinsehen erkannte der Koch, dass es sich bei den weißen Körnchen um winzige, durcheinandergewürfelte Zahlen handelte. Darunter stand: »I do mass quantities of code«.

Der Programmierer nickte ihm zu. »Geiler Kuchen, Chef.«

»Danke. Altes Familienrezept.« Der Kuchen war eine Spezialität von der Mosel. Man belegte einen Teigboden mit Trauben, buk ihn und goss dann eine Creme aus

Rahm, Eiern und Zucker darüber. Kieffer hatte den Eindruck, dass Sundergaard kein Mensch war, der allzu viel über die Zubereitung von Speisen wissen wollte. Der Schwede war mehr an ihrem Verzehr interessiert. Deshalb ersparte Kieffer ihm das Rezept und fragte stattdessen: »Was macht das Tablet?«

Sundergaard schob sich das letzte Stück in den Mund und griff nach einer knallbunten Kuriertasche, die unter dem Tisch stand. Er entnahm ihr den Tabletcomputer und gab ihn Kieffer. »Mit bestem Dank zurück«, sagte er. »Das Gerät ist mir etwas unheimlich.«

»Inwiefern?«

»Da ist zunächst die schon erwähnte Tatsache, dass es zweifelsohne einem Profi gehört. Einem Hacker, der vermutlich über erhebliche Ressourcen verfügt.«

»Woraus schließt du das?«

Statt zu antworten, schaltete Sundergaard das Tablet an und öffnete das Programm »Soft Red Winter«. Dann entnahm er seiner Tasche einen Laptop und fuhr ihn hoch.

»Soft Red Winter ist eine Weizensorte. Eine recht wichtige, sie wird an verschiedenen Börsen gehandelt, vor allem aber an der CBOT in Chicago. Du erinnerst dich, dass der Kursverlauf auf dem Tablet und an der CBOT fast identisch waren?«

»Hmmm.«

»Dann pass jetzt mal auf.« Sundergaard öffnete auf seinem Rechner eine Tabelle sowie die Seite des Finanzportals Bloomberg. »Wie du auf dem Tablet siehst, liegt der Kurs von Soft Red Winter aktuell bei acht Dollar je Scheffel, also knapp zwei Dollar niedriger als Donnerstagnacht, als du mir das Tablet übergeben hast. Und wenn du dir die Rohstoffnotierungen bei Bloomberg anschaust, dann liegt der Kurs dort ebenfalls bei acht Dollar.«

»Und? Es ist doch zu erwarten, dass der Preis für diese Weizenkontrakte überall ungefähr gleich ist.«

Sundergaard nickte. »Ja, aber. Ich habe mir die Software dieses Tablets genauer angeguckt. Ich wollte wissen, was genau diese App macht; an wen sie Daten sendet, von wo sie welche empfängt. Vor allem wollte ich wissen, von welchem Finanzdatenanbieter die Weizenkurse stammen, die du in der App siehst.«

»Und?«

»In die App laufen keine Kurse rein. Verstehst du, was das heißt?«

»Ehrlich gesagt«, antwortete Kieffer, »verstehe ich kein Wort.«

Der Programmierer führte die gespreizten Finger seiner beiden Hände zusammen und hielt sie vor seine Stirn. »Also noch mal: Die Software auf diesem Tablet zeigt augenscheinlich Kurse für Winterweizen an. Sie bekommt aber von nirgendwo Preisdaten geliefert, das kann ich ausschließen. Sie sendet nur welche, und zwar jedes Mal, wenn man diesen Schieberegler justiert.« Sundergaard lehnte sich vor und schaute Kieffer an. »Diese App beeinflusst den Kurs von Soft Red Winter an der größten Rohstoffbörse der Welt.«

»Wie bitte? Das ist doch unmöglich.«

»Völlig unmöglich. Aber schau dir diese Tabelle an.« In der Liste auf Sundergaards PC waren Datums- und Zeitangaben vermerkt, daneben stand jeweils eine Kursnotierung. »Ich bin erst jetzt zu dir gekommen, weil ich einen Tag Zeit für ein kleines Experiment brauchte. Die CBOT handelt von neun Uhr morgens bis halb sechs abends mitteleuropäischer Zeit. Alle zwei Stunden habe ich die Tablet-App geöffnet und mit dem Schieberegler einen neuen Kurs eingestellt. Zehn Uhr: sechs Dollar, dann um zwölf Uhr zehn Dollar und um vierzehn Uhr wieder sechs Dollar. Das sind riesige Kurssprünge, über vierzig Prozent. Normalerweise bewegt sich Winterweizen am Tag höchstens fünfzig Cent rauf und runter. Und dann«, der Programmierer zeigte auf die Tabelle, »ist Folgendes passiert: Binnen einer halben Stunden glich sich die Notierung an der CBOT dem Kurs an, den ich festgelegt hatte.«

»Kann das nicht Zufall sein? Vielleicht gab es an dem Tag gerade irgendwelche Vorkommnisse. Ich habe neulich etwas über eine Dürrekatastrophe in Russland gelesen. Das kann den Kurs doch auch beeinflussen.«

Sundergaard schüttelte den Kopf, sein Doppelkinn wackelte. »Das wollte ich auch gerne glauben. Aber als ich das hier gesehen habe, fiel mir alles aus dem Gesicht.« Er tippte auf seinem Laptop herum. »Hier, aus dem ›Wall Street Journal‹ von heute morgen.« Eine Meldung erschien auf dem Bildschirm.

Flash Crash schockt Rohstoffhändler
Chicago/Washington Ungewöhnliche Kursbewegungen bei Weizennotierungen haben am vergangenen Freitag bei Marktteilnehmern zu Nervosität und Verwunderung geführt. »Das war die größte Achterbahnfahrt, die ich je erlebt habe«, sagte Tyrone Baxter von Llewellyn Securities. Die Notierung der an der CBOT quotierten Weizensorte Soft Red Winter (SRW) war eine Stunde nach Handelsbeginn überraschend stark eingebrochen. Der

maßgebliche Dezemberkontrakt verlor binnen Minuten fast 25 Prozent an Wert. Knapp zwei Stunden später schoss der Kurs dann massiv in die Höhe, um kurz darauf wieder stark einzubrechen. Händler sprachen von einem »Massaker«.

Experten vermuten, dass es sich bei den seltsamen Kursbewegungen um einen sogenannten Flash Crash handelt. Weil inzwischen über 75 Prozent aller Börsenorders von durch komplexe Algorithmen gesteuerten Computern ausgeführt werden, kann es bei Softwareproblemen zu Kettenreaktionen kommen, die dazu führen, dass Dutzende von Hedgefonds den Markt binnen Sekunden mit Verkaufsorders überschwemmen.

Bisher ereigneten sich Flash Crashes jedoch nur an Aktienbörsen wie der New Yorker Technologiebörse Nasdaq. Rohstoffmärkte blieben von dem Phänomen bisher verschont. »Deshalb hat das eine völlig neue Qualität«, sagte Biff Biggs, Investmentstratege bei Fair Burns Drexler. »Die Rohstoffmärkte sind viel kleiner als die für Aktien, deshalb reichen möglicherweise ein paar größere Kaufaufträge, um alles ins Wanken zu bringen.«

Nach den starken Kursausschlägen wurde der Handel mit Soft Red Winter an der CBOT am Freitagnachmittag für mehrere Stunden ausgesetzt. Ein Sprecher der Börse kündigte an, man werde den Vorfall genau untersuchen und die Daten der Handelsserver »Zeile für Zeile

und Order für Order« auswerten, um die ge-
naue Ursache des Crashs festzustellen. Ein
Sprecher der Börsenaufsichtsbehörde SEC er-
klärte, es seien Vorermittlungen eingeleitet
worden. Man habe das Orderbuch angefordert
und prüfe alle vor und während der Turbulen-
zen erfolgten Transaktionen.

Kieffer zündete sich eine Ducal an. »Unglaublich. Wie
kann das sein? Wie funktioniert diese Kursmanipulation?«

»Ich habe keine Ahnung. Wenn man die Regler betä-
tigt, sendet das Tablet über die integrierte Mobilfunk-
karte Daten an einen Server.«

»Und wo steht der?«

»Irgendwo in Luxemburg. Aber dann verliert sich die
Spur. Ich kann dir weder sagen, bei wem der Server genau steht, noch was passiert, wenn die Daten dort angekommen sind.«

»Hast du eine Vermutung?«

Das Gesicht des Schweden verriet Besorgnis. »Irgendwie hat der Typ die Chicagoer Börse gehackt. Und zwar
dauerhaft. Dazu muss man Schadsoftware einschleusen,
das ist alles unglaublich aufwendig. Vielleicht platziert
er auch große Aufträge, um den Kurs massiv zu beeinflussen. Alles recht gefährlich und total illegal, weswegen ich dieses Tablet auch so schnell wie möglich loswerden will.«

Kieffer nickte. »Tut mir leid, wenn ich dich da in etwas
hineingezogen habe …«

»… schon okay, war zumindest scheißinteressant.
Aber ein Hackerangriff auf die größte Terminbörse der

Welt, wenn es denn einer ist – so was hat Folgen. Ich glaube nicht, dass die Amis da allzu viel Spaß verstehen. Deshalb würde ich dir dringend raten, das Tablet sofort auszuschalten und es der Polizei zu übergeben.«

»Ich habe die Luxemburger Kriminalpolizei bereits angerufen.«

»Gut. Ich muss jetzt los. Wie sieht's denn mit Takeaway aus?«

»Alles, was du willst.«

»Mehr von diesem Traubenkuchen, bitte. Ich muss dringend meine Nerven zuckern.«

»Okay. Warte eine Minute, ich hole dir welchen. Sahne dazu?«

»Unbedingt.«

Kieffer ging ins Restaurant und stieg die Steintreppe hoch, um aus dem Kühlraum eine der Torten zu holen. Dann schnitt er drei große Stücke ab und packte sie in einen Pappkarton. Er ging wieder hinunter. Als er am Fuß der Treppe ankam, bemerkte er, dass etwas nicht stimmte. Die Tür zur Terrasse stand offen, von draußen hörte man ein lautes Röhren, vermischt mit aufgeregten Stimmen. Kieffer stellte den Kuchen auf die Theke und rannte hinaus. Die asiatische Familie war in heller Aufregung, die Kinder weinten, mehrere Stühle lagen umgekippt auf dem Terrassenboden. Neben einem von ihnen erkannte der Koch die füllige Gestalt Per Sundergaards, regungslos daliegend, am Kopf eine Platzwunde. Jacques kniete neben ihm. »Ruf einen Krankenwagen, Xavier.«

Kieffer wählte auf seinem Handy die 113. Währenddessen fragte er: »Was ist hier passiert?«

»Keine Ahnung«, erwiderte Jacques. »Ich komme raus und da liegt er hier.«

Nachdem er den Rettungsdienst verständigt hatte, ging Kieffer zu den asiatischen Touristen. »Haben Sie gesehen, was hier passiert ist?«, fragte er den Vater auf Englisch. Der Mann schaute ihn verständnislos an. Der Koch versuchte es mit Französisch und Deutsch, ohne Ergebnis. Alles, was der Mann immer wieder sagte, war: »Baika wa, baika wa!«

Biker. Er schaute sich um. Die beiden Motorradfahrer waren verschwunden. Kieffer imitierte einen auf einem Moped sitzenden Mann und sah den Touristen fragend an.

»Hai. Baika wa. Helmetto.«

Kieffer nickte. Sie hatten Sundergaard einen Motorradhelm über den Schädel gezogen. Das erklärte die fürchterliche Platzwunde. Er ging zurück zu dem Schweden und kniete sich neben ihm nieder. Der Programmierer schien allmählich wieder zu sich zu kommen. Seine glasigen Augen huschten über Kieffers Gesicht, er versuchte etwas zu sagen.

»Tab… Tab…«

Der Koch stand auf und blickte auf den Tisch. Sowohl Sundergaards Laptop als auch Kats' Tablet waren verschwunden.

20

Als der Krankenwagen vor dem »Deux Eglises« vorfuhr, vergewisserte sich Kieffer, dass Sundergaard versorgt wurde und ging dann raschen Schrittes zu seinem Auto. Als Besitzer des »Deux Eglises« hätte er wohl eigentlich bleiben und der zweifelsohne bald eintreffenden Polizei Rede und Antwort stehen sollen. Es gab jedoch kaum etwas, auf das er in diesem Moment weniger Lust hatte. Er kochte vor Wut. Zweimal binnen einer Woche hatte man ihn oder seine Freunde bedroht oder angegriffen, und er hatte nicht den Eindruck, dass die Polizei ihn beschützte. Wahrscheinlich konnte sie das auch gar nicht. Aber einem ahnungslosen Streifenpolizisten nun erneut die ganze Geschichte zu erzählen, die er bereits bei Lobato und der Pariser PJ zu Protokoll gegeben hatte – undenkbar.

Außerdem würde dann sein Termin mit Kwaukas platzen. Kieffer schoss die Rue Wilhelm hinunter und bog nach links ab. Der Mann mit dem deutschen Akzent, der Valérie bedroht hatte – waren es seine Leute gewesen, die nun auch das Tablet geraubt hatten? Das schien ihm die wahrscheinlichste Erklärung zu sein. Möglicherweise hatten sie ihn beschattet und auf einen günstigen Moment gewartet, ihm das Gerät zu entreißen. Der alte Lieferwagen röchelte asthmatisch, als der Koch ihn die steile Montée de Clausen hinaufprügelte. Oben angekommen bog er ab und fädelte sich auf den Boulevard Roosevelt ein, der am Rand des Bockfelsens entlangführte. Während er sich durch den dichten Innenstadtverkehr quälte, dachte Kieffer wieder über die kryptischen Sätze nach, die Kats auf der Voicebox hinterlassen hatte:

»Wenn du hier anrufst, hast du die Karte ausgelesen und besitzt den Schlüssel.«

Immer wieder ging es um irgendwelche Schlüssel. Nicht um welche aus Metall, da war er sich sicher, sondern um kryptografische Schlüssel, Pincodes, Computerpasswörter.

»Die Wahrheit befindet sich auf dem Zwillingsserver«, hatte Kats gesagt. »Zu seiner Aktivierung benötigst du die vier Faktorschlüssel.«

Kieffer fluchte leise, als er vor der Ampel abrupt bremsen musste. Der Lieferwagen gehorchte nur widerwillig. Kurz hinter Notre-Dame bog er nach links ab und fuhr auf die Place de la Constitution, eine Ausbuchtung im Bock, hinter deren steil abfallendem Rand das Pétrussetal lag. Kieffer umfuhr das in der Mitte des Platzes stehende Weltkriegsmonument mit der über ihm thronenden Statue der Gëlle Fra und suchte nach einem Parkplatz. Wie zu erwarten waren keine mehr im Angebot. Aber wie immer gelang es Kieffer auch dieses Mal, sich noch irgendwo dazwischenzuquetschen. Er parkte zu dreist, um ohne Strafzettel davonzukommen, aber nicht so dreist, dass man ihn binnen der nächsten zwei Stunden abschleppen würde, stieg aus und querte den Platz. Dann lief er in Richtung Pont Adolphe, in dessen Nähe sich das

Büro von Kwaukas' Firma Pickman befand. Bevor er mit dem Börsenexperten sprach, gab es jedoch noch eine Sache zu klären. Er hielt an, nahm sein Handy aus der Jackentasche und wählte.

»Xavier?«

»Hallo, Val.«

»Oh nein! Du hast dir die Sache mit der Kochshow anders überlegt.«

»Nein, deswegen rufe ich nicht an. Man hat mir diesen Tabletcomputer geklaut. Geraubt, muss man wohl sagen.«

Er erzählte Valérie, was passiert war.

»So eine Scheiße.«

»Exakt.«

»Andererseits heißt das vielleicht, dass diese Typen uns jetzt endlich in Ruhe lassen«, fuhr sie fort. »Jetzt haben die doch endlich alles, was sie wollten.«

»Nein, Val. Erinnere dich an die Nachricht auf Kats Sprachbox. Die habe nur ich abgehört, niemand sonst kennt ihren Inhalt.«

»Xavier, pass bloß auf.«

»Versprochen. Ich hätte allerdings noch eine Bitte.«

»Was denn? Willst du jetzt nicht langsam mal aufhören, diesem toten Mathematiker nachzujagen?«

»Glaubst du«, entgegnete er leise, »dass sich das Problem dann in Luft auflöst?«

Sie antwortete nicht.

»Ich muss noch einmal mit Gérard reden, Val. Vielleicht kann er diese kryptische Botschaft auf der Voicebox entschlüsseln helfen.«

Seine Freundin seufzte. »Na gut. Warte einen Moment, dann stelle ich dich durch. Wir sehen uns morgen Abend in Hamburg, ja?«

»Okay, Val.«

Sie legte auf. Kieffer wurde in eine Vivaldi-Warteschleife katapultiert, aus der ihn nach etwa einer Minute die Stimme Gérards, des EDV-Chefs, erlöste.

»Xavier, guten Tag.« Im Hintergrund hörte man Kindergeschrei. »Was kann ich für Sie tun?«

»Hallo, Gérard. Es tut mir sehr leid, dass ich Sie an Ihrem freien Tag störe. Es ist immer noch wegen dieser Keycard. Diese Schweizer Telefonnummer war eine Voicebox, und auf der war von etwas die Rede, das ich nicht verstehe. Es klang nach Computerkrams.«

Der Gabin-Mann lachte. »Und zwar?«

»Wissen Sie, was ein Faktorschlüssel ist?«

»Natürlich. So etwas verwendet man für Primzahl-Verschlüsselungsverfahren.«

Primzahlen, dachte Kieffer. Immer wieder Primzahlen.

»Können Sie es mir erklären?«

»Ja, es ist ganz einfach.« Kieffer bezweifelte das, sagte aber nichts. »Wenn Sie zwei Primzahlen miteinander multiplizieren, dann ist das sehr simpel. Die Rückgewinnung der beiden Faktoren hingegen ist mathematisch extrem aufwendig. Leuchtet Ihnen das ein?«

»Ehrlich gesagt, nein, Gérard.«

»Okay. Ein Computer kann binnen Sekunden zwei, sagen wir fünfhundertstellige Primzahlen finden und die miteinander multiplizieren. Das Produkt, also das Ergebnis, hat um die tausend Stellen. Wenn Sie jetzt aber nur die tausendstellige Zahl haben und daraus errechnen wollen, welche beiden Primzahlen man zuvor miteinander multipliziert hatte, dann ist das quasi unmöglich.«

»Warum?«

»Weil bisher noch niemand ein mathematisches Verfahren für diese Art der Faktorzerlegung gefunden hat. Die Berechnung dauert Jahre. Deshalb benutzt man das Prinzip in der Kryptografie. Nur wenn Sie alle Faktorschlüssel besitzen, können Sie die Nachricht lesen.«

Kieffer schwieg einen Moment. Er vernahm wieder Kats' Stimme: »Zur Aktivierung benötigst du vier Faktorschlüssel.«

»Danke Gérard. Das hilft mir sehr weiter.« Das war eine maßlose Übertreibung, aber es gab ja keinen Grund, unhöflich zu sein.

»Sagen Sie, Xavier, diese Typen ...«, Kieffer meinte Nervosität in der Stimme des EDV-Chefs zu hören.

»Ja?«

»Die scheinen ja ziemlich skrupellos zu sein. Haben Sie schon einen Anhaltspunkt, um wen es sich da handeln könnte?«

»Der Besitzer der Karte hat für Melivia gearbeitet, einen großen Rohstoffkonzern, davor für Silverstein Green. Vielleicht stecken die dahinter, aber Genaueres weiß ich nicht. Warum fragen Sie?«

»Nach diesem Raubüberfall auf unsere Chefin haben wir hier alle Sicherheitsvorkehrungen verstärkt. Wachdienst, Besucherkontrolle, IT-Security.« Er seufzte. »Aber ich befürchte, es war schon jemand drin.«

»Wie? Im Gabin-Gebäude?«

»Nein. In unserem Intranet. Jemand hat sich reingehackt, und wir überprüfen gerade, was er auf unserem Server getrieben hat.«

»Und Sie glauben, das waren dieselben Typen?«

»Theoretisch könnte auch jemand versucht haben, an den neuen Guide Gabin zu gelangen. Es ist nicht das erste

Mal, dass jemand versucht, uns zu hacken. Aber dieser Angriff hatte zu viel Finesse, als dass es sich um den computergewandten Sohn eines neugierigen Sternekochs oder um einen Journalisten gehandelt haben könnte. Da waren Profis am Werk.«

»Ich verstehe. Falls ich etwas herausfinde, informiere ich sofort Valérie.«

Sie verabschiedeten sich, dann legte Kieffer auf. Vier Schlüssel, Faktorschlüssel, Zahlen also, die notwendig waren, um irgendetwas zu entschlüsseln. Aber was? Und wo hatte Kats die Zahlen abgespeichert? Wenn sie, wie Gérard erklärt hatte, mehrere Hundert Stellen besaßen, standen sie vermutlich nicht auf einem Post-it-Zettel an seinem Kühlschrank.

Kieffer überquerte den Boulevard Roosevelt und ging in Richtung des Parc E. J. Klein, dem gegenüber das Pickman-Gebäude stand. Er war schon oft daran vorbeigefahren und hatte sich gefragt, was für Verrückte wohl darin hausten. Es war zwar verglast, sah aber nicht wie die austauschbaren Bankerboxen auf dem Kirchberg aus. Seine dunklen Glasplatten standen nicht senkrecht, sondern waren versetzt in allerlei Winkeln angebracht. Dabei liefen sie aufeinander zu und bildeten kantige konkave und konvexe Flächen. Das Resultat war ein Gebäude, das an einen schwarz glänzenden Eisberg erinnerte. Als Kieffer ihm näher kam, konnte er erkennen, dass auf den drei-, vier- oder mehreckigen Glasflächen des Gebäudes mit weißer Folie allerlei Bonmots oder Zitate aufgeklebt waren, offenbar bis hinauf in den obersten Stock.

»Never catch a falling knife«, stand an einer Scheibe; »All Money is a matter of belief«, an einer anderen. Kieffer zog am Türgriff. Er rührte sich nicht. Der Koch lugte durch die dunkle Eingangstür und sah, dass der Empfang unbesetzt war. Er drückte auf eine Klingel, über der »It's not the having, it's the getting« stand. Nach einigen Sekunden ertönte aus dem Interkom eine Stimme: »Monsieur Kieffer?«

»Ja, guten Tag. Herr Kwaukas?«

»Ich komme runter«, kam die Antwort auf Englisch. »Einen Moment.«

Kurz darauf öffnete sich der Fahrstuhl. Heraus trat ein vielleicht vierzigjähriger Mann mit kurz geschnittenem, rotblondem Bart und kahl geschorenem Kopf. Er öffnete die Eingangstür. Kwaukas sah nicht aus wie ein Banker. Hemd und Krawatte passten noch halbwegs, die Jeans und die Adidas-Turnschuhe hingegen weniger. Er schüttelte Kieffer die Hand und sagte: »Kommen Sie mit. Wir können nach oben gehen, es ist kaum jemand da.«

Sie fuhren mit dem Fahrstuhl in den vierten Stock. Kwaukas geleitete ihn durch ein verwaistes Großraumbüro in einen Konferenzraum im hinteren Teil der Etage und bot ihm Kaffee an. Kieffer nahm einen und nippte. Er schmeckte schrecklich. Kwaukas schien es ihm anzusehen. »Tut mir leid. Unter der Woche bekommen wir immer Gourmetware von diesem Coffeeshop in der Rue d'Eau geliefert, aber heute gibt es leider nur Automatenbrühe. Sie wollen also etwas über den verstorbenen Aron Kats wissen? Sind Sie Privatdetektiv?«

»Nein«, erwiderte Kieffer. »Aber Kats war in meinem Fouer-Restaurant, kurz bevor er starb. Deshalb möchte ich gerne mehr über ihn wissen.«

Falls Kwaukas diese Erklärung seltsam erschien, ließ er sich nichts anmerken. »Ich kannte ihn, allerdings nicht sehr gut«, sagte der Fondsmanager und musterte Kieffer mit einem unangenehm durchdringenden Blick. »Aber vorher klären wir die Rahmenbedingungen. Alles off the record, was ich sage, nur für Sie. Und quid pro quo.«

»Was wollen Sie denn im Gegenzug wissen?«

»Die Umstände von Kats' Tod. Die Reaktion von Melivia. Solche Sachen. Alles was in der Hedgefondsbranche passiert, ist interessant für mich.«

Kieffer erzählte Kwaukas, dass Kats' Leiche unter der Rouder Bréck gefunden worden war. »Außerdem scheint er kurz vor seinem Tod gekündigt zu haben.«

»Ah, wirklich? Das ist interessant. Und wie hat sein Exarbeitgeber darauf reagiert?«

»Offenbar ganz normal. Angeblich gab es keinen Streit, eine einvernehmliche Trennung.«

»Ha!« Kwaukas schüttelte den Kopf und grinste spöttisch. »Das glaube ich keine Sekunde.«

»Ich kann nur wiedergeben, was ….«

»… oh, ich zweifle nicht daran, dass das die offizielle Version ist. Aber wenn einem jemand wie Kats abhandenkommt, ist das ein doppeltes Desaster.«

»Weil er ein Mathematikgenie war?«

»Ja, erstens. Kats war für uns Hochfrequenzhändler so etwas wie Hawking für die Physiker. Kontinuierliche Renditen von dreißig bis vierzig Prozent, über mehr als zehn Jahre. Und seine wissenschaftlichen Arbeiten – seine Algorithmen waren bahnbrechend, seine Modellierungen versteckter Markov-Prozesse haben alles verändert.«

»Was ist ein Markov-Prozess?«

»Eine statistische Methode, die den Kern dessen berührt, was wir hier machen: Die Zukunft vorherzusagen.«

»Die Zukunft von Börsenkursen?«

»Ja. Es weiß ja eigentlich niemand, warum so ein Wertpapier steigt oder fällt. Manche sagen, die Kursbewegungen seien reiner Zufall, aber das ist falsch. Die Gründe für Preisschwankungen sind lediglich wahnsinnig vielschichtig und komplex. Mit Markov-Modellen kann man Ereignisfolgen abbilden, die anscheinend keine Beziehung zueinander haben. Schauen Sie, es ist im Prinzip wie bei Monopoly: Jeder Würfelwurf ist zufällig, aber die Position der Figuren auf dem Brett ist es nicht. Sie hängt nämlich davon ab, wo die Figuren vor dem Wurf standen. Wenn man aber nur eine Ebene kennt – Würfel, Aktionskarten, Spielfeld – könnte man vielleicht annehmen, dass alles zufällig passiert, weil man das Gesamtsystem nicht erfassen kann. Mit der Börse ist es im Prinzip genauso. Komplexe Markov-Modelle sind notwendig, um das Gesamtsystem zu erfassen. Kats verstand das besser als andere.«

Kieffer schwirrte bereits der Kopf. »Was genau verstand er besser?«

»Wie man mithilfe mathematischer Gleichungen das Gesamtsystem der Finanzmärkte abbildet. Und zwar so, dass möglichst viele Kursbewegungen vorhergesagt werden können. Er war, das glauben jedenfalls viele von uns, ziemlich nah dran an der Wahrheit.«

Als Kwaukas das Wort »Wahrheit« aussprach, schwang etwas Ehrfürchtiges in seiner Stimme mit. Wieder hörte Kieffer in seinem Kopf Kats' Worte: »Die Wahrheit befindet sich auf dem Zwillingsserver.«

»Die Wahrheit? Die Wahrheit worüber, Herr Kwaukas?«

Der Fondsmanager lächelte. »Die einzig wahre Wahrheit. Das ist Händlerjargon. Einige von uns glauben, dass es theoretisch möglich wäre, die Gesetzmäßigkeiten, nach denen der Markt funktioniert, vollständig aufzudecken und mithilfe von Algorithmen abzubilden. Wie bei einem Uhrwerk, wie bei einer Maschine, deren Funktionsweise man vollständig kennt. Einer Gelddruckmaschine: Die Wahrheit ist für unsere Quants, für unsere Mathematiker, in etwa das, was für Alchemisten im Mittelalter der Stein der Weisen war. Allerdings ist sie auch ähnlich mythisch. Ich persönlich glaube nicht, dass es die Wahrheit wirklich gibt, die Vorstellung ist mir zu ...«

»... fortschrittsgläubig?«, schlug Kieffer vor.

»Eher zu deterministisch«, antwortete der Fondsmanager. »Ist eine philosophische Frage.« Kwaukas blickte Kieffer an. »Und jetzt sind Sie mal dran. Was sagt denn die Polizei zu der ganzen Angelegenheit?«

»Zunächst war die Mordkommission involviert.«

Kwaukas hob eine Augenbraue. »Mord? Ich dachte, er wäre selbst gesprungen. Ich habe nämlich einmal gehört, die Rote Brücke sei Luxemburgs Selbstmörder ... Mekka.«

Kieffer schüttelte den Kopf »Das war früher. Es ist inzwischen relativ selten, dass jemand von der Rouder Bréck springt, wegen des Schutzwalls, den es seit den Neunzigern gibt«, antwortete er.

»Deshalb die Mordhypothese? Aber Sie sagten eben, die Polizei habe ›zunächst‹ ermittelt.«

»Ich habe gehört, dass man inzwischen von Selbstmord ausgeht«, sagte der Koch. »Offenbar gibt es Videoaufzeichnungen.«

Kieffer schaute in das bittere schwarze Herz seines erkaltenden Filterkaffees. Auf der Oberfläche hatte sich ein öliger Film gebildet. »Sie erwähnten vorhin, es gebe noch einen zweiten Grund dafür, dass Melivia über Kats' Kündigung erzürnt gewesen sein müsste.«

Kwaukas musterte ihn prüfend. »Sie wissen es nicht?«

»Was?«

»Na, dass er Codes gestohlen hat.«

Kieffer schüttelte den Kopf und bemühte sich, möglichst verständnislos dreinzublicken. Kwaukas nahm sich einen Becher, griff nach der Thermoskanne, überlegte es sich dann jedoch anders und langte nach einem der Colafläschchen, die in der Mitte des Konferenztisches standen.

»Gerüchten zufolge soll er bei mehreren seiner vorherigen Arbeitgeber Algorithmen mitgehen haben lassen. Außerdem, so geht zumindest die Legende, hat er deren Computersysteme gehackt. Er soll beispielsweise die gesamte Kundendatenbank einer Fondsgesellschaft namens Enlightment ins Internet hochgeladen haben, für die ganze Welt zugänglich – als Ablenkungsmanöver, damit niemand seinen Codediebstahl bemerkt.«

»Woher wissen Sie das alles?

»Branchentratsch. Wir Hedgies sind eine sehr kleine Community, da bleibt nichts lange geheim. Aber erinnern Sie sich an unsere Abmachung: Nichts hiervon habe ich je gesagt. Außerdem ist manches eventuell eine Räuberpistole, diese Kundendaten-Geschichte beispielsweise. Aber das mit den Codediebstählen dürfte stimmen. Im Falle von Silverstein ist das gut belegt. Kats wurde seinerzeit angeklagt.«

»Und? Wurde er verurteilt?«

»Nein. Ein Manhattaner Richter hat ihn freigesprochen. Die ganze Branche hat diesen Prozess damals sehr genau verfolgt. Es kommt nämlich des Öfteren vor, dass jemand bei seinem Abgang mehr mitnimmt als nur seine

Bleistifte. Ein modernes Finanzinstitut hat in seinem Safe ja heutzutage kein Geld mehr. Sondern Algorithmen. Und die sind sehr wertvoll.«

»Was genau hat er denn entwendet?«

»Wenn ich mich recht entsinne, hat er mehr als hunderttausend Zeilen Code kopiert, verschlüsselt und auf einen Server in Deutschland transferiert. Die Anklage konnte das alles lückenlos nachweisen.«

Kieffer war verblüfft. Kats war offenbar die digitale Variante eines Bankräubers. »Aber warum hat man ihn dann freigesprochen?«

»Verfahrensfehler! Silverstein hat auf Basis des Economic Espionage Act geklagt. Aber der Richter war der Meinung, dass dieses angestaubte Industriespionage-Gesetz nicht für Computercodes gilt. Er hat sie, anders als Patente, nicht als immaterielle Vermögensgüter eingestuft. Und so durfte Kats unbehelligt die USA verlassen und zu Melivia wechseln. Angeblich war er seitdem nicht mehr in den Vereinigten Staaten, aus Angst davor, dass es sich die dortige Justiz doch noch anders überlegt.«

»Und was hat Melivia mit Silversteins Algorithmen gemacht?«

Kwaukas setzte wieder ein verschmitztes Lächeln auf. »Sicher nichts. Das wäre ja illegal. Silverstein könnte ansonsten auf die Idee kommen, Schadenersatz in Milliardenhöhe zu fordern.«

»Ich verstehe.«

Der Fondsmanager trommelte mit den Fingern seiner rechten Hand leise auf den Tisch. »Was mich noch interessieren würde, ist: Was glauben Sie?«

»Wie meinen Sie das?«, fragte Kieffer.

»Na, wie diese Nummer gelaufen ist. Quantgenie mit

krimineller Vergangenheit kündigt bei größtem Rohstoff-konzern der Welt, und springt dann von einer Brücke. Wieso hat er das getan?«

»Wenn ich es wüsste, Herr Kwaukas, würde ich es Ihnen gerne sagen, aber …«

Sein Gegenüber verzog die Mundwinkel. »Nicht wissen. Ich meine, was sie *glauben,* Herr Kieffer. Den genauen Tathergang, wie man bei der Polizei wohl sagen würde, kennt vermutlich derzeit niemand. Aber Sie waren schließlich von Anfang an sehr nah dran an dieser Geschichte. Was ist Ihr Gefühl?«

Er überlegte einen Moment: »Ich glaube, dass Kats vielleicht vor seinem Tod irgendeine Straftat begangen hat. Vielleicht einen Datendiebstahl wie den von Ihnen erwähnten, vielleicht etwas anderes. Aber irgendeine größere Sache muss vorgefallen sein. Ansonsten springt niemand von einer Brücke.« Etwas leiser fügte er hinzu: »Oder wird hinuntergestoßen.«

Kwaukas nickte, er schien über etwas nachzugrübeln. Kieffer war unwohl bei dem Gedanken, dass der Hedgefondsmanager möglicherweise darüber sinnierte, wie er aus dieser der breiten Öffentlichkeit noch nicht in allen Details bekannten Tragödie Kapital schlagen konnte.

Er beeilte sich, das Thema zu wechseln. »Noch eine ganz andere Frage: Was für ein Mensch war Kats? Ich habe ihn nur einmal gesehen, aber er wirkte auf mich, wie soll ich sagen …. kauzig.«

Der Lette sah ihn prüfend an. »Inwiefern?«

»Er wirkte orientierungslos. Irgendwie abwesend.«

Kieffers Gesprächspartner nahm einen großen Schluck Cola und presste die Lippen zusammen. »Wissen Sie, was ein Savant ist?«

Kieffer nickte. »Eine Art Genie.«

»Fast. Jemand mit einer Inselbegabung, die weit über das hinausgeht, was selbst ein hochintelligenter Normalo zu leisten vermag. Manche haben ein unglaubliches Gedächtnis, wie Dustin Hoffman in dem Film ›Rainman‹. Andere können in einer Woche Koreanisch lernen. Kats konnte rechnen.«

»Ich habe gehört, dass er sich Tausende Primzahlzwillinge merken konnte.«

»Unter anderem. Kats war Synästhetiker. Zahlen, vor allem Primzahlen, besaßen für ihn eindeutige Farben und Formen. Man hatte den Eindruck, er sei ein laufender Taschenrechner, aber das trifft es nicht. Er war so ähnlich wie dieser Engländer, Daniel Tammett heißt der. Synästhetiker rechnen nicht. Sie wissen die Lösung einfach, sie sehen die Ergebnisse als bunte Formen.«

Kwaukas machte sich eine weitere Cola auf. »Kats war vor einem Jahr mal hier, zu einem Workshop. Wir waren alle völlig aus dem Häuschen. Man konnte ihm riesige Zahlen zuwerfen, und er zog daraus die Quadratwurzel, oder er zerlegte sie in Faktoren, einfach so. Und wenn man ihn fragte, wie er das macht, erzählte er ganz schüchtern, dass die einundsiebzig für ihn lilafarben ist und aussieht wie ein verbogener Donut. Wahnsinn. Aber ...«, Kwaukas blickte auf seine Hände, »das hat natürlich alles seinen Preis.«

»Seine Verschrobenheit?«

»Genau. Savants sind fast immer Autisten. Kats war nicht total kontaktunfähig, er litt vermutlich unter der halbwegs sozialverträglichen Asperger-Variante. Dennoch vermied er den direkten Blickkontakt mit anderen. Glauben Sie mir, ich habe hier zwanzig quantitative Analytiker, die für mich arbeiten. Das sind alles ziemlich kauzige Eierköpfe. Aber sie sind harmlos gegen Kats. Als er mir gegenüber saß, so wie Sie jetzt, habe ich ihm einen Kaffee angeboten. Und was macht er? Holt einen kleinen Plastikmessbecher aus seinem Rucksack und misst ihn ab. Weil er immer exakt hundertvierzig Milliliter Kaffee trinkt. Mehr sei ungesund. Er war zudem Veganer, Antialkoholiker, Nichtraucher sowieso. Außerdem konnte er nicht mit dem Rücken zur Tür sitzen.«

»Das klingt alles sehr zwanghaft.«

»Aber hallo. Während des Workshops hat jemand aus Versehen Kats' Stifte durcheinandergebracht, die er fein säuberlich vor sich auf dem Tisch aufgereiht hatte. Da fing der sofort an, schwer zu atmen und vor sich hin zu zählen.«

Kieffer fuhr hoch. »Er hat gezählt? Wie meinen Sie das?«

»Na ja, vor sich hingezählt. Und zwar Primzahlzwillinge: 3 und 5, 11 und 13 und so weiter. Einer seiner Kollegen hat mir erklärt, dass Primzahlen Kats immer beruhigten.«

»Es gibt noch eine Sache, die ich nicht verstehe, Herr Kwaukas. Nach allem, was Sie mir erzählt haben – und auch nach allem, was ich von anderen gehört habe –, war Kats ein sehr scheuer, möglicherweise autistischer Mensch. Seit er in Luxemburg lebt, war er noch nie mit dem Gesetz in Konflikt gekommen. Wieso stiehlt so jemand Codes? Warum hackt er sich in Bankcomputer ein und publiziert deren Daten im Internet? Das klingt alles eher nach einem Anarcho-Aktivisten oder nach organisierter Kriminalität. Aber ...«

»... nicht nach einem Typ, der andauernd auf seine Schuhspitzen guckt.«

»Genau.«

Kwaukas zuckte mit den Achseln. »Ich habe mich das auch gefragt, als ich dieses Männlein zum ersten Mal sah. Wirkte auf mich nicht gerade wie ein Al Capone, nicht mal wie ein Kim Schmitz. Aber wer versteht schon Menschen? Deren Handlungen können Sie nicht einmal mit Markov-Algorithmen vorhersagen. Offenbar hatte er eine dunkle Seite.«

»Handelt Ihr Fonds eigentlich auch mit Rohstoffen, Herr Kwaukas?«

»Nein, wir arbitragieren ausschließlich Sovereigns.« Als er Kieffers leeren Blick bemerkte, fügte der Fondsmanager hinzu: »Wir nutzen die unterschiedlichen Zinssätze von Staatsanleihen, um Geld zu verdienen. Rohstoffe sind schwierig.«

»Sie meinen moralisch betrachtet?«

»Vielleicht auch das. Aber was ich meinte ist eher, dass der Markt für Weizen oder Mais verhältnismäßig klein ist, vielleicht fünfhundert Milliarden Dollar.«

»Klingt recht beeindruckend«, wandte Kieffer ein.

»Der globale Aktienmarkt ist mehr als zehnmal so groß. Außerdem gibt es bei Rohstoffen drei Platzhirsche: Melivia, Silverstein und Donjon. Und damit ist der Markt auch schon relativ dicht, da wird man als kleiner Spieler zwischen den Großen leicht zerrieben. Bei Aktien und Anleihen ist hingegen unbegrenzt Spielfläche vorhanden.«

Der Koch legte seine Hände auf die Tischplatte. »Vielen Dank für Ihre Hilfe, Herr Kwaukas.«

»Nichts zu danken. Wenn Sie weitere Details hören sollten, vor allem über Melivia – kontaktieren Sie mich dann?« Kwaukas lächelte verschwörerisch und zog eine

Visitenkarte aus seiner Hosentasche. »Ich bin ja sehr für E-Mail, aber in dem Fall vielleicht lieber per Handy.«

»Ich verstehe. Wenn es etwas Neues zu berichten gibt, melde ich mich. Und wenn Sie mal Luxemburgisch essen möchten …«, Kieffer entnahm seinem Portemonnaie eine Karte des »Deux Eglises« und schob sie dem Fondsmanager hin. Der nahm sie, stand auf und geleitete den Koch durch den Großraum zurück zum Aufzug. Kieffer zählte etwa dreißig Arbeitsplätze. »Hier sitzen ja doch recht viele Menschen«, sagte er. »Ich hatte geglaubt, dieses Hochfrequenzgeschäft werde komplett von Computern abgewickelt.«

Sie stiegen in den Aufzug. »Wird es auch«, antwortete Kwaukas. Dann drückte er die 5. Der Fahrstuhl fuhr an.

»Fahren wir nicht runter?«, fragte Kieffer.

»Gleich. Erst zeige ich Ihnen noch etwas.« Als sich die Lifttür öffnete, blickte Kieffer auf eine Panzerglastür, hinter der ein Serverraum lag. Kwaukas hielt eine Keycard an ein Lesegerät, woraufhin sich die wuchtige Tür mit einem Summen öffnete.

»Die Menschen hier sind fast alle Programmierer, die an Modellen feilen. Aber die Transaktionen werden vollständig von unseren Rechnern abgewickelt. Dieser Serverpark ist über Glasfaser direkt an die Computer der Luxemburger Börse gekoppelt.«

Der Sitz der Börse war nur wenige Hundert Meter von Pickhams Gebäude entfernt. »Deshalb sitzen Sie nicht auf dem Kirchberg?«

»Deshalb, und weil wir dort kein Gebäude gefunden haben, das unseren Sicherheitsstandards entsprach.«

»Computersicherheit oder Gebäudesicherheit?«

»Serversicherheit. ›Pickman's Model‹, so heißt unser

automatisiertes Handelssystem, muss kontinuierlich laufen. Wir haben deshalb einen zusätzlichen Serverpark in einem anderen Haus, falls dieser hier mal ausfällt. Außerdem eigene Stromgeneratoren sowie ein spezielles Ventilationssystem. Wenn es zu einem Brand kommt«, Kwaukas zeigte auf einen der grauen Serverklötze, »können wir ja schlecht die Sprinkleranlage einschalten. Stattdessen lässt sich binnen fünf Sekunden die komplette Luft absaugen und der Raum vakuumisieren, um das Feuer zu ersticken. So, und jetzt bringe ich Sie runter.«

21

Das TV-Studio, in dem Estebans neue Show gedreht werden sollte, befand sich auf dem Gelände eines zum Medi-
enzentrum umfunktionierten alten Eisenwerks in Ham-
burg-Altona. Xavier Kieffer und Valérie Gabin fuhren
direkt von ihrem Hotel mit dem Taxi hin. Wie schon am
Vortag redeten sie kaum miteinander. Das lag, zumindest
nach Meinung des Kochs, ausnahmsweise nicht an seiner
Stoffeligkeit oder an La Gabins Stimmungsschwankun-
gen, sondern an dem neuen Schatten seiner Freundin. Er
hieß Casaubon und sah aus wie ein Schiffsschaukelbrem-
ser von der Schueberfouer, den man in einen Anzug ein-
genäht hatte. Bei ihrer gestrigen Alsterrundfahrt hatte
Valéries Bodyguard auf der Bank hinter ihnen gesessen,
während des Abendessens im »Le Dindon« am Neben-
tisch. Nun, während der Taxifahrt, okkupierte Casaubon den Beifahrersitz, versperrte Kieffer den Blick nach
vorne und machte jede Konversation unmöglich. Dabei
sagte der Mann überhaupt nichts, und er schien weder
zu lauschen noch zu gaffen. Doch er war da, und seine
Anwesenheit reichte, um alles aus dem Gleichgewicht zu
bringen.

Einerseits war Kieffer froh, dass Valérie sich entschieden hatte, einen Personenschützer zu engagieren; er würde ruhiger schlafen, nun, da er wusste, dass sie bewacht wurde. Andererseits hoffte er, sie werde den Kerl so schnell wie möglich wieder entlassen. Casaubon war ein Störsender, und wenn er nicht bald verschwand, das fühlte Kieffer, würde etwas zwischen ihnen kaputtgehen.

Das Taxi wackelte heftig, als der Fahrer von der Haupt- in eine Seitenstraße abbog und sie über Kopfsteinpflaster zu rumpeln begannen. »Hier links war früher die Gurkenfabrik«, erklärte der Chauffeur ungefragt, »hat den ganzen Tag nach Essig gestunken. Gleich kommt das Eisenwerk.« Niemand erwiderte etwas. Rechts tauchten die »Stahlhöfe« auf, sie fuhren durch den Innenhof und hielten neben einer rot geklinkerten Halle. Vor deren geschlossener Doppeltür stand Esteban, rauchte und bellte in das Headset seines Telefons. Als Kieffer ausstieg, wehten ihm sogleich die Flüche des Argentiniers entgegen.

»So ein Penner! Otterngezücht! Der Arsch soll sich einfach inmediatamente hierherbewegen! Seine blöde Tütensuppenpräsentation ist mir egal … nein, davon will ich nichts hören. Adiós!«

Esteban drückte mit der linken Hand auf einen Knopf an seinem Headset, während er gleichzeitig mit der rechten die aufgerauchte Zigarette in einen Blumenkübel schnippte. Kieffer hob die Hand zum Gruß. Esteban nickte ihm zu. »Madre de dios, wie sehr ich diesen aufgedunsenen bayerischen Sack hasse!«

»Von wem redest du?«, fragte Kieffer.

»Schörglhuber! Der Trottel sollte schon längst hier sein, aber irgendeiner seiner Werbedeals hat ihn aufgehalten.« Esteban steckte sich eine weitere Davidoff an. »Ché, ich bin schon wieder totalmente ausgepowert. Rendido! Wie soll ich das schaffen? Mit solchen idiotas kann ich nicht arbeiten, imposible.«

Kieffer kannte Josef Schörglhuber nur aus dem Fernsehen und aus Erzählungen, vermutete aber, dass es sich bei dem Sternekoch vom Tegernsee um einen eher schwierigen Zeitgenossen handelte. Souschefs und Küchenpersonal verschliss er dem Vernehmen nach noch schneller als Esteban; außerdem war Schörglhuber, das konnte man in seinen diversen TV-Kochshows beobachten, ein mürrischer alter Mann, er barst vor bayerischem Grant. Dennoch fand es Kieffer gut, dass Schörglhuber mit von der Partie war. Er war keiner dieser Schmalspur-Fernsehköche, deren Qualifikationen vor allem eine originelle Frisur und flotte Sprüche waren. Schörglhuber konnte richtig kochen. Ob das auch für die restlichen Typen galt, die in Estebans Show mitmachten, da war er sich nicht so sicher.

Als der Pampaprinz Valérie aus dem Auto steigen sah, hörte er augenblicklich auf zu fluchen, warf seine zweite Zigarette zu der ersten in den Kübel und schaltete sein Lächeln ein. Er ging auf sie zu, umfasste ihre Hand. »Ich hoffe, Sie hatten eine angenehme Reise, liebe Madame Gabin? Ist alles zu Ihrer Zufriedenheit?«

Valérie lächelte und nickte. »Sind die anderen bereits da?«, fragte sie.

»Jensen, Vernier und Grønberg sind schon drinnen. Mein lieber Freund Schörglhuber noch nicht, aber der Gute wird sicherlich jeden Moment eintreffen«, sagte Esteban. »Sollen wir hineingehen?«

Der Argentinier hielt ihnen die Tür auf. Kieffer ging

voran, gefolgt von Valérie und dem unvermeidlichen Casaubon. Die Halle war etwa zehn Meter hoch und so groß wie zwei Tennisplätze. Auf der linken Seite erhob sich eine Zuschauertribüne, rechts war eine Showküche mit mindestens acht Küchenposten, vier großen Arbeitsplatten und allerlei Utensilien aufgebaut. Das alles nahm Kieffer jedoch zunächst nur flüchtig wahr. Denn was seinen Blick umgehend fesselte, waren die Requisiten in der Mitte der Halle. Dort stand ein knallroter Kochtopf – groß genug, um einen ganzen Ochsen darin zu garen. Über dem Topf verlief ein schmaler Steg. Daneben befand sich eine ebenfalls überdimensionierte Sahnetülle. Sie maß gut zwei Meter, hatte mehrere Knöpfe und Hebel und ruhte auf einem schwenkbaren Gestell. Komplettiert wurde das Ensemble von einer riesigen Kochmütze, die sich bei genauerer Betrachtung als ein aus vielen kleinen Flachbildschirmen bestehendes Wanddisplay entpuppte, wie man sie aus Spielshows wie dem »Glücksrad« kannte, nur dass dieses einer Toque nachempfunden war. Kieffer blieb einen Moment stehen, um dies alles auf sich wirken zu lassen. Esteban legte ihm von hinten eine Hand auf die Schulter. »Da staunst du, was?«

»Diese ... diese Kirmessachen – sind die noch von einer anderen Show?«, fragte Kieffer.

Esteban trat neben den Luxemburger und musterte ihn zweifelnd. »No, por qué? Das gehört alles zum Konzept, ché gordo.«

Sie gingen zum Rand der Halle, wo ein Konferenztisch stand. Dort saßen bereits zwei Männer und eine Frau in Kochjacken. Der Auffälligste unter den Dreien war ohne Zweifel Arne Jensen. Eine wasserstoffblonde Igelfrisur zierte den Kopf des Hamburgers, und seine Jacke war nicht weiß, sondern schwarz-rot, mit Totenschädelknöpfen und Manschetten aus Leder. An den meisten Fingern trug der Lokalmatador dicke Silberringe, woraus Kieffer schloss, dass der Mann vermutlich nicht mehr allzu oft in der Küche stand. Musste er auch nicht: Jensen betrieb, wie Valérie ihm erklärt hatte, einen zwar nur mäßig erfolgreichen Einsterner an der Elbe, besaß aber zusätzlich eine gut laufende American-Diner-Kette namens »Rock 'n' Roll Kitchen«. Abgerundet wurde Jensens Geschäftsmodell durch seinen Werbevertrag mit einem US-Chilisoßenhersteller. Als er die Neuankömmlinge sah, senkte er sein iPhone, legte zwei Finger an die Stirn und rief: »Moinsen! Alles klar?« Dann begann er wieder auf dem Telefon herumzutippen.

Tanja Vernier hingegen stand sofort auf, als sie Valérie erblickte. Kieffer und Casaubon ignorierend, ging die hagere Frau auf die Gabin-Chefin zu und umfasste ihre beiden Hände. Vernier kochte in Berlin, ihr Restaurant »Le Sud-Ouest« war vor allem bei Politikern und Wirtschaftsbossen beliebt. Angeblich waren sowohl die Kanzlerin als auch der Oppositionsführer regelmäßig dort zu Gast. Nebenbei betrieb Vernier einen Cateringservice, der die – vermutlich von Steuerzahlern und Aktionären – finanzierten Sausen ihrer Stammkundschaft ausrichtete. »Eine Freude, Sie endlich einmal kennenzulernen, liebe Madame Gabin«, säuselte die Köchin auf Französisch. »Wir müssen uns nachher auf jeden Fall eingehender unterhalten.« Dann wandte sie sich dem immer noch auf sein iPhone starrenden Jensen zu und sagte auf Deutsch: »Kanna vielleicht ooch ma den Allerwertesten lüften? Keene Maniern, wa!«

Irritiert blickte Jensen auf. Er erkannte offenbar erst jetzt, um wen es sich bei den Neuankömmlingen handelte und wurde bleich. Hastig erhob er sich und reichte Valérie sowie den anderen pflichtschuldig die Hand. Während des nun immer weitere Kreise ziehenden gegenseitigen Händeschüttelns suchte Kieffer nach dem dritten Koch, der eben noch da gewesen war. Er entdeckte Sven Grønberg in der Showküche, wo dieser gerade einen der Öfen inspizierte. Zumindest nahm Kieffer an, dass es sich um den Dänen handelte, da er eine Kochjacke und Pepitahosen trug. Als Einziger hatte er eine Toque auf seinem Kopf platziert. Von hinten hörte der Luxemburger die kehlige Stimme Jensens. »Gröni, Digger! Lassoch jetzt ma' den Schietofen! Setz' dich ma' zu uns!«

Der Gerufene zuckte zusammen, schloss langsam die Ofenklappe und ging zu dem Konferenztisch, an dem außer ihm und Kieffer bereits alle Platz genommen hatten. Grønbergs Lokal in Odense zierten zwei Gabin-Sterne und achtzehn Punkte im Levoir-Brillet. Sein auf hyperlokale Küche spezialisiertes Restaurant war angeblich über Jahre im Voraus ausgebucht. Nicht nur, weil es so populär war und als Anwärter auf einen dritten Stern galt, sondern auch, weil es lediglich zwanzig Plätze besaß. Für mehr Menschen konnte Grønberg nicht kochen, da er darauf bestand, sämtliche in seiner Küche verwendeten Zutaten selbst zu beschaffen. Wenn es Waldbeeren mit Sahne geben sollte, pflückte der Sternekoch diese selbst in einem nahe gelegenen Forst. Er und seine Leute melkten außerdem eine ostdänische Landkuh, um an die benötigte Milch zu kommen. Das zumindest hatte Kieffer im »Feinschmecker« gelesen.

»Bienvenido, compadres!«, rief Esteban. »Wir wollen

heute besprechen, was wir demnächst machen. Das hier«, der Argentinier zeigte auf einen Mittvierziger in Jeans und Button-down-Hemd, »ist Klaus Tiede, nuestro director. Klaus, venga!«

Der Regisseur, ein streng gescheitelter Hanseat mit Architektenbrille, blätterte ein Skript auf, das vor ihm auf dem Tisch lag. »Okay. Unsere Show geht über neunzig Minuten, vier Sterneköche kochen um die Wette. Ziel ist es, die Jury und die Fernsehzuschauer zu beeindrucken. Hier vorne«, er zeigte auf eine Reihe von Sitzen, die farblich vom Rest der Publikumsbestuhlung abgesetzt waren, »sitzen die fünf Geschmacksjuroren.«

»Und wer sind die?«, fragte Vernier.

»Zufällig ausgewählte Personen«, antwortete Tiede. »Darunter ein Inkognito-Inspektor des Gabin.«

»Mit Anonymous-Maske oder was?«, gluckste Jensen.

Niemand lachte. »Das«, erwiderte der Regisseur und nickte Valérie zu, »werden wir noch klären. Die Fernsehzuschauer können außerdem auf unserer Webseite voten, wo wir kontinuierlich Fotos der verschiedenen Gerichte posten.«

»Wie viele Gänge?«, fragte Vernier.

»Nur einer«, antwortete Tiede, »denn wir haben neben dem Essen noch Musikeinlagen, diverse Einspieler und weitere Showelemente.«

Valéries Telefon summte. Sie schaute stirnrunzelnd auf das Display. »Entschuldigen Sie bitte, aber da muss ich rangehen. Machen Sie einfach weiter.« Sie stand auf und lief in Richtung Ausgang. Casaubon beeilte sich, ihr zu folgen.

Tiede erläuterte weiter den Ablauf und zeigte ihnen auf einer Zeichnung den genauen Bühnenaufbau.

Jensen beugte sich vor. »Ich hätte da ma' 'ne Frage. Wann sacht Ihr uns endlich, was wir kochen sollen? Ich brauch' 'n büschen Vorbereitungszeit. Ich wollte so Chilihuhn machen, mit …«

»– dit hab ick mir jedacht«, unterbracht ihn Vernier, »willste deine Chilisoße inne Kamera halten, wa?«

»Was soll das denn jetzt heißen? Ich mach' so viel Chili an mein Huhn, wie's mir passt, Muddi!«

Die hagere Frau bleckte die Zähne. »Mutta? Wat fällt dir ein du miesa, kleena …«

»Ganz ruhig!«, unterbrach sie Esteban. »No disputa, kein Streit darüber, wer was kocht. Das ist unnötig.«

Der Regisseur blickte nervös zwischen Vernier und Jensen hin und her, die beide so aussahen, als würden sie jeden Moment ihre Chefmesser unter dem Tisch hervorziehen.

»Herr Gutiérrez hat völlig recht. Das Showkonzept sieht vor, dass die zu kochenden Gerichte vom Zutat-O-Mat festgelegt werden.«

Jensen blinzelte. »Von was, Digger?«

Der Fernsehmann zeigte auf die riesige Kochmütze. Dann rief er einem Mitarbeiter zu: »Peter, mach' sie mal an!«

Der Assistent aktivierte das Display. Die kleinen Kacheln, aus denen der Schirm bestand, zeigten nun allesamt goldene Sterne, die wie jene des Guide Gabin aussahen. Der Mann drückte auf einen großen roten Knopf, woraufhin sich die Kochmütze in ein schnell die Farben wechselndes LED-Feuerwerk verwandelte. Nach einigen Sekunden erstarb das Blinken, und auf sechs der Kacheln wurden Bilder eingeblendet.

»Das hier wäre jetzt zum Beispiel eine Zutatenliste«, erläuterte der Regisseur. Er rückte seine Brille zurecht.

»Der Zutat-O-Mat hat zufällig ausgewählt, was dem Team zur Verfügung steht. In diesem Fall sind das: Rindfleisch, Kartoffeln, Gurken, Zimt, Lychees und Mozzarella.«

»Bidde? Und was soll man aus dieser Kagge kochen?«, fragte Jensen.

»Bei dir wird dit vermutlich 'ne Asia-Fusion-Bulette mit Chilisoße«, frotzelte Vernier.

Jensen ignorierte seine Kollegin und schaute stattdessen den Dänen an, der bisher überhaupt nichts gesagt hatte. »Was meinst du Gröni? Eigentlich ganz praktisch, oder? Muss man sich vorher keinen Kopp machen.« Er lachte. »Alder, und ich dachte schon, die schicken dich nach Planten & Blomen, dassu deine Radieschen selber pflücken kannst.«

Grønberg öffnete den Mund, aber Esteban ließ ihn nicht zu Wort kommen. »Basta ya! Können wir jetzt mal fünf Minuten aufhören, uns gegenseitig in die Pfanne zu hauen?«

Kieffer musterte Esteban. Der Küchen-Leonardo sah aus, als ob er gleich ausrasten würde. Dabei war sein Erzfeind Schörglhuber noch gar nicht eingetroffen. Wie sollten sie diese ganzen Exzentriker bloß dazu bringen, vor laufender Kamera etwas zu kochen, ohne sich gegenseitig die Schneidebretter über den Schädel zu ziehen? Er fragte sich, wo Valérie blieb.

»Wenn ich hier noch einmal einhaken dürfte«, sagte der Regisseur. »Die Zutaten sind bewusst knapp gehalten. Aber es gibt für die Mitspieler eine weitere Möglichkeit, an dringend benötigte Extras zu kommen«, er zeigte auf die andere Hallenseite, »nämlich unsere Pantry.«

Sie standen auf und gingen hinüber. Dort befand sich ein voluminöser, doppeltüriger Kühlschrank. Er war Kieffer zuvor entgangen, da er von dem gigantischen Kochtopf verdeckt worden war.

»Hier drin befinden sich viele weitere Zutaten. Und wenn ein Team eine davon braucht, kann es sie aus dem Kühler holen.«

Kieffer blickte auf die riesige Sahnetülle und den Kochtopf. Ihn beschlich eine Ahnung. »Was muss man denn tun, damit man an den Kühlschrank darf?«, fragte er.

»Gute Frage«, sagte der Regisseur. »Hier in der Mitte wird ein Hindernisparcours aufgebaut, mit verschiedenen Aufgaben, die man bewältigen muss. Diesen Kochtopf muss man beispielsweise überqueren, indem man über den Steg läuft, während hier aus der Sahnekanone«, er zeigte auf die Tülle, »jemand glitschigen Schaum auf einen abfeuert. Und die fertigen Gerichte kommen bis zum Servieren unter die Supercloche.« Der Fernsehmann zeigte auf eine silberne Halbkugel, die auf einem Podest stand. Sie sah aus wie jene Hauben, die man in angestaubten Edelrestaurants über die Teller stülpte, war aber so groß wie ein kleines Zelt.

»Das ist alles ziemlicher Schwachsinn«, entfuhr es Kieffer.

»No, ché«, erwiderte Esteban. »Das ist Fernsehen.«

»Was Herr Gutiérrez sagen will, ist, dass es sich hier um eine Samstagabendshow handelt«, hakte der Regisseur ein. »Natürlich um eine Kochsendung, aber vor allem um ein Unterhaltungsformat. Da müssen wir etwas mehr auffahren als feingehackte Schalotten und rosé gebratenes Lammfilet.«

Jensen öffnete den Eisschrank. Er bot so viel Platz wie ein kleinerer Kühlraum, war jedoch leer. Nachdem der Hamburger die Tür wieder zugeklappt hatte, zeigte er auf die Sahnekanone. »Ich würde gerne wissen, ob ihr echt wollt, dass wir uns mit Sahne vollspritzen. Wir sind Sterneköche, Digger.«

»No, amigo«, sagte Esteban. »Diese Drecksarbeit, das machen los asistentes.«

»Und wer sind die?«, fragte Kieffer.

»Jede Sendung jemand anderes«, erklärte der Regisseur. Beim ersten Mal werden es Zuschauer sein, in den darauffolgenden Sendungen aber auch mal Jungköche oder Celebrities.«

Als sie zurück zum Tisch gingen, warteten dort bereits Schörglhuber und ein Mann mit Anzug und Gelfrisur.

Der Argentinier musterte den Bayern mit funkelnden Augen. »Wir sind schon fast fertig, Sepp«, sagte Esteban.

»Gut. Mir pressiert's. Ich muss gleich zu Werbeaufnahmen in den Hafen.«

»Wieso? Verticksu jetzt Fischstäbchen vom Tegernsee oder was?«, fragte Jensen. Schörglhuber ignorierte ihn und wandte sich stattdessen Esteban zu. »Mir müssen noch reden. Über eure Küchenausstattung.«

»Por qué? Was stimmt damit nicht?«

»Die Töpfe und die Pfandln. Das war anders vereinbart. Schorsch?«

Schörglhubers gegelter Begleiter nickte und sagte: »Die in dieser Showküche bereitgestellten Töpfe stammen allesamt von Refal. Herrn Schörglhuber wurde jedoch vertraglich zugesichert, dass für ›Krieg der Sterne‹ ausschließlich Küchenartikel seiner Eigenmarke Lukullia Bavaria verwendet werden. Artikel vierundzwanzig, Absatz zwei.«

Vernier wurde rot. »Dit is ja wohl die Höhe! Wieso darf Seppl seine Töppe vawenden? Denn will ick ooch meene Messaserje ...«

»... und du regst dich über *meine* Chilisoße auf, Digge?«, unterbrach sie Jensen. »Is' ja wohl'n Witz!«

»Dit sind handjeschmiedete Manufakturmessa«, blaffte Vernier zurück. »Dit kanna ja wohl nich mit seine Fastfood-Tunke vagleichen ...«

»Ich mach' kein Fastfood, Muddi!«, brüllte Jensen, »ich mach' Casual Cuisine!«

Grøneberg hob den Zeigefinger und versuchte, etwas zu sagen.

»Ruhe!«, schrie Esteban. Er zeigte auf den Dänen. »Und du hältst jetzt auch mal die Klappe!« Der Argentinier war aufgesprungen und drosch mit beiden Fäusten auf den Tisch. Scheppernd ging eine Flasche zu Boden, Kaffee ergoss sich über das Skript. Der Regisseur schlug die Hände vor sein Gesicht. Niemand sagte etwas.

»Hört mir gut zu«, sagte Esteban mit gepresster Stimme. »Diese Show sollte ursprünglich, als die Verträge gemacht wurden, noch im Privatfernsehen laufen. Da ist Product Placement kein Problem. Aber jetzt sind wir im Staatsfernsehen.«

»Bei den Öffentlich-Rechtlichen«, korrigierte der Regisseur.

»Sí«, sagte Esteban. »Außerdem«, fuhr er fort, »wird unsere Show jetzt vom Guide Gabin präsentiert. Die sind der Hauptsponsor, es dürfen keine anderen Markennamen zu sehen sein. Und deshalb«, er breitete die Arme aus, »es no posible.«

»Aber Herr Gutiérrez«, warf der Anwalt ein, »Sie können keine einseitigen Vertragsänderungen ...«

»... schaff den Penner raus, Sepp. Sonst polier' ich ihm die Fresse«, knurrte Esteban.

Schörglhuber musterte den Argentinier, dessen Gesichtsfarbe zwischen Lavendel und Purpur changierte. Dann nickte er seinem Anwalt zu, der daraufhin eilig zum Hallenausgang strebte.

»So. Und nun entre nosotros. Keine Töpfe, keine Chilisoße, keine Messer. Glaubt mir, das gefällt mir am wenigsten. Ich habe nämlich mehr solche Scheißdeals laufen als ihr alle zusammen, colegas. Aber es geht nicht. Dafür kriegen wir doppelt so viele Zuschauer wie beim Privatsender. Außerdem planen wir zur Show eine eigene Webseite, Bücher, toda la mierda. Und Esteban verspricht euch, dass ihr dort euren Krempel so schamlos bewerben dürft, wie in einer argentinischen Dauerwerbesendung. Todo claro?«

»Kriagma das schriftlich?«, fragte Schörglhuber.

»Sí«, presste Esteban hervor.

»Gut«, sagte der Bayer. Dann stand er auf, nickte freundlich in die Runde und ging. Auch die anderen Köche verabschiedeten sich. Als sie weg waren, zündete sich Esteban eine Zigarette an.

»Aus Sicherheitsgründen ist Rauchen hier verboten«, wandte einer der umstehenden TV-Leute ein.

»Petz' es doch der Feuerwehr!«, brüllte Esteban. Dann wandte er sich Kieffer zu. »Madre de dios. Köche! Ganz übles Pack! Aber ich glaube, keiner wird uns von der Fahne gehen.« Er blies Rauch aus. »Sind alle zu geil auf die Publicity und haben zu hohe Hypotheken.«

»Die hassen sich offensichtlich alle wie die Pest, Leo.«

»Na und? Qué más da? Dann strengen sie sich bei der Show wenigstens richtig an, weil sie den anderen den Sieg nicht gönnen.«

Auf eine verquere Weise hatte der Argentinier damit vermutlich sogar recht. Trotzdem beschlich Kieffer die

Ahnung, dass die ganze Sache in einem riesigen Eklat enden würde. Er musste mit Valérie reden. Der Luxemburger nickte Esteban sowie dem Regisseur zu und verließ die Halle. Als er hinausging, sah er, wie sich Valérie gerade von Schörglhuber verabschiedete. Im Hintergrund stand Casaubon und schaute wachsam. Kieffer lief zu ihr hinüber.

»Hat der sich beschwert?«

Sie schüttelte den Kopf. »Nein, überhaupt nicht. War was?«

Kieffer erzählte es ihr. »Willst du meine Meinung hören, Val?«, fragte Kieffer.

»Bitte.«

»Diese Sendung ist viel zu albern und außerdem wird sie ein Desaster.«

»Warum?«

»Wegen der Köche. So wie die sich gefetzt haben, frage ich mich, wie sie zusammen eine Livesendung durchstehen sollen. Zumal sie ja eigentlich Frohsinn und gute Laune verbreiten sollen.«

Sie schaute unglücklich. »In der Tat sind das keine allzu guten Vorzeichen. Aber es muss einfach funktionieren.« Sie seufzte. »Denn nun kommen wir aus der Nummer nicht mehr raus.«

»Wieso nicht?«

»Die Verträge sind schon unterzeichnet. Und außerdem ist heute in der Früh dazu bereits eine Pressemitteilung rausgegangen. Die deutschen Zeitungen bringen morgen alle große Artikel über die Show und den Gabin.«

»Also Augen zu und durch?«

»So ist es.« Sie küsste ihn auf die Wange. »Danke, dass du mir hilfst.«

»Gerne. Was hast du jetzt vor?«

»Kurz ins Hotel, danach hätten wir noch genügend Zeit, etwas Bummeln zu gehen. Abends fliege ich zurück, bei mir ist in den letzten Tagen viel Arbeit liegen geblieben. Und du?«

»Ich bin ab morgen wieder auf der Fouer im Einsatz.«

»Wie lange geht die denn noch?«

»Noch zehn Tage. Vermutlich muss ich außerdem noch mal zur Polizei.«

»Zu dieser herben Dame? Wie hieß sie gleich, Lobato?«

»Hmm. Aber seit die Kats-Sache offiziell kein Mordfall mehr ist, macht das ein Kollege von ihr. Ich habe ihn bereits zweimal angerufen und um Rückruf gebeten. Aber ….«

Sie runzelte die Stirn. »Wie bitte? Kann es sein, dass die sich ziemlich viel Zeit lassen?«

»Scheint mir auch so. Aber von Sundergaard habe ich erfahren, dass ihn bereits im Krankenhaus ein Beamter ausgequetscht hat. Vielleicht kommt durch diesen Raubüberfall ja Bewegung in die Sache.«

Sie riefen sich ein Taxi. Eine Weile fuhren sie, ohne zu sprechen. Im Hotel verkrochen sie sich auf ihr Zimmer, einen der wenigen Orte, wohin ihnen Casaubon nicht folgte. Kieffer setzte sich in einen der Ledersessel und blickte hinaus. Von ihrem Zimmer aus konnte man ein Riesenrad sehen. Anscheinend gab es auch in Hamburg eine Sommerkirmes. »Mir fällt gerade etwas ein, Val. Ich hatte Pekka gebeten, mir Informationen über einen griechischen Gott zu besorgen. Aber ich befürchte, dass er es über seine neueste Romanze glatt vergessen hat.«

»Die heißblütige Spanierin? Hält sie ihn auf Trab?«

»Nein, die Spanierin ist schon wieder passé. Diesmal

ist es eine Vietnamesin. Wobei diese Information bereits vierundzwanzig Stunden alt ist.«

Valérie lächelte. »Ein unglaublicher Charmeur.«

»Wie macht er das, Val?«

»Neidisch?«

»Überhaupt nicht. Aber es ist mir ein Rätsel, wie der Kerl das fertigbringt.«

»Ist es nicht offensichtlich?«

»Für mich ehrlich gesagt nicht, nein.«

»Er bringt sie zum Lachen, Xavier.«

Kieffer zündete sich eine Ducal an. In der Tat war sein Freund Pekka Vatanen ein unerschöpflicher Quell mehr oder minder guter Witze und Anekdoten. Ihm war nicht bewusst gewesen, dass man damit so viele Frauen beeindrucken konnte.

»Danke für die Aufklärung. Kannst du mit deinem Supertelefon jetzt mal diesen Gott googeln?«

»Wie heißt der denn?«

»Hephaistos.«

»Das kann ich dir auch so sagen. Der Gott des Feuers. Bei den Römern hieß er Vulcanus.«

»Ich wusste gar nicht, dass du dich für so etwas interessierst.«

»Tue ich auch nicht. Aber mein Vater hat mich damals in ein altsprachliches Lycée gesteckt. Ich habe das Latinum und das Graecum, da kennt man den Olymp zwangsläufig aus dem Effeff.«

Kieffer zog an seiner Zigarette und blies eine dicke Rauchschwade aus. »Danke. Aber verstehen tue ich das Ganze immer noch nicht.«

»Was denn genau?«

»Kats' Botschaft. Er hat gesagt: ›Die Wahrheit befindet

sich auf dem Zwillingsserver‹.« Kieffer erklärte ihr, was Kwaukas ihm über die Bedeutung des Wortes ›Wahrheit‹ unter Finanzmathematikern gesagt hatte.

»Du glaubst also, dass es sich bei der ›Wahrheit‹, die Kats auf der Voicebox erwähnt hat, um irgendeine Software handelt, mit der man die Finanzmärkte beeinflussen kann?«

»Ich weiß es nicht genau. Mein Freund Sundergaard vermutet, Kats oder jemand anders habe den Börsencomputer von Chicago gehackt. Es kann eigentlich nur damit zu tun haben. Auf jeden Fall heißt es weiter: ›Zur Aktivierung benötigst du die vier Faktorschlüssel.‹«

»Was ist ein Faktorschlüssel?«

»Es hat etwas mit Primzahlen zu tun, die man zur Codierung verwendet, mit Kryptografie. Gestern hätte ich es dir vielleicht noch detailliert erklären können, aber inzwischen habe ich die Hälfte schon wieder vergessen. Gérard kann es dir verklickern, irgendwelche Zugangscodes eben. Aber dann kommt der Teil, den ich am rätselhaftesten finde.«

»Und zwar?«

»Kats sagt, von den Schlüsseln komme einer aus Hades' Hand.«

»Vielleicht hat ein Toter den Schlüssel? Hades ist doch der Gott der Unterwelt.«

»Möglich. Und die anderen drei kommen ›aus Hephaistos' Hand‹.«

Valerie ließ sich in einen der Sessel fallen und starrte an die verstuckte Decke. Dann sprang sie wieder auf. »Wenn die Schlüssel von Hephaistos kommen, sind es keine Codes!«

»Nein?«

»Xavier, Hephaistos ist der Schmied des Olymp. Das bedeutet, es geht um etwas aus Metall, um richtige Schlüssel. Um drei Stück.« Sie schaute ihn an. »Das heißt …«

»… es ist Kats Schlüsselbund! Verdammt Val, es hat irgendwas mit diesen bunten Schlüsseln zu tun, die ich Lobato gegeben habe.«

22

Der Laden sieht aus, als ob sein Besitzer darin die Vergangenheit konservieren möchte. Auf der abgenutzten Kontorstheke, vor der er auf den Meister wartet, steht ein Wählscheibentelefon aus schwarzem Plastik, vielleicht sogar Bakelit. Dahinter hängen emaillierte Werbeschilder von Abus, in Frakturschrift versprechen sie deutsche Qualität und Sicherheit. Die Kasse ist noch vorsintflutlicher, ein damaszierter Metallklotz mit einem Hebel an der Seite. Ungeduldig trommelt er mit den Fingern auf das zerkratzte Kirschholz der Theke. Aus dem hinteren Teil des verwinkelten Ladens dringt das sirrende Schleifgeräusch der Schlüsselmaschine herüber. Er weiß nicht mehr, wie er hierhergekommen ist. Jedoch erinnert er sich vage daran, dem Handwerksmeister eben die Schlüssel ausgehändigt zu haben, die er sich geliehen hat und die er bald zurückgeben muss.

Das Sirren erstirbt, schlurfende Schritte nähern sich. Aus der Werkstatt taucht nun der Mann vom Schlüsseldienst auf. Er hinkt. Man sieht sofort, dass er nicht von hier ist. Er trägt eine Art Pluderhose und eine Lederschürze über dem muskulösen, gebräunten Oberkörper, sonst nichts. Der Großteil seines Gesichts wird von einem rußschwarzen Vollbart bedeckt. Der Mann mustert ihn kurz, dann holt er die Schlüssel hervor. Einer schimmert goldgelb, ein weiterer lilafarben, der dritte in silbrigem Rot. Der Mann packt die Schlüssel in eine kleine Papiertüte. Dann nimmt er die drei Kopien, die er gerade angefertigt hat und steckt sie in eine zweite.

Er hält dem Mann einen Hundert-Frang-Schein hin, doch der schüttelt nur unwirsch den Kopf. Also dreht er sich um, tritt vor die Tür. Und plötzlich findet er sich auf der Rouder Bréck wieder, Kirchbergseite. Die Brücke ist verlassen, nur ein einsamer Mann steht in ihrer Mitte und schaut hinab. Er kann dessen Gesicht nicht erkennen, weiß aber, dass es sich um Kats handelt. Er läuft hinüber, in der Hand die Papiertüte. Als er ankommt, lächelt der Russe ihm zu. Es ist ein müdes, ein mutloses Lächeln. Er hält ihm die Tüte hin. Kats betrachtet sie einen Moment, dann nimmt er sie. »Sind das alle vier?«

Er versteht die Frage nicht. Es sind doch nur drei Schlüssel. Bevor er antworten kann, öffnet Kats die Tüte und nimmt etwas heraus. Es ist ein Granatapfel. Er bricht die Frucht auseinander. In ihrem Inneren befinden sich Dutzende kleiner Fruchtkerne. Einige sind bereits geborsten, roter Saft läuft über Kats' Hände. Er schaut ihn an und sagt: »Aus Hades' Hand.«

»Nein! Nein, Kats, tun Sie das nicht!«

Doch Kats hat bereits eine der Hälften zum Mund geführt und beißt hinein. Er kaut, schluckt, wird bleich. Blut quillt aus seinem halb offenen Mund.

In der Ferne kann er jemanden schreien hören.

23

Die Stimme, die ihn von irgendwo erreichte, wurde immer lauter. »Aufmachen! Polizei!«, rief sie – in einem Tonfall, der Kieffer annehmen ließ, dass sie bereits mehrfach gerufen hatte. Darauf deuteten auch die energischen Klopfgeräusche hin. Er stolperte den Flur entlang und hastete, so schnell es ihm in seinem noch schlafumnebelten Zustand möglich war, die Treppe hinunter, zur Haustür.

»Öffnen Sie sofort die Tür!«

Die Stimme gehörte Lobato. Kieffer nahm den Haustürschlüssel vom Brett und sperrte auf. Die Kommissarin blickte ihn wütend an. Sie war nicht allein gekommen, hinter ihr warteten zwei Streifenpolizisten sowie etwas entfernt ein weiterer Mann in einem schwarzen Anzug. Letzterer wurde beinahe von der Dunkelheit verschluckt. Es musste sehr früh am Morgen sein.

»Moien. Was ist denn los?«

»Sie stehen unter dem dringenden Verdacht, Beweismittel unterschlagen und laufende Ermittlungen behindert zu haben. Wenn Sie jetzt bitte zurücktreten würden.« Lobato gab den beiden Uniformierten ein Zeichen, woraufhin sich diese an Kieffer vorbei in die Wohnung drängten.

»Moment, Kommissärin. Sie können nicht einfach …«

»… ich kann.« Sie hielt Kieffer einen amtlich aussehenden Schrieb unter die Nase. Wie alle offiziellen Dokumente in Luxemburg war er auf Französisch abgefasst. »Mandat de perquisition«, stand darüber, Durchsuchungsbefehl. Kieffer ließ die beiden Polizisten passieren.

»Würden Sie mir jetzt freundlicherweise erklären, was das hier soll?«

Lobato trat in den Flur und verschränkte die Arme vor der Brust. Sie trug wieder die martialisch aussehende Endurojacke. »Sie haben uns Informationen vorenthalten. Informationen, die für unsere Ermittlungen wichtig gewesen wären.«

Kieffer musterte sie trotzig. »Und zwar?«

»Haer Kieffer, Sie sind aufgrund der Informationen, die sich auf Kats' Keycard befanden, nach Bern gereist, zu Data Vault Security. Leugnen Sie es nicht, ich habe das überprüfen lassen. Was genau Sie dort getan haben, wissen wir nicht. Aber kurz darauf waren Sie im Besitz eines Computers, der offenbar Kats gehört hat.«

»Woher …«

»Solche Dinge herauszufinden, ist unser Job, Haer Kieffer. Meine Kollegen hatten ein längeres Gespräch mit ihrem Freund Per Sundergaard, der so freundlich war, uns über diesen Tabletcomputer aufzuklären.«

Kieffer ließ die Arme sinken. »Ich habe deswegen zweimal versucht, Ihre Kollegen von der Wirtschaftsabteilung zu kontaktieren.«

Lobatos Augen verengten sich kurz, dann rief sie nach

dem Kollegen, der noch vor dem Haus wartete: »Rémy, kannst du mal kommen?«

Zu Kieffer gewandt sagte sie: »Commissaire divisionnaire Muller. Er bearbeitet die Wirtschaftssachen.« Der Neuankömmling war ein untersetzter Mann Mitte fünfzig, mit müden Augen und einem Schnauzer, der dringend gestutzt gehörte.

»Moien, Haer Kieffer. Wir benötigen dringend Ihre Aussage zu diesem Computer. Sie hätten uns nicht so lange im Unklaren lassen dürfen.« Muller zuckte mit den Schultern. »Jetzt müssen wir leider alles auf den Kopf stellen. Unsere Leute sind auch schon in Ihrem Restaurant, um Unterlagen und Rechner sicherzustellen.«

Der Koch ballte die Fäuste. »Nondikass! Seit ich aus der Schweiz zurück bin, versuche ich, einen Termin bei Ihnen zu machen! Sie sind doch diejenigen, die hier alles verschleppen!«

Lobato schaute ihren Kollegen an. »Haer Kieffer«, sagte Muller, »Wirtschaftsermittlungen sind komplex und kosten Zeit. Zumal, wenn es sich um ein großes, börsennotiertes Unternehmen wie Melivia handelt.«

»Pah!«, blaffte Kieffer. »Dir geet de Wapp! Ihr habt Schiss, euch mit denen anzulegen.«

Muller lief rot an. »Ich habe vor überhaupt niemandem Schiss und ich verwahre mich gegen diese Unterstellung! Es sah bisher schlicht nicht so aus, als ob besondere Dringlichkeit vorliegt. Wenn wir gewusst hätten, dass ein Ausländer von Luxemburg aus versucht, die US-Wertpapierbörsen zu beeinflussen ...«

Lobato sprang ihrem Kollegen bei: »Ich weiß nicht, woher Sie diese Spontiidee haben, dass die Police Grand-Ducale vor großen Konzernen kuscht, Haer Kieffer. Fakt

218

ist, dass Verdachtsmomente schlichtweg nicht ausreichen. Der Staatsanwalt will hieb- und stichfeste Beweise, zumal, wenn es um eine so namhafte Firma geht.«

Die Ermittlerin schaute Kieffer streng an. »Ich will von Ihnen jetzt die Zusicherung, dass Sie, wenn wir gleich im Verhör sitzen, alles, aber wirklich alles auf den Tisch legen, was sie uns bisher unterschlagen ...«

Als sie sah, wie Kieffer wieder zornig wurde, korrigierte sie sich rasch, »... bisher nicht erzählt haben. Ansonsten, das schwöre ich Ihnen, zerlegen wir nicht nur Ihr Haus in seine Bestandteile, sondern montieren außerdem in Ihrem Restaurant jede Küchenarmatur ab und lassen das ›Deux Eglises‹ tagelang als Tatort absperren. Also?«

Kieffer seufzte. »Natürlich erzähle ich Ihnen und Kommissär Muller alles. Ich will doch auch, dass die Sache aufgeklärt wird.«

Lobato musterte den Koch. »Was Sie wollen, ist mir ehrlich gesagt seit Anfang an ein Rätsel. Und nun ziehen Sie sich bitte an.«

»Wie lange wird die Vernehmung dauern?«, fragte Kieffer.

»So lange, bis sie zu Ende ist«, antwortete Lobato.

Kieffer nickte matt und stieg die knarrende Holztreppe empor. Nach einer Katzenwäsche schlüpfte er hastig in seine Jeans und suchte nach einem gebügelten Oberhemd. Er fand keines. In seinem Schrank lagen lediglich noch zwei saubere T-Shirts – eines, das er zum fünfjährigen Jubiläum seines Restaurants hatte drucken lassen sowie ein verblichenes Shirt mit dem Logo der Rockband »The Police«. Er vermutete, dass Lobato und Muller Letzteres nicht komisch finden würden. Er streifte das »Deux Eglises«-Shirt über und ging wieder nach unten. Lobato

und einer der Schupos liefen mit Kieffer zu einem weiß-
orangenen Polizei-BMW. Muller blieb zurück, um, wie
die Kommissarin sagte, »die Durchsuchung zu koordinie-
ren«. Das war vermutlich Polizeijargon für »alle Schubla-
den ausleeren und ein riesiges Chaos anrichten.«

Es war nicht zu ändern; Kieffer hatte den beiden versichert, dass sie in seiner Wohnung nichts finden würden,
ebenso wenig wie in seinem Clausener Büro, aber die beiden Kriminaler hatten sich davon unbeeindruckt gezeigt.

Sie fuhren zum Hauptquartier der Kripo in Luxem-
burg-Hamm. Kieffer hatte ein graues Gebäude mit Git-
terfenstern erwartet, doch der Sitz der PJ erinnerte ihn
eher an ein evangelisches Gemeindezentrum. Ein hohes
Buntglasfenster mit abstraktem Design zierte das Treppenhaus, die Wände hatte man in Schwammtechnik mit
orangener Wasserfarbe betupft. Er folgte Lobato ins Obergeschoss, dessen Lobby mit allerlei Asservaten vollgestellt war. Den größten Teil des Raumes nahmen mehrere
Roulettetische ein, wie man sie in Spielbanken fand. Sie
passierten eine Tür, an der »Infractions économiques et
financières« stand, Wirtschaftsverbrechen. Dann führte
die Kommissarin ihn in einen Verhörraum. Als Kieffer
Platz genommen hatte, sagte er: »Kann ich hier rauchen,
Kommissärin?«

»Nein.«

»Und wie wäre es mit einem Kaffee?« Er lächelte sein
freundlichstes Chefkochlächeln. »Wach nütze ich Ihnen
bestimmt mehr, glauben Sie mir.«

Lobato nickte stumm und verschwand. Kieffer sah sich
in dem Raum um. Er hätte einen Anstrich vertragen können. Die Wände waren kahl, bis auf ein gerahmtes Bild
des Großherzogs sowie einige vergilbte Poster, auf denen

Großaufnahmen von Trauben, Birnen und Äpfeln zu sehen waren. Darunter stand in Schwungschrift »Uebst & Friichten vun Lëtzebuerg«. Er starrte eine Zeit lang vor sich hin und musterte gerade den freundlich auf ihn herabblickenden Henri I., als ihm plötzlich etwas auffiel. Er war so müde gewesen, dass er es bislang übersehen hatte.

Lobato arbeitete bei der Mordkommission und hatte den Fall nach eigenen Angaben abgegeben. Wieso war sie jetzt wieder an den Ermittlungen beteiligt?

24

Mit einem Cappuccino, der den Namen dem Augenschein nach zu urteilen nicht verdiente, kam die Kommissarin kurz darauf zurück. Unter dem Arm trug sie einen Laptop. Kieffer fiel auf, dass die junge Frau ebenfalls aussah, als ob sie länger nicht geschlafen hätte. Ihre tief liegenden Augen waren von dunklen Ringen umgeben. Lobato klappte den Computer auf und entnahm ihrer Jackentasche eine randlose Lesebrille, mit der sie noch jungenhafter aussah. Dann schaute sie ihn an. »Ich höre.«

»Wo soll ich anfangen?«

»Paris, letzten Mittwoch, gegen dreizehn Uhr.«

Kieffer berichtete Lobato nun von der Botschaft auf der Voicebox, von dem Bunker im Berner Oberland, von dem seltsamen Tabletcomputer und den Dingen, die Kwaukas, der Quant, ihm über Kats und dessen Macken erzählt hatte. Vieles wusste die Kommissarin bereits, mehr als Kieffer vermutet hätte. So hatte sie sich über den Gabin jene Daten besorgt, die Valéries EDV-Leute von der Keycard kopiert hatten. Zudem schien Sundergaard wie ein Vögelchen gesungen zu haben. Kieffer konnte es ihm nicht verdenken, schließlich hatte man seinem Bekannten wegen des verdammten Tablets beinahe den Schädel eingeschlagen. Aber das war nicht schlimm, Kieffer hatte die Informationen ja ohnehin an die PGD weitergeben wollen. Nachdem er etwa eine Viertelstunde lang erzählt hatte, fragte er: »Wieso sind Sie hier, Kommissärin?«

»Wie meinen Sie das?«

»Sie arbeiten doch für die Mordkommission. Und man hatte Sie von dem Fall abgezogen.«

»Dazu kann ich Ihnen nichts sagen. Ermittlungsgeheimnis.«

Kieffer schnaufte ärgerlich. »Ich habe Ihnen alles erzählt, was ich weiß.«

»Das ist auch Ihre Pflicht als Zeuge und guter Staatsbürger. Es heißt aber nicht, dass Sie deshalb irgendein Recht darauf hätten, streng vertrauliche Ermittlungsergebnisse einzusehen.«

»Wie Sie wollen. Aber denken Sie mal über Folgendes nach: Dieser Kats hat lauter Rätsel hinterlassen. Und er hat lauter Dinge getan, die er eigentlich nicht getan haben kann.«

Sie nahm ihre Lesebrille ab. »Erklären Sie das!«

»Da wären zunächst diese Schlüssel, von denen auf der Voicebox die Rede war. Drei der vier sind vermutlich jene, die ich Ihnen ausgehändigt habe.«

»Und der vierte?«

»Hat etwas mit Hades zu tun.«

»Mit der griechischen Hölle?«, fragte Lobato.

»Eher dem griechischen Totengott«, antwortete Kieffer. »Auf der Voicebox hieß es ›Aus Hades' Hand‹.«

»Und was soll das bedeuten? Ein Toter gibt jemandem irgendetwas? Einen Schlüssel?«

»Keine Ahnung.« Kieffer griff nach seinem Kaffeebecher.

Der Milchschaum hatte sich in ein krustiges, schmutzigbraunes Etwas verwandelt. Er schob ihn weg und blickte auf die Wand hinter Lobato. Dabei fiel sein Blick wieder auf die Obstposter.

»Es ist ein Apfel!«, rief er aufgeregt. »Er gibt Persephone einen Apfel!«

Lobato verschränkte die Arme und lehnte sich zurück. »Wer gibt Persephone einen Apfel? Und wer ist das überhaupt?«

»Persephone war das Codewort, das man benötigte, um in dem Bunker an das Tablet zu kommen. Sie ist die griechische Göttin der Ernte. Vermutlich kein Zufall, denn es geht ja anscheinend um Spekulationsgeschäfte mit Getreide. Der Sage nach hat Persephone von Hades einen Apfel geschenkt bekommen. Nein, das stimmt nicht – es war ein Granatapfel.«

»Und was folgern Sie jetzt daraus, Haer Kieffer? Außer, dass Kats ein Faible für griechische Mythen hatte?«

»Dass der vierte Schlüssel ein Granatapfel ist.«

»Wie soll denn eine Frucht ein Schlüssel sein? Und für was?«

Kieffer zuckte mit den Achseln. »Vermutlich ein weiteres Rätsel. Die vier Schlüssel benötigt man – nach allem, was ich bisher verstanden habe – vermutlich für den Zugang zu den gestohlenen Algorithmen. Haben Sie die drei farbigen Schlüssel eigentlich schon überprüfen lassen?«

Lobato nickte. »Handelsübliche Sicherheitsschlüssel. Wir prüfen noch, zu welchem Schloss sie gehören könnten.«

Sie fuhr sich mit den Handflächen über das Gesicht. »Könnte es sein, dass Sie den rätselhaften Aussagen des

Verstorbenen zu viel Bedeutung beimessen? Wer weiß, ob er ganz bei Sinnen war, als er die Nachricht hinterließ.«

»Wie meinen Sie das?«, fragte Kieffer.

»Es gibt Hinweise darauf, dass er unter Drogen stand, als er sprang.«

»Was für Drogen?«

»Halluzinogene, LSD. Schwer nachzuweisen, weswegen wir die Spuren auch erst jetzt bei einem zweiten Test in einem Speziallabor gefunden haben.«

»Unmöglich!«

»Wieso unmöglich?«

»Als ich den Mann auf der Kirmes sah, glaubte ich zunächst, er sei betrunken. Aber Kwaukas hat mir erzählt, Kats habe nicht einmal zwei Becher Kaffee am Tag getrunken, geschweige denn Alkohol. Würde sich so jemand LSD reinpfeffern?«

Sie nickte kaum merklich. »Nach allem, was ich bisher über ihn gehört habe, passt das nicht. Ein Asperger-Autist, der Börsencomputer hackt, LSD nimmt und Spielbanken sprengt.«

Spielbanken? Im ersten Moment glaubte Kieffer, Lobato habe sich verplappert. Als er sie jedoch ansah, wurde ihm klar, dass dem nicht so war. Vielmehr hatte sie ihm einen Brocken hingeworfen, scheinbar beiläufig und beobachtete nun seine Reaktion. Sie wollte herausfinden, ob er ihr noch weitere Informationen über Kats vorenthielt. Aber wenn sie etwas aus seinem Gesicht herauslesen konnte, würde es echte Überraschung sein.

»Wieso Spielbanken?«, fragte er.

Lobato antwortete nicht. Kieffer war kurz davor, die Beherrschung zu verlieren. »Ich will Ihnen helfen. Ich bin der Letzte, der diesen Mann lebend gesehen hat. Vielleicht macht mich das in Ihren Augen verdächtig, was übrigens Unsinn ist. Es macht mich aber auch zum besten Sparringspartner, den Sie für diesen Mist kriegen werden.«

Die Kommissarin stand auf, ging um den Tisch herum, lief dann wieder zurück. Sie beugte sich über den Laptop und tippte auf dem Mauspad herum. »Also gut. Wie ich Ihnen bereits beim letzten Mal erklärt hatte, ist Kats stets völlig unauffällig gewesen, nicht mal ein Parkticket. Was dazu allerdings überhaupt nicht passt, ist diese Spielbankgeschichte. Vor zwei Wochen ist er aus dem Casino in Baden-Baden geflogen.«

»Weswegen?«

»Er hat offenbar beim Blackjack die Karten gezählt. Wenn man das richtig macht, kann man sich gegenüber dem Casino einen Vorteil verschaffen. Laut Reglement ist das verboten, und als es dem Croupier auffiel, haben sie ihn vor die Tür gesetzt. Was nicht ganz einfach war. Er protestierte lautstark, möglicherweise war er betrunken. Im Foyer hat er eine Vase demoliert.«

»Und wie sind Sie auf diese Geschichte gestoßen?«

»Der Sicherheitsdienst der Spielbank hat das Autokennzeichen des Luxemburger Fahrzeugs notiert, mit dem der Mann weggefahren ist und bei der baden-württembergischen Polizei Anzeige erstattet. Die haben dann bei uns den Halter angefragt.«

»Und?«

»Ein Mietwagen, Avis. Gemietet von Aron Kats.«

»Wieso ist Ihnen das nicht schon früher aufgefallen?«, fragte Kieffer.

»Weil solche Kennzeichenabfragen nicht personenbezogen vermerkt werden. Außerdem führte diese ja nicht zu Kats, sondern zu Avis. Bei denen musste die deutsche Polizei dann zunächst anfragen, wer das Fahrzeug zu jenem Zeitpunkt fuhr. Deshalb ist uns die Sache erst einmal nicht aufgefallen. Aber inzwischen wissen wir, dass Kats diesen Avis-Pkw mit seinem Führerschein am Bahnhof gemietet hatte, am Luxemburger Bahnhof.«

Kieffer schüttelte den Kopf. »Es ergibt alles keinen Sinn. Kwaukas war der Meinung, Kats habe eine dunkle Seite besessen. Vielleicht so eine Art Persönlichkeitsspaltung? Gibt es so etwas bei Autisten?«

»Wie Jekyll und Hyde? Das klingt unwahrscheinlich.«

»Dass ein Antialkoholiker besoffen in einer Spielbank herumpöbelt, ebenfalls.«

Sie schwiegen einen Moment, dann drehte Lobato den Computer herum, sodass Kieffer das Display sehen konnte. »Ich möchte, dass Sie sich noch eine Sache anschauen, dann können Sie gehen.«

Auf dem Bildschirm war ein etwas unscharfes Farbfoto zu sehen. Es war auf einer Brücke aufgenommen, vermutlich auf der Rouder Bréck. Die Aufnahme zeigte einen Mann. Es war Kats.

»Diese Aufnahme stammt aus einer der Überwachungskameras, die auf dem Pont Charlotte angebracht sind. Sie wurde am Sonntagmorgen um 0.26 Uhr gemacht, als Aron Kats die Brücke betrat.«

Kieffer betrachtete den Mann auf dem Display. Obwohl er ihm schon einmal von Angesicht zu Angesicht gegenübergestanden hatte, wirkte der Russe wie ein Fremder auf ihn, wie ein Geist aus einer anderen Zeit. Dennoch handelte es sich ohne jeden Zweifel um Kats.

»Ja, das ist er. Ist dies das Foto, das Sie bereits beim letzten Mal erwähnten?«

Sie nickte. »Allerdings haben wir damals einen Fehler gemacht. Als wir die Aufnahmen aus der fraglichen Nacht anforderten, sind die Bilder durcheinandergeraten. Sehen Sie das hier?«

Kieffer betrachtete erneut das Foto. Die Kamera war offenbar neben dem Fußgängerübergang angebracht und zeigte Kats von vorne. Außer dem Mathematiker konnte man noch ein Stück des dispositif anti-suicide erkennen, im Hintergrund leuchtete es violett. Lobato fuhr mit dem Mauszeiger über den Farbklecks.

»Und?«, fragte Kieffer. »Wahrscheinlich sind das die Lichter der Fahrgeschäfte auf der Schueberfouer.«

Die Kommissarin wählte einen Bildausschnitt und vergrößerte ihn. Das violette Leuchten füllte nun fast den gesamten Bildschirm aus. Rechts daneben, im Dunkel mehr zu erahnen als zu erkennen, war eine Reihe schmaler weißer Säulen zu sehen, über denen ein Dach thronte. Kieffer erkannte das Gebäude sofort; es war die Luxemburger Philharmonie. Er verstand nun, worauf Lobato hinauswollte: Wenn Kats, von der Fouer kommend, die Brücke überquert hatte, wären der Limpertsberg mit dem Glacis und den Fahrgeschäften der Kirmes in seinem Rücken gewesen. Sah man hinter ihm jedoch die Philharmonie, so musste er von der anderen Seite der Brücke gekommen sein – vom Kirchberg her.

»Wieso ist das vorher keinem aufgefallen?«, fragte Kieffer.

»Die Fotos waren falsch ausgezeichnet. Alle haben deshalb nur auf Kats geachtet, nicht auf den Hintergrund.«

»Aber dann muss er ja zweimal über die Brücke gelaufen sein. Einmal hinüber, und dann wieder zurück.«

»Richtig. Das wäre seltsam, falls er vor diesen beiden

Männern floh. Warum sollte er denen in die Arme laufen? Vielleicht ist er auch auf einem anderen Weg auf den Kirchberg gelangt, um dann von dort nochmals die Brücke zu betreten. Aber das ist noch nicht alles.«

»Was gibt es denn noch?«

»Nachdem uns aufgefallen ist, dass bei den Brückenfotos geschlampt wurde, haben wir die gesamten Aufnahmen der Nacht nochmals durchgesehen. Dabei kam heraus, dass die Kameras, die von der Schueberfouerseite kommende Personen erfassen, zwischen halb zwölf und ein Uhr überhaupt keine Fotos gemacht haben.«

»Sagten Sie nicht, die Kameras würden durch Bewegungssensoren ausgelöst? Ist vielleicht einfach niemand rübergegangen?«

»Möglich, aber unwahrscheinlich. Die Fouer schließt samstags erst gegen zwei Uhr, da sind immer noch ein paar Nachzügler unterwegs.«

Lobato hatte recht. Da auf dem der Stadt gegenüberliegenden Kirchberg kaum jemand wohnte, würden zwar für gewöhnlich nur wenige Menschen die Brücke zu Fuß überqueren, schon gar nicht mitten in der Nacht. Doch während der Kirmes lagen die Dinge anders. Nicht umsonst beschwerten sich die Pfaffenthaler jedes Jahr über besoffene Fouerbesucher, die nachts Bierflaschen von der Überführung schmissen. Dass eine Stunde lang niemand über die Brücke lief, war äußerst unwahrscheinlich.

»Hat sich vielleicht jemand an den Kameras zu schaffen gemacht?«

Sie schüttelte den Kopf. »Nein, das haben wir bereits überprüft. Die Apparate waren völlig intakt. Es muss sich um eine Fehlfunktion der Software gehandelt haben.

Vermutlich hat sich der Rechner aufgehängt und ist erst nach einiger Zeit wieder korrekt hochgefahren.«

Kieffer ertappte sich dabei, wie er die Handflächen auf den Oberschenkeln hin- und herrieb. Er fühlte sich unkonzentriert und fahrig. Lobato musterte ihn. »Jetzt machen Sie schon.«

»Was meinen Sie?«

»Rauchen Sie halt.«

»Danke.« Kieffer steckte sich eine Ducal an. Sofort wurde er ruhiger. »Vielleicht gibt es eine andere Erklärung für den Kameraausfall.«

Sie musterte ihn interessiert. »Und zwar?«

»Der EDV-Chef des Guide Gabin hat mir erzählt, jemand habe versucht, sich in sein Computersystem einzuklinken. Denken Sie außerdem an das verschlüsselte Tablet. Wenn hier ein Hacker am Werk ist, wäre es doch möglich, dass er den Kameracomputer manipuliert hat.«

Lobato nahm ihr Handy aus der Jackentasche. »Sie haben recht. Vielleicht sind die Bilder noch da.«

Kieffer verstand nicht ganz. »Aber wenn der Hacker die Fotos gelöscht hätte …«

Sie schüttelte den Kopf. »Wenn man Daten von einem Computer löscht, heißt das nicht unbedingt, dass sie für immer weg sind. Wenn Sie etwas in den Papierkorb auf dem Desktop ziehen, wird es nicht mehr angezeigt, ist aber immer noch irgendwo auf der Festplatte.«

»Würde ein Profihacker nicht dafür sorgen, dass die Daten unwiederbringlich weg sind?«

»Vermutlich.« Sie drückte auf die Schnellwahltaste. »Aber einen Versuch ist es wert.«

Lobato telefonierte. Sie bat einen Kollegen, den Brückenrechner einer erneuten Prüfung zu unterziehen und nach Hinweisen auf einen Hackerangriff sowie nach gelöschten Fotodateien zu suchen. Als sie fertig war, ging sie zur Tür. »Sie können jetzt gehen, Haer Kieffer. Aber wenn Ihnen«, sie zog die Augenbrauen zusammen, »eine Information über den Weg läuft oder Ihnen noch etwas einfällt, dann rufen Sie bitte sofort an.«

»Wen? Sie oder Ihren Kollegen Muller?«

»Rufen Sie mich an.«

»Dann ermitteln Sie also wieder wegen Mordes?«

»Aufgrund der Unregelmäßigkeiten mit der Kamera und den Drogenspuren, die wir in Kats' Körper gefunden haben, können wir Mord nicht mehr ausschließen.«

Lobato geleitete Kieffer zum Ausgang. Während sie mit dem Lift nach unten fuhren, sagte der Koch: »Es tut mir leid, wenn ich Ihnen Scherereien gemacht haben sollte.«

Die Kommissarin schaute ihn verwundert an. So viel Konzilianz schien sie nicht erwartet zu haben. Als sie an der Pforte angekommen waren, sagte sie: »Ich muss ohnehin in die Stadt. Kann ich Sie vielleicht ein Stück mitnehmen?«

Kieffer wertete das als Friedensangebot. »Gerne. Das ist sehr freundlich, Frau Kommissärin.«

Als sie den Parkplatz erreichten, bereute Kieffer, Lobatos Angebot angenommen zu haben. Die Kommissarin steuerte nicht auf einen Dienstwagen zu, sondern auf ihre rote Ducati. Kieffer hasste Motorräder. Er war der Ansicht, dass man sich auf zwei Rädern nicht schneller als fünfundzwanzig Stundenkilometer bewegen sollte, es sei denn, man hieß Andy Schleck und fuhr bei der Tour de France mit. Noch schlimmer als selbst zu fahren war es jedoch, auf dem Sozius zu sitzen. Man besaß keinerlei Kontrolle über das Fahrzeug und musste sich panisch am Fahrer festklammern, damit man nicht herunterfiel. Es war wahnsinnig gefährlich und außerdem fürchterlich entwürdigend.

»Haben Sie denn überhaupt einen zweiten Helm?«, fragte Kieffer. Vielleicht kam er so noch aus der Sache heraus.

»Sie können den von meinem Freund nehmen.« Lobato ging zu einem VW Golf, der einige Meter weiter parkte und entnahm dem Kofferraum einen schwarzen Integralhelm, auf dessen Scheitelpunkt eine grüne Irokesenbürste angebracht war. An den Seiten waren Totenköpfe aufgemalt. Kieffer nahm ihn. Er hörte, wie Lobato die Rennmaschine anwarf und sich ungeduldig umschaute. Der Koch strich mit der Handfläche über den Iro, dann stülpte er den Helm über seinen Kopf. Zumindest würde er als Punkrocker sterben.

Sie fädelten sich auf den Boulevard d'Avranches ein und fuhren in dem bereits dichten morgendlichen Berufsverkehr Richtung Innenstadt. Mit Kieffer auf dem Sozius fuhr Lobato zurückhaltender als bei ihrer ersten Begegnung, bei der sie ihn mit mindestens siebzig Stundenkilometern geschnitten hatte. Dennoch erforderte die Fahrt seine volle Konzentration. Er krallte sich an den Griffen des Sozius fest – Lobatos Hüften zu umschlingen erschien ihm ungebührlich. Kieffer fiel auf, dass die Polizistin während der Fahrt redete. Wegen des Helms konnte er jedoch kaum etwas verstehen. Bald merkte er, dass sie nicht mit ihm sprach, sondern offenbar eine Freisprechanlage im Helm hatte.

Als sie das Pétrusse-Viadukt überquerten, konnte Kieffer auf sein Wohnviertel hinunterschauen, das unten im Tal lag. Luftlinie war sein Wohnhaus wohl kaum mehr als zweihundert Meter entfernt. Er fragte sich, ob die Streifenwagen vor seiner Tür bereits verschwunden waren. In diesem Moment ging ein Ruck durch die Ducati. Kieffer spürte, wie sich sein Hintern vom Sozius hob. Er stemmte sich gegen die Haltegriffe, als das Motorrad einen Satz nach vorn machte und die Straße entlangschoss. Die Kommissarin lenkte die Maschine zwischen die beiden Spuren zähfließenden Verkehrs und raste, begleitet von etlichen Huptönen und Flüchen, den Boulevard Roosevelt entlang.

»Was ist denn los?«, rief Kieffer ihr zu, doch er erhielt keine Antwort. Vermutlich hatte sie ihn gar nicht gehört. Das Röhren der Rennmaschine war ohrenbetäubend.

Wohin fuhren sie? Es war offensichtlich, dass Lobato ihr Ziel geändert hatte. Sie hatten den Innenstadtring bereits verlassen und bewegten sich mit stark überhöhter Geschwindigkeit Richtung Norden. Am Kreisverkehr beim Glacis bog Lobato zum Kirchberg ab. Immer wieder vollführte sie gewagte Schlenker, um sich durch den Verkehr zu fädeln. Sie passierten das Bankenviertel. Kieffer hätte sich gerne bekreuzigt, stattdessen musste er sich festklammern. Erst als die Ducati vor einem in Kupfergold verspiegelten Bürogebäude zum Stehen kam, ließ er los und stieg ab. Seine Beine zitterten, unter seiner Lederjacke klebte das T-Shirt an seinem Rücken. Er nahm den Helm ab und schaute die Kommissarin an. »Was zum Teufel …«

»Ein Notfall, ich musste sofort hierher fahren. Der Sicherheitsdienst«, sie zeigte auf das Gebäude vor ihnen, »hat einen Einbruch gemeldet.«

Das Bürohaus gehörte zu einer aus mehreren Gebäuden bestehenden Anlage hinter dem eigentlichen Bankenviertel, beinahe schon am Flughafen. Es handelte sich um einen ziemlich hässlichen Zweckbau aus den Achtzigern. Man hatte anscheinend erst kürzlich versucht, ihm durch eine Fassadensanierung ein freundlicheres Aussehen zu geben. Der Versuch war gescheitert. In vier der fünf Stockwerke brannte Licht, das oberste war dunkel. Lobato lief auf das Gebäude zu, vor dem bereits ein Streifenwagen parkte. Kieffer folgte ihr. »Was haben Sie denn bitte mit einem Einbruch …«, seine Stimme erstarb, als sie am Eingang ankamen. Neben der Drehtür befand sich ein Firmenschild. Darauf stand: »Lityerses Investments.«

25

In der Lobby sprach Lobato mit der Empfangsdame, den Streifenpolizisten sowie einem Mann vom Sicherheitsdienst. Offenbar war der Alarm ausgelöst worden, als jemand versucht hatte, sich im Gebäude zu schaffen zu machen. Während die Kommissarin die Angestellten vernahm, traf ein weiterer Polizeiwagen ein, dem Rémy Muller entstieg. Kieffers Anwesenheit schien ihn zu irritieren, doch er sagte nichts. Stattdessen ging er auf Lobato zu.

»Wissen wir schon was, Joana?«

»Der Einbrecher muss über die Tiefgarage gekommen sein. Anscheinend ist er gestern Abend rein, hat sich dort versteckt und gewartet, bis Nacht war.«

Muller überlegte. »Und dann hat er den Aufzug zu den Büros genommen?«

Sie nickte. »Sieht so aus. Wenn man einmal drin ist, kommt man in diesem alten Gebäude problemlos in alle Etagen. Den Alarm hat er, das glaubt zumindest der Mann vom Sicherheitsdienst, deshalb nicht ausgelöst, als er eingebrochen ist.«

»Sondern?«, fragte Muller

»Sondern als er sich eine Zigarette angesteckt hat.« Sie deutete auf ein sehr großes Rauchverbotsschild, das in der Lobby hing. Neben Lobato baute sich ein kugelförmiger kleiner Mann in einem schlecht sitzenden dunkelblauen Anzug auf und nickte in die Runde. »Rizzoli von Secuwatch, guten Morgen«, sagte er in stark akzentuiertem Französisch. »Wir bewachen den gesamten Gebäudekomplex. In diesem Haus herrscht striktestes Rauchverbot. Überall sind hochsensible Rauchmelder installiert, wegen des Serverparks von Lityerses.«

»Vielleicht hat er daran nicht gedacht, oder er wusste es nicht«, sagte Lobato.

Muller runzelte die Stirn. »Würde ein Profi derart stümperhaft vorgehen?«

Die Inspektorin zuckte mit den Achseln. »Vermutlich nicht. Als er sich eine angesteckt hat, ging auf jeden Fall sofort das Gepiepe los. Dann musste er schnell weg und hat eine Fluchttür im Treppenhaus geöffnet. Dadurch ist dann der Gebäudealarm losgegangen.« Sie schaute den Sicherheitsmann an. »Korrekt, Monsieur Rizzoli?«

»Ja, Madame. Wenn er bis sieben Uhr gewartet hätte, wäre es ihm vielleicht möglich gewesen, unbemerkt durch die Tiefgarage zu entwischen, dann wird nämlich das Tor geöffnet.« Er machte sich noch einen Zentimeter größer. »Ich vermute, das war sein ursprünglicher Plan.«

Muller nahm einen schmalen Reporterblock aus der Hosentasche und notierte sich etwas. »Wann genau wurde denn der Alarm an dem Notausgang ausgelöst?«

»Gegen halb sechs, Commissaire.«

Muller und Lobato sahen einander an. Dann nahm der Kommissar einen der Streifenpolizisten zur Seite und flüsterte ihm etwas zu. Seine Miene verfinsterte sich. »Herr

Rizzoli, Sie haben die 113 gegen Viertel vor sieben angerufen. Das war mehr als eine Stunde danach. Warum?«

Der Sicherheitsmann schaute betreten zu Boden. Muller verlor die Geduld.

»Raus damit, Mann! Wieso rufen Sie uns erst an, wenn der Täter bereits über alle Berge ist?«

Rizzoli hatte zu schwitzen begonnen. »Es war nicht meine Schuld, Monsieur le Commissaire, das müssen Sie mir glauben. Ich bin ja nur der Wachmann. Die von Lityerses haben gesagt, man braucht die Polizei nicht zu rufen, weil der Einbrecher in keinem der vier Stockwerke, in denen Lityerses sitzt, in die Büros rein ist.«

»Und warum haben Sie es sich dann doch anders überlegt?«

Der Wachmann sah aus, als sei er den Tränen nahe. »Ich soll den Anordnungen der Mieter, also in diesem Gebäude Lityerses, Folge leisten. Aber wir bewachen den ganzen Komplex, und ich muss mich auch an das halten, was der Hausverwalter sagt. Als ich den anrief, war er wütend, dass die Polizei noch nicht da war. Denn ein Einbruch ist ein Versicherungsfall und muss umgehend gemeldet werden.«

In diesem Moment glitt die Tür des Fahrstuhls auf und zwei Männer traten heraus. Als Lobato die beiden sah, entfuhr ihr ein leises »fodes!« – Portugiesisch für »fuck«.

Kieffer war sich nicht sicher, welchem der Männer der Fluch galt. Sie sahen beide unerfreulich aus, jeder auf seine Weise. Der eine maß mindestens 1,90 Meter. Er hatte einen Meckischnitt, breite Schultern und ein Gesicht, das den Koch an eine Holzschnitzerei aus dem Erzgebirge erinnerte. Zu Hemd und Krawatte trug er einen ledernen Fliegerblouson, dessen Ärmel hochgekrempelt waren. Sein Begleiter war um die sechzig, und alles an ihm roch nach Anwalt: der gedeckte Dreiteiler, die streng zurückgekämmten Haare und die manikürten Finger, die einen Aktenordner umschlossen. Er lächelte wie jemand, der gleich eine Unterredung mit einigen äußerst begriffsstutzigen Individuen führen muss.

»Guten Morgen, die Herrschaften«, sagte er in geschliffenem, leicht wallonisch gefärbtem Französisch. »Mein Name ist Pierre Nothombe, ich bin der Anwalt von Lityerses Investments. Danke, dass Sie so schnell kommen konnten.«

»Moien«, sagte Lobato. »Wir wären noch viel schneller gekommen, wenn man uns zeitnah benachrichtigt hätte, Monsieur Nothombe.«

Sie spie den Namen förmlich aus. Kieffer wusste nun, wem der portugiesische Fluch gegolten hatte.

»Das tut mir außerordentlich leid«, sagte der noch immer stoisch lächelnde Nothombe. »Aber es ist ja nichts abhandengekommen. Herr Scholz«, er zeigte auf seinen Begleiter, »ist der Sicherheitschef von Melivia. Er muss gleich in einen wichtigen Conference Call, wird jedoch sicherlich später gerne Ihre Fragen beantworten.«

»Später?«, Lobato machte einen Schritt auf Nothombe zu und tippte mit dem Finger gegen dessen Revers. »Sie werden uns jetzt unverzüglich Rede und Antwort stehen!«

Muller legte eine Hand auf Lobatos Schulter. Nothombe lächelte immer noch, aber nicht mehr ganz so engagiert.

»Madame Inspecteur adjoint, ich muss mich doch sehr über Ihren Tonfall wundern. Er ist gänzlich unangemessen. Leider nicht zum ersten Mal. Ich werde später mit Directeur Manderscheid darüber sprechen.«

»Erzählen Sie Manderscheid was Sie wollen«, knurrte Lobato. »Ihre Firma, und insbesondere Ihr Sicherheitschef stehen unter dem dringenden Verdacht, die Ermittlungen in der Mordsache Kats zu behindern.«

Nothombes Lächeln verschwand. »Mordsache? Nach meinen Informationen ...«

Nun war es an Lobato, zu lächeln. »Ihre Informationen sind veraltet. Die Ermittlungen wurden wieder aufgenommen. Dazu habe ich dringende Fragen an Ihren Klienten Herrn Scholz.«

Statt Nothombes Antwort abzuwarten, baute sie sich vor Lityerses' Sicherheitschef auf. »Wo waren Sie in der Nacht vom vorletzten Samstag auf Sonntag, zwischen zehn und vier Uhr?«

»Sie müssen das nicht beantworten«, sagte Nothombe.

Scholz machte eine beschwichtigende Handbewegung. »Ist schon gut. Mein Französisch ist sehr schlecht«, sagte er in sehr schlechtem Französisch. Dann fuhr er auf Deutsch fort: »Ich war den ganzen Abend in Weggis, am Melivia-Firmensitz, danach bis halb zwei beim Krafttraining. Dafür gibt es etliche Zeugen. Ich bin erst seit gestern hier.«

»Warum?«

»Routinebesuch.«

»Kennen Sie einen Fernand Kampff, Herr Scholz?«

Der Deutsche schaute nach oben, als bereite ihm die Erinnerung Schwierigkeiten. »Hmmm, ja, warten Sie. Ich meine, dass er ein Luxemburger Privatdetektiv ist, der eine Zeit lang für uns gearbeitet hat.«

»Seit wann nicht mehr?«

»Müsste ich nachprüfen lassen. Unsere Sicherheitsabteilung hat mehr als achtzig Mitarbeiter, dazu kommen über zweihundert Freelancer.«

»Ich hoffe für Sie, dass er zum Zeitpunkt von Kats' Tod nicht mehr bei Ihnen beschäftigt war. Da wurde er nämlich in der Nähe der Roten Brücke gesehen«, sagte Lobato.

Kieffer öffnete den Mund, dann schloss er ihn wieder. Das war eine Information, die Lobato ihm bisher vorenthalten hatte. Scholz schaute hilfesuchend seinen Anwalt an.

»Außerdem haben wir inzwischen Hinweise, dass Kats Ihnen bei seinem Abgang Daten entwendet hat«, warf Muller ein.

Lobato schaute Scholz direkt in die Augen. »Wertvolle Daten. So etwas nennt man ein Motiv.«

Nothombe begann zu lachen. »Nein, Madame, so etwas nennt man einen Bluff. Das ist lächerlich. Ich kann Ihnen versichern, dass Melivia und seine Angestellten nichts mit Kats' äußerst bedauerlichem Hinschied zu tun haben. Ferner ist uns nichts gestohlen worden. Das habe ich doch bereits neulich zu Protokoll gegeben, und«, Nothombe machte eine Kunstpause, »ich habe es auch Directeur Manderscheid sowie dem Staatsanwalt gesagt. Diese haltlosen Verdächtigungen und Unterstellungen gehen entschieden zu weit, und ich verwahre mich im Namen meines Mandanten dagegen. Falls Sie weitere Fragen an Herrn Scholz oder andere Melivia-Mitarbeiter haben sollten, können wir gerne einen Termin auf dem Präsidium vereinbaren.«

»Sie werden jetzt nicht einfach verschwinden«, bellte Lobato. »Erst zeigen Sie uns die Büros.«

Nothombe lächelte nun wieder. »In Lityerses' Büros wurde nicht eingebrochen. Wir besitzen ein von Secuwatch unabhängiges Überwachungssystem, und ich kann Ihnen versichern, dass es nicht kompromittiert wurde.

Deshalb muss ich Ihr Ansinnen leider ablehnen. Den Rest des Gebäudes können Sie natürlich nach Herzenslust besichtigen. Herr Rizzoli führt Sie sicherlich gerne herum.«

»Nothombe, das ...«

Der Anwalt hob abwehrend die Hand und schüttelte mit gespieltem Bedauern den Kopf. »Für alles Weitere sollten Sie sich einen Durchsuchungsbefehl besorgen. Dazu müssen Sie dem Richter lediglich erklären, warum es notwendig sein sollte, den guten Ruf eines unbescholtenen, multinationalen Unternehmens in den Dreck zu ziehen – nur weil irgendein Drogensüchtiger vom Hauptbahnhof hier eingebrochen ist. Ich wünsche Ihnen einen schönen Tag.«

Nothombe machte auf dem Absatz kehrt und gab Scholz ein Zeichen. Dann verschwanden beide im Lift und ließen Kieffer und die Kommissare in der Lobby stehen.

»Das war nicht sehr klug, Joana«, sagte Muller leise.

»Dieser Nothombe ist ein widerlicher Schleimbeutel! Der schmierigste Anwalt von ganz Luxemburg. Ist dir klar, wen der sonst noch so vertritt?«

Muller atmete hörbar aus. »Ich bin hier der Wirtschaftsermittler, und du musst mir verdäiwelt nammel nicht erzählen, wie windig der Typ ist. Aber er ist leider auch ziemlich gut. Wir hätten anders vorgehen sollen.«

Lobato erwiderte nichts, sondern schaute lediglich trotzig. Muller schüttelte den Kopf und ging einige Meter weiter, wo er noch einige Sätze mit Rizzoli wechselte. Kieffer holte sein Ducal-Päckchen aus der Jackentasche und begann, es mit den Fingern zu kneten. Er überlegte, wie er am besten nach Hause käme. Auf einen weiteren Höllenritt auf Lobatos übermotorisiertem Hobel hatte er wenig Lust, weswegen er erwog, ein Taxi zu bestellen. Bevor er jedoch der Kommissarin diese Überlegung mitteilen konnte, klingelte deren Handy.

»Lobato. Chef, was …«, weiter kam sie nicht. Kieffer konnte nicht genau verstehen, was der Anrufer sagte, aber er erkannte die Stimme. Sie gehörte Didier Manderscheid. Der Polizeidirektor brüllte, er schrie so laut, dass man ihn noch in zwei Metern Entfernung von Lobatos Telefon problemlos hören konnte. Der Koch sah, wie die junge Kommissarin bleich wurde. Dann sagte sie: »Chef, aber es schien mir eindeutig, dass …«, erneut schnitt ihr Manderscheid das Wort ab und überzog sie mit einer weiteren Tirade. Dann legte er auf. Muller trat heran, legte Lobato väterlich die Hand auf die Schulter und sprach leise mit ihr. Sie nickte, dann schniefte sie. Der Kommissar tätschelte ihr den Arm. Dann kam er zu Kieffer herüber. »Soll ich Sie bei Ihrem Restaurant absetzen? Meine Kollegin ist … verhindert.«

»Ja, danke, Kommissär.«

Er verabschiedete sich von Lobato, die ihn jedoch kaum wahrzunehmen schien. Dann ging er mit Muller zum Parkplatz, stieg in dessen Mercedes und ließ sich von ihm nach Clausen fahren.

»Was ist passiert?«, fragte Kieffer.

»Manderscheid«, antwortete Muller »ist passiert.«

»Ich kenne ihn von einer anderen Geschichte«, sagte Kieffer vorsichtig. »Er ist nicht ganz einfach, oder?«

»Mag sein«, brummte Muller. »Aber in diesem Fall hat er leider recht.«

»Inwiefern?«

Der Kommissar stieß eine lautlose Verwünschung aus, als ihm auf der Avenue Kennedy ein französischer Laster die Vorfahrt nahm. »Wissen Sie, wer Pierre Nothombe ist?«

»Erst seit wenigen Minuten.«

»Er ist ein belgischer Wirtschaftsanwalt. Die unangenehme Sorte, jene Art, die Firmen auffahren, wenn es etwas zu vertuschen gibt. Ein Widerling, aber ein brillanter Widerling. Hat meiner Abteilung bereits mehr Fälle kaputt gemacht, als ich Finger besitze.«

»Und nun vertritt er Melivia. Heißt das, dass die Schweizer auch etwas zu verbergen haben?«

»Das ist offensichtlich. Aber nun hat sich Nothombe bei Manderscheid beschwert. Damit ist alles im Eimer.«

»Sie meinen, Manderscheid ist sein Kumpel und deckt ihn?«

»Zakkerdjèss, nein! Manderscheid kann Nothombe nicht ausstehen.«

Kieffer runzelte die Stirn. »Das verstehe ich nicht.«

Sie waren inzwischen am »Deux Eglises« angekommen. Muller fuhr an dem Restaurantschild mit den beiden blauen Laternen vorbei in die Einfahrt, bremste und drehte sich zu Kieffer um. »Haer Kieffer, es kann ja sein, dass Sie unseren Direktor nicht leiden können. Willkommen im Club. Aber er ist auf seine Weise ein guter Polizist. Und er ist genau wie ich lange genug dabei, um zu wissen, dass es nur sehr, sehr selten vorkommt, dass man einen Konzern von Melivias Kaliber wegen eines Kapitalverbrechens drankriegt. Mord, Kursmanipulation im großen Stil, Raubüberfälle sollte man einem börsennotierten Unternehmen so etwas nachweisen können, wäre das für einen Kriminaler wie ein Sechser im Lotto.«

Kieffer sagte nichts, sondern schaute Muller nur auffordernd an.

»Das hier hätte – vielleicht – so ein Fall sein können. Aber jetzt hat die ermittelnde Kommissarin den Anwalt der Gegenseite vor Zeugen bedroht, man könnte sogar sagen: körperlich bedrängt.«

»Sie hat ihm doch nur ans Revers getippt.«

Muller hob die Hände. »Wir sind hier aber bei der Police Grand-Ducale und nicht bei ›NYPD Blue‹. Spätestens vor Gericht wird das alles zur Sprache kommen. Nothombe wird ein Bild von voreingenommenen übereifrigen Ermittlern zeichnen, die nicht einmal davor zurückschrecken, einen Anwalt unter Druck zu setzen, der lediglich seinen Job macht. Und den Medien wird er die Geschichte natürlich auch stecken. Ich höre förmlich, wie der Staatsanwalt vor Wut seinen Kopf auf die Tischkante schlägt. Der Übereifer der Kollegin könnte alles ruinieren. Und damit das nicht geschieht, hat Manderscheid sie von dem Fall abgezogen, obwohl das die Aufklärungschancen nicht gerade erhöht. Aber er hatte keine Wahl.«

Kieffer war verblüfft. Ihm hatte Lobatos forsches Vorgehen imponiert, Muller war ihm bislang eher als lahmer Verwaltungshengst erschienen, der die Ermittlungen verschleppte. Aber möglicherweise hatte der Kommissar recht. Wenn man sich mit einem gerissenen Großkonzern wie Melivia anlegte, benötigte man Fingerspitzengefühl.

»Und jetzt muss ich los. Wenn Ihnen noch etwas einfällt, dann rufen Sie mich an.« Er gab Kieffer seine Visitenkarte. Der Koch bedankte sich, stieg aus und sah zu, wie Muller wegfuhr. Dann zündete er sich eine Ducal an und ging ins Restaurant. Er musste sich eine Übersicht über das Chaos verschaffen, das die Polizei angerichtet hatte. Seine Souschefin hatte er bereits angerufen und gebeten, früher als sonst ins Lokal zu kommen, damit sie klar Schiff machen konnten. Dennoch sah vor allem sein Büro aus, als ob darin ein Panzer gewendet hätte. Die Küche hingegen hatte Claudine bereits wieder halbwegs auf Vordermann gebracht – offenbar hatte Lobato ihre Drohung, sämtliche Armaturen auseinanderzunehmen, nicht wahr gemacht.

Kieffer begrüßte seine Kollegin. »Moien. Werden wir nachher öffnen können?«

»Moien, Xavier. Ja, ich denke schon. Allerdings wird es mindestens zwei Tage dauern, bis alles wieder an seinem Platz steht, die haben hier ziemlich gewütet. Deshalb kann man nur hoffen, dass es nachher nicht allzu voll wird.«

Er nickte und begutachtete die Küchenposten von Gardemanger, Entremetier, Saucier und so fort. Um eine große Zahl von Menschen in kürzester Zeit zu verköstigen, war eine reibungslose Küchenorganisation das Allerwichtigste. Vor allem musste die mise en place stimmen, die Vorbereitung der wichtigsten Zutaten und deren korrekte Platzierung an den Arbeitsplätzen, den Posten. Ansonsten geriet man binnen kürzester Zeit in Rücklage und alles flog einem um die Ohren. Kieffer begann damit, einige Bottiche mit Semmelbröseln, Kräutern und eingelegtem Knoblauch, die neben dem Küchenaufzug standen, zurück an ihre angestammten Plätze zu bringen. Dann schaute er nach, ob die Fonds noch dort waren, wo sie hingehörten und half Claudine, die Speisekammer aufzuräumen.

»Kannst du nachher zur Schueberfouer fahren, Claudine? Ich würde heute gerne das ›Eglises‹ machen.«

»Okay, Xavier. Fände ich auch ganz gut. Die Jungs fragen schon, wo du die ganze Zeit steckst.«

Sie sagte es in einer netten Art, aber Kieffer hörte den Vorwurf dennoch heraus. Er musste sich wieder mehr um seine Kallefsbrëschtchen und Paschtéitchen kümmern und weniger um rätselhafte Algorithmen und Tabletcomputer. Er sprach mit dem gerade eingetrudelten Vorbereitungskoch die Tagesgerichte durch und ging hinunter ins Büro. Dort setzte Kieffer sich zwischen die auf fast allen freien Flächen und dem Boden liegenden Aktenordner. Die Geschichte mit Kats, dessen war er sich nun sicher, war eine verdammte Sackgasse. Ihm fehlte entweder der Grips oder das Know-how, um jene Rätsel zu lösen, die der verschrobene Mathematiker hinterlassen hatte. Und die Luxemburger Polizei hatte sich, wenn man Muller glaubte, durch Lobatos allzu forsches Vorgehen um die Möglichkeit gebracht, den Fall doch noch aufzuklären. Kieffer vermutete, dass Scholz inzwischen längst an einem Gate in Findel saß, darauf wartend, die nächste Luxair-Maschine nach Zürich zu besteigen. Verräterische Spuren in Lityerses Büros oder Melivias Computersystem würde der Sicherheitschef vermutlich unauffällig beseitigen lassen.

Er zündete sich eine Zigarette an. War Scholz derselbe Mann, der Valérie am Telefon gedroht hatte? War er es gewesen, der sie in Paris auf offener Straße ausgeraubt hatte? Kieffer hielt das für denkbar. Aber wie sollte man es beweisen? Er hatte keine Ideen mehr. Kurz spielte er mit dem Gedanken, Valérie anzurufen, aber die Türglocke hielt ihn davon ab. Kieffer lugte durch die Bürotür ins Restaurant und sah eine Gruppe von zehn Geschäftsleuten, die gerade hereingekommen waren. Sein Bauch sagte ihm, dass die Neuankömmlinge jene Art von Kunden waren, die schon mittags ein mehrgängiges Menü essen wollten. Valérie würde warten müssen.

26

Nachdem sie die Businesskundschaft abgefüttert hatten, lief es den Rest des Tages ruhiger als erwartet. Das »Deux Eglises« war nur spärlich besetzt, Kieffer blieb sogar Zeit, einige aufwendigere Spezialitäten für die kommenden Tage vorzubereiten. Er füllte einige Emailleformen mit Graffe Pati, einer Luxemburger Leberterrine, und stellte sie im Ofen ins Wasserbad. Danach legte er mehrere Stücke Rinderschulter zusammen mit Lauch, Lorbeer, Möhren und Wein in einen großen Steintopf und schleppte ihn in die Kühlkammer. Dort würden die Fleischstücke die kommenden Tage verbringen, bevor Kieffer sie am Wochenende in Biwwelamoud verwandelte, oder wie die Franzosen sagten: bœuf à la mode.

Gegen zehn Uhr ebbten die Bestellungen vollends ab. Vermutlich waren viele seiner Stammgäste auf der Fouer. Außerdem tagte das EU-Parlament. Immer, wenn die Abgeordneten zu einer Plenarsitzung in Straßburg zusammenkamen, leerten sich die Luxemburger Büros des EU-Recherche- und Übersetzungsdienstes und mit ihnen Kieffers Restaurant. Die Spesenritter tafelten diese Woche im Elsass, nur Pekka Vatanen war irgendwie hängen geblieben, er saß wie immer auf seinem Hocker an Kieffers Bar und schlotzte ein Glas Rivaner nach dem anderen in sich hinein. Als sich der Koch gegen halb elf zu seinem Freund gesellte, hatte der Finne bereits die zweite Flasche Coteaux de Remich in Angriff genommen.

Damit sie nicht hungern mussten, hatte er aus der Küche einen großen Teller voller Friture de la Moselle mitgebracht – kleine, in Teig ausfrittierte Flussfischchen, die man im Ganzen aß. Erfreut griff Vatanen zu. Erst, als sie einige der Fischchen verknuspert hatten, begann Kieffer seinem Freund zu erzählen, was in dem Lityerses-Gebäude vorgefallen war.

»Diese Jungs sind aalglatt, Leibkoch. Ich bin mir ziemlich sicher, dass das, was auch immer sie genau getan haben, nie herauskommen wird.«

Kieffer griff sich noch einen Fisch und träufelte etwas Zitronensaft darüber. »Leider hast du wahrscheinlich recht. Ein Konzern, der in Südamerika Gewerkschafter und Oppositionelle abmurkst, kann vermutlich auch einen seiner europäischen Exangestellten verschwinden lassen, ohne dass es sich nachweisen lässt.«

Vatanen schenkte sich nach und goss auch Kieffer einige Fingerbreit ins Glas. »Wenn sie es waren. Das ist doch keineswegs ausgemacht, oder? Vielleicht ist Kats auch gesprungen.«

»Mein Gefühl sagt mir etwas anderes. Aber jetzt«, Kieffer legte seine Hände auf den Tresen, »gehe ich nach Hause. Die restliche Friture hast du ganz allein für dich.«

Der Finne musterte ihn misstrauisch. »Du hast doch noch irgendwas vor, Küchenmeisterdetektiv. Kleiner Einbruch bei Lityerses? Konspiratives Treffen mit dieser Kommissarin?«

Er kicherte anzüglich. »Sieht sie eigentlich gut aus? So eine Motorradbraut, also ich meine ...«

Kieffer schüttelte den Kopf. »Mein Typ wäre sie nicht. Und ich habe überhaupt nichts vor, ich bin einfach nur todmüde. Außerdem habe ich wegen diesem Mist bereits mehrere Spiele verpasst. Ich werde mich deshalb heute Abend mit einigen Fläschchen Bier aufs Sofa setzen und mir die Zusammenfassung angucken. Und dann gute Nacht.«

Der Finne zog leicht angewidert die Mundwinkel nach unten. »Fußball. Wie uninteressant. Spielen die Luxemburger etwa bei irgendeinem Pokal mit? Das hätte doch sogar ein Fußballhasser wie ich mitbekommen müssen, eure Zeitungen wären randvoll davon gewesen.«

Vatanen spielte auf den Umstand an, dass die Luxemburger Nationalmannschaft nur sporadisch an internationalen Wettbewerben teilnahm, weil sie in der Regel bereits vor der Vorrunde ausschied. Der fußballbegeisterte Koch erinnerte sich mit Grauen an die Achtzigerjahre, als die Roten Löwen über dreißig Begegnungen in Folge verloren. Als Luxemburg vor einigen Jahren ein WM-Qualifikationsspiel gegen die Schweiz mit Hängen und Würgen gewonnen hatte, war im ganzen Land Jubel ausgebrochen. Trotzdem liebte er seine Mannschaft. Um sich das eine oder andere zusätzliche Erfolgserlebnis zu verschaffen und weil er mehrere Jahre in Paris gewohnt hatte, verfolgte Kieffer außerdem seit Längerem die Spiele von Saint-Germain. Allerdings war auch das in den vergangenen Jahren nicht immer eine Freude gewesen.

»Luxemburg hat nichts gewonnen«, beantwortete er die Frage seines Freundes. »Ich gucke mir PSG an.« Dann füllte er noch etwas frisches Eis in den Kühler von Vatanens Weißweinflasche. »Bis morgen, Pekka.«

Kieffer verabschiedete sich und verließ das »Deux Eglises«. Da sein Wagen immer noch vor seinem Haus in Grund parkte, ging er zu Fuß. Während Ortsunkundige aufgrund der außergewöhnlichen Topografie Luxemburgs vor allem in der Unterstadt immer wieder buchstäblich vor die Wand liefen, kannte Kieffer jeden Schleichweg. Sein liebster führte von seinem Restaurant in Clausen nach Hause. Zunächst spazierte er die leicht abschüssige Rue Wilhelm hinab, in Richtung Clausener Zentrum. Statt, wie die meisten Leute, die Rue de la Tour Jacob nach Grund zu nehmen, wählte Kieffer den schmalen Fußweg, der hinter den Rives de Clausen direkt am Fluss entlangführte. Er lief unter der hohen Eisenbahnbrücke hindurch, welche die ville basse überspannte und gelangte zu den Resten der alten Befestigungsanlage, die quer durch das Alzette-Tal lief. Über einen Wehrgang gelangte er zur Abbaye de Neumünster und durchquerte deren Innenhof. Nachdem Kieffer einen weiteren Torbogen durchschritten hatte, kam er in einer kleinen Altstadtgasse heraus. Nun musste er nur noch die steinerne Alzette-Brücke überqueren, von der er bereits als kleiner Junge Papierschiffchen und Holzstücke in den Fluss geworfen hatte, um in die Tilleschgass zu gelangen.

Zu Hause angekommen entnahm Kieffer dem Kühlschrank eine Flasche Bofferding und fläzte sich in seinen Fernsehsessel. Das Spiel von PSG war bereits gelaufen, aber er hatte es aufgenommen. Anscheinend war jedoch irgendetwas schiefgegangen, denn als er auf Play drückte, begann der Videorekorder statt des Fußballspiels eine Dokumentation über Weinbergschnecken abzuspielen. Fluchend spulte Kieffer vor, die Schnecken flitzten über die Reben, dann flackerte grelle Werbung über den Schirm, gefolgt von irgendwelchen Trailern. Ungeduldig hielt er die Vorspultaste der Fernbedienung gedrückt. Gleich musste das Spiel starten. Doch statt Saint-Germain folgte eine Kochshow mit Josef Schörglhuber. Der beschleunigte Bayer raste durch eine Showküche und begutachtete anscheinend Speisen, die mehrere Jungköche an ihren Posten zusammenbrutzelten. Kieffer drückte auf Play. Schörglhuber bremste ab und beugte sich gemächlich über einen Teller. »Des schaugt ja aus wia Kraut und Rübn«, nörgelte er. Der Sternekoch führte einen Löffel zum Mund und schmatzte ungehalten. »Und schmecka duats wia eingschlafene Fiaß.«

Kieffer schaltete den Fernseher aus, holte sich zwei weitere Flaschen Bier aus dem Kühlschrank und ging in den Garten. Der letzte Rest sommerlichen Lichts war verschwunden, was ihn aber nicht störte. Völlig dunkel wurde es hier unten ohnehin nicht, dafür sorgten jene Flutlichter, die den Bockfelsen und die nahe gelegene Münsterabtei die ganze Nacht über beleuchteten. Nachdem Schörglhuber und die Schnecken seinen Fernsehabend ruiniert hatten, würde er stattdessen einfach einige Ducal rauchen und Bofferding trinken, bis er die notwendige Bettschwere erreicht hatte. Kieffer lief den schmalen Gartenweg bis zur Alzette hinunter, um es sich in einem der Deckchairs in seiner Laube bequem zu machen. Als er dort ankam, bemerkte er, dass in einem der Stühle bereits ein Mann saß. Er hatte Kieffer den Kopf zugewandt und schien auf ihn gewartet zu haben.

»Guten Abend, Mister«, sagte der Mann auf Englisch. »Es wird Zeit, dass wir reden.« Dann stand er auf und trat in den Lichtschein. Es war Aron Kats.

27

Bei dem Mann, der vor Kieffer stand, handelte es sich ohne Zweifel um Kats, auch wenn sich der Mathematiker seit ihrer Begegnung auf der Schobermesse vor anderthalb Wochen deutlich verändert hatte. Seine Haare schienen kürzer, zudem trug er nun einen stoppeligen, bräunlichen Bart. Kats' Outfit war ebenfalls modischer geworden, es bestand aus einer verwaschenen Jeans und einem schwarzen Rollkragenpulli. Das John-Lennon-Brillengestell war verschwunden und durch eine randlose Designerbrille mit bläulich getönten Gläsern ersetzt worden.

»Herr Kats?«, stammelte Kieffer.

Der Mann lächelte dünn. »Ja. Aber nicht der, der Sie denken. Setzen Sie sich, dann werde ich es Ihnen erklären. Sie vor allen anderen haben ein Recht darauf, alles zu erfahren.«

Kieffer ließ sich in einen der Liegestühle sinken. Er war sprachlos. Da ihm nichts Intelligenteres einfiel, fragte er: »Wollen Sie vielleicht ein Bier?«

Dann fiel ihm wieder ein, dass der US-Russe ja Abstinenzler war. Aber der Mann, der wie Aron Kats aussah, antwortete: »Ja, gerne. Danke«, und nahm das Bofferding entgegen. Aus seiner Hosentasche zog er ein Feuerzeug und hebelte damit routiniert den Kronenkorken hoch. Dann holte er zu Kieffers Überraschung eine Packung Marlboro hervor und zündete sich eine Zigarette an.

»Mein Name ist Efim Kats. Ich bin Arons Zwillingsbruder.« Sein Gesichtsausdruck verriet, dass es ihm Mühe bereitete, den Namen des Toten auszusprechen. »Wir wollten zusammen Melivia fertigmachen. Mein Bruder hatte einen Plan, einen ebenso brillanten wie komplexen Plan, so wie man es von Aron erwarten konnte. Aber dann ging alles schief.«

»Sie wollten Melivias Algorithmen für den Rohstoffhandel stehlen.«

Kats lachte leise. »Wir wollten viel mehr als das. Und wir glaubten, dass uns niemand aufhalten könne – uns! Kastor und Pollux!« Seine Miene verfinsterte sich. »Nun ist nur noch Kastor übrig.«

»Hat Melivia Ihren Bruder ermorden lassen?«

»Ja. Mister, diese Kerle sind zu allem fähig. Besonders dieser Scholz. Ex-NVA-Offizier, Spezialeinheit. Wussten Sie, dass er früher für den Sohn Saddam Husseins gearbeitet hat? Und für Kim Jong Il?«

Kieffer konnte spüren, wie sich seine Nackenhaare aufrichteten. »Mein Gott, nein.«

»Ich habe alles zu diesem Konzern recherchiert. Die haben Hunderte, nein, Tausende Menschenleben auf dem Gewissen. Sie sichern sich die Rohstoffe, die sie verkaufen, mit unerbittlicher Härte. Ob Gas, Kupfer oder Nahrungsmittel – diese Typen schrecken vor nichts zurück. Routinemäßig legen sie sich mit Diktatoren und Despoten ins Bett. Und sobald sie die Kontrolle haben, treiben sie die Preise künstlich in die Höhe, um noch mehr Profit zu machen. Wie viele Menschen wegen dieser Geschäfte bereits verhungert sind, weiß niemand.«

»Aber wieso hat Ihr Bruder dann für diese Leute gearbeitet?«

Kats knibbelte am Etikett der Flasche. »Wie ich bereits sagte, hatten wir einen Plan, einen langfristigen Plan, seit mehreren Jahren bereits. Und deshalb haben wir Aron dort eingeschleust, als Agent hinter den feindlichen Linien gewissermaßen.«

»Warum er und nicht Sie?«

Wieder lachte er. Es klang freudlos. »Weil ich der dumme Bruder bin. Nun, das ist vielleicht etwas übertrieben. Mein IQ liegt bei hunderteinundzwanzig. Aber Arons betrug hundertsechsundsechzig. Als er drei war, hat er bereits wiederkehrende Zahlenfolgen auf seinen Malblock gekritzelt. Mit viereinhalb begann er, sich durch die umfangreiche Büchersammlung unseres Vaters zu fressen und danach durch die Saltykow-Schtschedrin-Nationalbibliothek. Das war noch in Leningrad, also Sankt Petersburg, bevor wir nach Amerika emigriert sind. Aron lebte in einer völlig anderen Welt, einer mathematischen Welt.«

»Ich habe gehört, er sei ein Synästhetiker gewesen.«

»Das stimmt. Ich könnte Ihnen für jede Zahl zwischen Eins und Hundert sagen, welche Farbe, Form und Textur sie Aron zufolge hatte. Er sah die Dinge anders als andere Menschen. Trotzdem, oder vielleicht gerade deshalb, waren wir unzertrennlich. Wir liebten die gleichen Dinge. Die griechische Antike zum Beispiel.« Efim Kats wischte sich eine Träne aus dem Auge. »Kennen Sie den Film ›Kampf der Titanen‹?«

»Ich fürchte nein.«

»So ein alter Hollywood-Kostümschinken, wir liebten ihn. Besonders die Szene, wo sich die Götter auf dem Olymp versammeln. Sie waren fürchterlich schlecht kostümiert, mit angeklebten goldenen Rauschebärten. Aber das haben wir damals natürlich noch nicht bemerkt. Und die Götter schauen hinunter auf eine Miniaturlandschaft, sie können von da oben die gesamte Welt erfassen. Immer, wenn der Film zu Ende war – wir müssen ihn mindestens fünfzigmal gesehen haben – sagte mein Bruder: ›Wenn ich groß bin, dann werde ich auch verstehen, wie die Welt funktioniert‹.«

Er schaute Kieffer an. »Zumindest einen Ausschnitt hat er erfassen können. Aron kannte die Wahrheit.«

»Die Wahrheit dieser Quant-Mathematiker, meinen Sie?«

»Sie denken sicherlich, wir hätten diese Algorithmen gestohlen, um uns zu bereichern. Aber Aron ging es nie ums Geld. Er wollte nur verstehen, wie der Markt funktioniert, er wollte ihn vollständig modellieren, in Gänze auf eine Festplatte bannen, mit seinen Algorithmen und Formeln. Und er hat es geschafft. Zum Schluss besaß er tatsächlich die Wahrheit, auch wenn sie anders aussah, als er sich das wohl ursprünglich vorgestellt hatte.«

»Sie meinen diese gehackte Börsensoftware auf dem Tablet?«

Efim Kats schüttelte kaum merklich den Kopf. »›Soft Red Winter‹ war nur ein kleiner Probelauf für etwas viel Größeres. Wissen Sie, Mister, mit dieser Quant-Wahrheit ist es so eine Sache. Der globale Finanzmarkt ist ein so vielschichtiges und chaotisches Gebilde, dass es schwierig ist, ihn vollständig in Computeralgorithmen darzustellen. Aron und ich haben uns auch deshalb für den

Rohstoffmarkt entschieden, weil der kleiner und überschaubarer ist als der Aktienmarkt. Dennoch erwies sich die Sache als mathematisch unlösbares Problem. Zu viele Variablen, zu viele Unbekannte, haufenweise verdeckte Markov-Prozesse. Selbst ein Superhirn wie mein Bruder kam nicht vollständig dahinter. Sicher, sein partielles Erklärungsmodell hat ausgereicht, um einen Haufen Geld zu verdienen. Aber das war es ja nicht, was er wollte. Er wollte es ganz verstehen. Also haben wir einen anderen Weg gewählt, um diesen Stein der Weisen zu finden.«

Er blickte auf. »Wir haben ihn uns zusammengeklaut.«

»Sie haben die Algorithmen mehrerer Firmen gestohlen.«

»Ja, das stimmt. Fünfundachtzig Prozent aller an der CBOT gehandelten Weizenkontrakte werden inzwischen über Enlightment, Silverstein, Melivia oder deren Stellvertreter abgewickelt. Bei Hopfen sind es siebenundachtzig Prozent, bei Soja fast neunzig. Alle diese Aufträge werden von Handelscomputern der drei Firmen auf Basis von Algorithmen abgewickelt, ohne menschliches Zutun. Wenn Sie die Modelle der drei Firmen im Detail kennen und deren komplette Programmcodes miteinander verknüpfen, können Sie daraus ein universales Modell bauen. Dann wissen Sie genau, wie der Rohstoffmarkt funktioniert, denn diese drei *sind* der Markt.«

Er zündete sich eine weitere Marlboro an. »Wir haben die Realität also nicht mithilfe der Mathematik abgebildet – wir haben sie stattdessen selbst gestrickt«, fuhr Kats fort. »Statt zu versuchen, die unbekannte Marktmaschinerie durch Betrachtung von außen zu verstehen, haben wir uns die Maschine einfach selbst gebaut. Philosophisch ist das ganz interessant, nicht wahr? Als wir alle gestohlenen Programmcodes zusammengeführt hatten, konnten wir genau nachvollziehen, warum etwa der Computer von Silverstein bei einem bestimmten Preisniveau Weizen abstößt oder zukauft. Damit konnten wir die Kursbewegungen vorhersagen – und sie auch manipulieren.«

»Und das war die Idee Ihres Bruders?«

»Auch meine. Aron war zwar viel intelligenter als ich, aber er versuchte das Problem eben so zu lösen, wie er alles löste: mit Mathematik. Mir hingegen war früh klar, dass man den Stein der Weisen, so es ihn denn gibt, nicht mithilfe von Regressionsgleichungen bekommt. Sondern nur, indem man beherzt und ohne Skrupel zugreift.«

Er nahm einen großen Schluck von seinem Bier. »Es gibt Dinge auf der Welt, die kriegt man nur, wenn man die Regeln bricht.«

»Und mit diesem Stein der Weisen, dieser Quant-Wahrheit, da wollten sie Melivia in die Knie zwingen?«, fragte Kieffer.

»Ich will es immer noch. Nun erst recht, um Aron zu rächen. Aber ich kann es nur, wenn Sie mir dabei helfen.«

»Wie könnte ich Ihnen helfen?«

»Aron und ich wollten sichergehen, dass niemand unsere Codes entschlüsseln kann, dass niemand die Formeln in die Finger bekommt. Was Ihr Kumpel Sundergaard mit unserem Tablet angestellt hat, ist nämlich harmlos gegen das, was man mit dem kompletten Modell anrichten könnte. Der gesamte Markt läge einem zu Füßen. Außerdem war geplant, dass Aron sich nach Südamerika absetzt, während ich hier den zweiten Teil unseres Plans umsetze. Wir wussten ja, wozu Melivia fähig ist. Deshalb hat er mir die notwendigen Informationen auf einer Keycard hinterlassen. Aber dann hat Scholz, dieses Schwein, ihn von seinen Bluthunden jagen und von der Brücke werfen lassen. Und die Keycard ist bei Ihnen gelandet. Sie haben die Voicebox abgehört, Mister. Sie besitzen die Schlüssel.«

»Die Nachricht auf der Box war sehr kryptisch. Ich bin ehrlich gesagt nicht dahintergekommen.«

»Vermutlich war sie so strukturiert, dass nur ich sie verstehen kann. Es sind vier Schlüssel, richtig?«

Kieffer nickte, aber er sagte nichts. In seinem Bauch rumorte es, und er wusste nicht, warum. Weil er dieser redegewandten Version von Aron Kats nicht traute? Oder weil er keine Lust hatte, noch tiefer in die Sache hineingezogen zu werden? Sein Zögern sprach offensichtlich Bände, denn Kats sagte: »Sie trauen mir nicht. Nein, nein, sagen Sie nichts. Ich verstehe, wie bizarr das alles auf Sie wirken muss. Und möglicherweise haben Sie gewisse Dinge über mich gehört.«

»Wie zum Beispiel?«

»Ich weiß, dass die Polizei mich wegen dieses gefälschten Führerscheins auf dem Kieker hat. Und die Sache mit dem Casino …«, er beobachtete Kieffers Reaktion, »… ist Ihnen also auch bekannt. Ich bin wahrlich kein Engel. Anders als mein Bruder trinke ich gerne, ich gehe gerne unter Leute. Und ich bin Computerexperte.«

»Sie sind ein Hacker mit wenig Skrupeln.«

»So könnte man wohl sagen. Aber ich bestehle niemanden. Stattdessen mache ich Firmen wie Silverstein und Melivia das Leben schwer, verantwortungslosen Großkonzernen. Ich weiß nicht, wie es Ihnen geht, aber deren Betrügereien durch Hacks aufzudecken und die Beweise für alle sichtbar im Netz hochzuladen, ist zumindest in meinen Augen kein Verbrechen. Sondern eher ein Dienst an der Menschheit.« Er schaute Kieffer an. »Alles, worum ich Sie bitte, ist, mir den Inhalt der Voicebox zu verraten – die letzten Worte meines Bruders, die eigentlich für mich bestimmt waren. Damit ich ihn räche, damit ich Melivia bloßstellen kann.«

Etwas leiser fuhr er fort. »Sie haben Aron als einer der Letzten lebend gesehen. Wenn die Dinge anders gelaufen wären, hätten Sie seine Verfolger vielleicht sogar verscheuchen können.«

Der Satz wirkte wie ein Tritt in die Magengrube. Die Frage, ob er vielleicht eine Mitschuld an Aron Kats' Tod trug, hatte sich Kieffer in den vergangenen Tagen immer wieder gestellt. Er wollte etwas erwidern, aber Kats fuhr fort: »Sie müssen sich nicht rechtfertigen, ich mache Ihnen keinen Vorwurf. Er war außer sich vor Angst, er war verwirrt, konnte vermutlich überhaupt nicht mehr sprechen, sondern nur noch seine Primzahlen herunterbeten. An denen hat er sich immer festgehalten, wenn seine Welt aus den Fugen geriet.«

Er schaute dem Koch in die Augen. »Sie tragen keine Schuld an seinem Tod. Aber vielleicht haben Sie die Verpflichtung, ihm zu Gerechtigkeit zu verhelfen. Geben Sie mir die Nachricht. Danach verschwinde ich, und Sie können meinetwegen die Polizei rufen oder tun, was immer Sie für richtig halten.«

Kieffer wusste, dass Efim Kats recht hatte. Es war nicht möglich, vor der Sache Reißaus zu nehmen, so wie er es eigentlich vorgehabt hatte. Das Auftauchen des Zwillings hatte die Lage grundlegend verändert.

»Also gut. Die Nachricht lautete: ›Die Wahrheit befindet sich auf dem Zwillingsserver. Zu seiner Aktivierung

benötigst du vier Faktorschlüssel. Drei aus Hephaistos',
einer aus Hades' Hand.«

Efim Kats schaute wie jemand, der etwas anderes erwartet hatte. Dann zog er ein kleines schwarzes Notizbuch aus seiner Gesäßtasche und notierte sich etwas.
»Kryptischer, als ich dachte. Haben Sie eine Vermutung,
was mein Bruder damit gemeint haben könnte?«

»Ich glaube, dass Hephaistos ein Hinweis darauf ist,
dass es sich um metallene Schlüssel handelt, richtige
Schlüssel.«

Kats schüttelte energisch den Kopf. »Nein, nein. Es
sind Faktorschlüssel, also Primzahlen. Es müssen vier
Primzahlen sein, vermutlich mit sehr langen Ziffernfol-
gen, fünfhundert oder mehr Stellen.«

»An Kats' Schlüsselbund hingen aber drei farbige
Schlüssel. Deshalb dachte ich …«

»Farbige? Was für Farben?«

»Wenn ich mich recht entsinne waren sie goldgelb, lilafarben und rot«, entgegnete Kieffer.

Efim Kats sah aus, als sei er den Tränen nahe. »Aron,
du Hund! Er hat genau gewusst, wie er seine Nachricht
so verschlüsselt, dass sie kein Mensch außer mir enträt-
seln kann. Ich war bis eben fest überzeugt, dass er irgendwo sehr lange Faktorschlüssel versteckt haben muss.
Aber stattdessen sind sie ganz kurz.«

»Ich verstehe nicht …«

»Die Schlüsselfarben!«, rief Kats aufgeregt. »Die 17 ist
rot, karmesinrot. Die einzige Primzahl unter 100, die rot
ist, hat Aron immer gesagt. Die 53 hingegen schimmert
golden. Und die 97 …«

»… ist lilafarben?«

»Ja, lila und dreieckig«, Kats schrieb die Zahlen in

sein Notizbuch. »Fehlt nur noch die vierte. Hades, sagten Sie?«

»Das Passwort für den Schweizer Bunker, in dem sich das Tablet befand, lautete Persephone. Meine Vermutung war, dass ›aus Hades' Hand‹ sich deshalb auf den Granatapfel bezieht, den er ihr gibt. Aber geht es dabei ebenfalls um die Farbe? Granatapfelfarben?«

Kats antwortete nicht. Er schien angestrengt nachzudenken.

»Sehen Sie? Es ist sehr kryptisch. Was eine Frucht mit einer Zahl zu tun haben soll ... ist das vielleicht auch griechische Mythologie?«, fragte Kieffer.

Der Amerikaner sprang auf. »Haben Sie einen Computer, Mister?«

»Nur einen altersschwachen PC mit Modem.«

»Das sollte für Wikipedia reichen. Ich glaube, ich habe eine Idee, was Aron gemeint haben könnte. Es hat tatsächlich mit Religion zu tun, aber nicht mit Olymp und Hades.«

»Sondern?«

»Sondern mit unserer Religion, mit der Thora.«

Kieffer führte Kats zu seinem Rechner. Während der Amerikaner zu dem enervierenden Düdelton seines alten Modems auf der Tastatur herumtippte, ging Kieffer ins Obergeschoss, zur Toilette. Auf dem Rückweg bog er in sein Schlafzimmer ab und hob, so leise er konnte, das Nachtschränkchen an und stellte es beiseite. Dann kniete er sich auf den Boden und löste mit den Fingern ein lockeres Stück im Parkett. Darunter legte er eine Aushöhlung frei, in der sich eine kleine Holzkiste befand. Sie enthielt die Pistole seines Vaters. Der Alte war ein Waffennarr gewesen und obwohl Xavier Kieffer diese Leidenschaft nie hatte teilen können, hatte er die Halbautomatik aufgehoben. Normalerweise bewahrte er die 9-Millimeter auseinandergenommen und in Ölpapier eingeschlagen in der Cave des »Deux Eglises« auf. Nach dem Überfall in Paris hatte er die Pistole jedoch mit nach Hause genommen und sie zusammengesetzt, so wie sein Vater es ihn gelehrt hatte. Er hatte große Sorge gehabt, dass die Polizisten die Waffe bei der Hausdurchsuchung finden würden, doch offenbar war das Versteck gut gewesen. Er steckte die Glock hinten in seinen Hosenbund und ging wieder nach unten.

Kats saß in Kieffers Wohnzimmer und rauchte. Sein Gesichtsausdruck verriet dem Koch, dass er fündig geworden war. »Es ist so, wie ich vermutet hatte. Ein Granatapfel kann sehr wohl eine Zahl sein.«

»Wie das?«

»Der Granatapfel hat in unserer Religion eine besondere Bedeutung. Man isst ihn zu Rosh Hashanah, dem Neujahrsfest, weil seine vielen Samen Fülle und Reichtum symbolisieren. Da ich aber kein sehr guter Jude bin, hatte ich das fast vergessen. Ich habe Rosh Hashanah das letzte Mal gefeiert, als ich ein Teenager war. Deshalb wusste ich auch nicht mehr, wie viele Samen der Überlieferung zufolge in einem Granatapfel stecken.«

»Und? Wie viele sind es?«

»613. Genauso viele wie die Thora Mitzvot hat, Gebote. Und natürlich ist 613 auch eine Primzahl.« Kats rieb sich die Hände. »Damit haben wir die Faktorschlüssel für den Zwillingsserver.«

»Aber wo ist der?«

»Ach, das wissen Sie nicht? Auf dem Kirchberg. Wollen Sie ihn sehen?«

28

Sie fuhren in Richtung Kirchberg. Wie Efim Kats ohne gültigen Führerschein an den schwarzen Siebener BMW mit Münchner Kennzeichen gekommen war, wollte Kieffer lieber nicht so genau wissen. Das Auto war aber nur eine von mehreren Sachen, die ihm Bauchschmerzen bereiteten. Zu vieles erschien ihm seltsam, und er fragte sich, ob es klug gewesen war, den Hacker hierher zu begleiten. Zwar hielt er Kats Geschichte für halbwegs schlüssig, aber irgendein Detail irritierte ihn außerordentlich. Er konnte nur nicht genau sagen, welches. Der Koch überlegte, ob er Lobato anrufen sollte. Wie würde Kats darauf reagieren? Kieffer spürte, wie die Glock gegen seine Niere drückte.

»Wo fahren wir denn hin?«, fragte der Koch.

Kats nannte den Namen einer Straße in der Nähe des Flughafens. »Rue Fécamp. Erst dachte ich, Aron habe die Server in das leere Obergeschoss des Lityerses-Gebäudes gestellt. Aber das war ein Fehler.«

»Sie sind dort eingebrochen. Gestern Nacht.«

»Und nicht nur dort. Anders als alle anderen Beteiligten wusste ich schließlich, wonach ich suchen musste:

Für den letzten Teil unseres Plans brauchte man einen Serverpark, in den gleichen Dimensionen, wie ihn Lityerses vorhält. Dafür benötigt man eine Büroetage mit gut fünfhundert Quadratmetern, die an einen Glasfaserknoten angeschlossen ist, mit eigenem Notstromaggregat, modernstem Brandschutz sowie einer exorbitanten Stromrechnung, zehnmal so hoch wie die einer Bank oder Versicherung mit Serverraum. In einem Dorf wie diesem gibt es nicht allzu viele solche Orte; ein kleiner, unautorisierter Zugriff auf die Datenbanken von Bauamt und staatlicher Telefongesellschaft reichte aus, und schon hatte ich die acht Luxemburger Gebäude, die infrage kamen. Die ersten sechs auf der Liste erwiesen sich leider als Nieten. Das Lityerses-Büro passte ins Raster, doch ich hatte es zunächst rausgestrichen. Aber dann dachte ich mir: Warum sollte der Server nicht dort stehen? Aron könnte einfach die eine leere Etage darüber gemietet haben. Es wäre die perfekte Location gewesen, außerdem hätte es mächtig Chuzpe bewiesen.«

»Aber das stimmte nicht.«

»Nein. So hätte ich es gemacht. Aber Aron natürlich nicht, er hat einen langweiligeren, aber vermutlich sichereren Ort gewählt. Den letzten auf meiner Liste. So viel Pech muss man erst mal haben.«

Sie fuhren die verlassene Rue Cents entlang, unter der Autobahn hindurch und bogen dann links in die Rue Fécamp ein, eine kleine Sackgasse im Niemandsland zwischen Bankenviertel, Autobahn und Flughafen. Kats parkte vor einem Gebäude, das eher wie der Sitz einer Import-Exportfirma aussah als wie das geheime Hauptquartier von Hightech-Hackern. Über dem Eingang hing ein schmuckloses Schild, auf dem »Frères Bruckner

Fournisseurs de Service« stand, »Anbieter von Dienstleistungen«. Während Kats ausstieg und auf den Eingang zuging, blieb Kieffer zunächst einige Sekunden sitzen. Dann fluchte er leise und folgte ihm. Außer dem Haus, vor dem sie den Wagen abgestellt hatten, befanden sich in der Straße fast nur heruntergekommene Bürogebäude aus den Achtzigern, nirgends war ein Mensch zu sehen. Kats drehte sich zu ihm um. In der Hand hielt er eine weiße Keycard.

»Ist die für den Eingang?«, fragte Kieffer. »Woher stammt die?«

»Das ist eine Reproduktion der Keycard, die Aron Ihrer Freundin gegeben hat.« Kats grinste schelmisch. »Ich muss leider sagen, dass es um die Datensicherheit des Guide Gabin nicht sehr gut bestellt ist. Ich war nach nicht einmal einer Stunde drin. Ich würde Ihnen übrigens raten, bald wieder ins ›Corioli‹ zu gehen«, fügte der Hacker hinzu.

Das »Corioli« war ein Edelitaliener in Grund, nur wenige Schritte von Kieffers Wohnhaus entfernt. Das Lokal besaß bereits zwei Sterne und galt seit Jahren als Anwärter auf einen dritten.

»Warum?«

»Weil es dort nach der Veröffentlichung des neuen Guide Bleu sehr voll werden wird«, antwortete Kats. »Keine Sorge, ich werde keine Daten aus dem Gabin ins Netz stellen, ich habe mir lediglich eine kleine Privatkopie gemacht. Aber das nur am Rande. Kommen Sie, jetzt zeige ich Ihnen das Vermächtnis meines Bruders.«

Das Schloss klackte vernehmlich, als Kats die Karte an das Lesegerät hielt. Als sie die Tür öffneten, flackerte das Oberlicht auf. Die Halle hatte vielleicht die Fläche von anderthalb Tennisplätzen. Fast der gesamte Raum war mit hohen Metallregalen vollgestellt, in denen Computerserver übereinandergestapelt waren. In der Mitte verlief ein breiter Gang, der vor einem Arbeitsplatz mit mehreren Monitoren und Kontrolltafeln endete. Kats bedeutete Kieffer, ihm zu folgen. »Ich war gestern bereits mehrere Stunden hier. Von diesem Tisch aus kann man alles steuern. Von diesem Tisch aus werde ich Melivia in den Ruin treiben und meinen Bruder rächen.«

Efim Kats setzte sich auf den Drehstuhl vor dem Computer und drückte einige Tasten. Der Bildschirm leuchtete blau auf. Er war völlig leer, bis auf einen weiß blinkenden Cursor vor dem »TYPE ENTRY CODE« stand. Kieffer stand neben dem Amerikaner, wahrte aber einige Meter Sicherheitsabstand. Er sah, wie sich Kats' Finger über den Zahlenblock der Tastatur bewegten.

17. 53. 97. 613.

Dann verharrte sein Zeigefinger eine Sekunde lang über der Eingabetaste. Er drückte sie. Der Bildschirm wurde schwarz, dann flackerte er wieder auf, und Kieffer sah die Benutzeroberfläche eines ihm unbekannten Betriebssystems.

»Ja! Ja!«, schrie Kats. Er öffnete einige Programmfenster, schien sich einen Überblick zu verschaffen. Gebannt starrte der Hacker auf den Bildschirm, Zahlenkolonnen liefen über die Gläser seiner Brille.

Und in diesem Moment begriff Kieffer, was ihn an Efim Kats von der ersten Minute an irritiert hatte.

Der Mann sah seinem Bruder Aron sehr ähnlich. Er hätte ihm sogar wie ein Spiegelbild geglichen, sobald man einige Details änderte: Den kurzen Stoppelbart musste man sich wegdenken, ihm statt des Rollkragenpullis ein knallgrünes Button-down-Hemd überziehen. Ersetzte man nun noch das randlose Designergestell durch eine altmodische Nickelbrille, dann wurde Efim zu Aron. Es war diese Brille, ein etwas extravagantes Modell mit getönten Gläsern, die ihn schon viel früher hätte stutzig machen müssen. Denn Kieffer hatte diese Brille zuvor schon einmal gesehen – und zwar auf den Fotos der Überwachungskamera, die Lobato ihm auf dem Polizeirevier gezeigt hatte. Schon damals war ihm an Aron Kats etwas seltsam vorgekommen. Nun wusste er auch, was: Es war die Brille gewesen. Auf dem Überwachungsbild hatte Aron Kats statt seiner Nickelbrille genau solch ein randloses Gestell aufgehabt, wie es Efim trug.

Kieffer musterte Efim Kats, der immer noch Kolonnen weißschimmernder Codes sichtete und ihn nicht beachtete. Der Kats auf dem Foto hatte die Rout Bréck vom Kirchbergplateau aus betreten, also von der falschen Seite – und mit der falschen Brille auf der Nase. Es war gar nicht Aron Kats gewesen. Sondern Efim. Er war seinem vor den Melivia-Männern flüchtenden Bruder von der anderen Brückenseite entgegengekommen. Aber nur einer der Brüder hatte die Brücke lebend wieder verlassen. Kieffer trat einen Schritt zurück. Seine Rechte schloss sich um den Griff der Glock.

»Es dürfte nicht sehr schwierig für Sie gewesen sein«, sagte Kieffer.

»Hmmm? Was meinen Sie?«

»Die Kamera auf der Brücke zu hacken, sodass es so aussah, als ob nur ein Kats sie betreten hätte. Und nicht zwei.«

Ohne vom Bildschirm aufzublicken, sagte Efim Kats: »Nein, nicht schwierig. Jeder siebzehnjährige Computerfreak hätte das gekonnt.«

»Aber warum haben Sie sich selbst nicht auch aus dem Speicher getilgt?«, fragte Kieffer.

»Das hätte ich getan, wenn diese Kameras alle an einen Zentralrechner gekoppelt wären. Aber es gibt leider zwei Computer. Dass einer den Geist aufgibt, das geht als Zufall durch. Hätte ich jedoch beide abstürzen lassen, wäre es mit Sicherheit aufgefallen.«

Kieffer begann, die Pistole langsam aus seinem Hosenbund zu ziehen. Kats klackerte immer noch auf der Tastatur herum.

»Und wie haben Sie ihn über die hohe Brüstung befördert?«

Kats drehte sich zu ihm um. Einige Schweißperlen hatten sich auf seiner hohen Stirn gebildet, ansonsten wirkte er jedoch völlig ruhig. »Ein Mensch, der einem blind vertraut. Stunden zuvor eine große Portion White Lightning LSD in seinem Orangensaft. Und mehr Hass, als Sie sich auch nur im Entferntesten vorstellen können.«

Der Koch zog die Glock und legte an. Im selben Moment hörte er ein Brausen, ein Geräusch wie von tosender Luft. Seine Ohren knackten. Das Tosen hielt höchstens zwei oder drei Sekunden an, dann herrschte völlige Stille. In der Halle schien sich nichts verändert zu haben. Das zumindest glaubte Kieffer, bis er versuchte, zu atmen. Nichts passierte. Er spürte, wie sich sein Zwerchfell und sein Brustkorb verkrampften, als sein Körper verzweifelt versuchte, Luft in seine Lungen zu befördern. Er merkte, wie ihm schwindelig wurde.

Vor sich sah er Kats, der inzwischen aufgestanden war und ihn interessiert betrachtete. Die Feuerschutzvorrichtung, ging es Kieffer durch den Kopf. Wie in Kwaukas Serverraum, sie saugt binnen Sekunden die Luft ab.

Vor dem Gesicht trug Kats eine Atemmaske, deren Schlauch zu einer kleinen Druckflasche führte. Kieffer zielte auf ihn und drückte ab. Der Koch spürte den Rückschlag, hörte aber keinen Knall. Vor seinen Augen begann die Halle zu verschwimmen. Er meinte zu erkennen, dass einer der Monitore gesplittert war. Der Schuss, dachte er. Du hast den Schuss nicht gehört, weil man in einem Vakuum nichts hören kann. Dann fiel er.

Als er wieder zu sich kam, schnappte er sofort panisch nach Luft. Atmen hatte sich noch nie so gut angefühlt. Er saß auf dem Boden, an eines der Serverregale gelehnt. Efim Kats hatte ihm die Hände hinter dem Rücken an einen der Stahlpfosten gefesselt und beobachtete ihn von seinem Bürostuhl aus. Er rauchte. »Manueller Override. Kein Rauchmelder wie bei Lityerses. Ich würde Ihnen ja auch eine anbieten, aber ich vermute, dass Sie es gerade nicht so genießen könnten.«

Kieffer versuchte vergeblich, sich bequemer hinzusetzen. »Wieso haben Sie ihn umgebracht, Kats?«

»Schwer zu erklären. Ich glaube, anfangs waren wir einander ebenbürtig, im Körper wie im Geiste. Als Babys, meine ich. Aber mit zwei Jahren ist Aron beinahe an einer Hirnblutung gestorben, und als er sich erholt hatte, da war er anders. Anders als ich. Anders als alle. Trotzdem liebte ich ihn, mehr als alles auf der Welt. Die Leute haben immer gesagt, dass wir uns perfekt ergänzen. Der hochintelligente, aber fast autistische Aron. Und der redegewandte Efim, der seinem lebensunfähigen Bruder so selbstlos zur Hand ging. Genau wie in der griechischen Mythologie: Pollux, der Sohn des Zeus, gesegnet mit unglaublichen Talenten. Und sein sterblicher Bruder Kastor. Trotz aller Unterschiede ein Herz und eine Seele.«

Kats' Gesicht verzerrte sich. »Aber es war überhaupt nicht so. Wissen Sie, was für ein kaltherziges Monster er war? Er hat mich wie seinen Lakaien behandelt, schon, als wir noch Kinder waren. Als ich dann meine Aufenthaltserlaubnis verlor, wurde es noch schlimmer.«

»Wieso verloren Sie die?«

»Wir waren siebzehn. Aron studierte schon in Yale, und ich erleichterte AT&T mit meinem Atari-Homecomputer um Kleingeld. Weil das nicht allzu einträglich war, verkaufte ich auf der Highschool außerdem Gras und Pillen. Damals hatte noch keiner aus meiner Familie eine unbefristete Aufenthaltserlaubnis, geschweige denn einen US-Pass. Und als die Bullen mich wieder mal hochnahmen, da kamen noch ein paar andere Sachen heraus, die ich gedreht hatte. Es hätte locker für zehn, fünfzehn Jahre gereicht, aber stattdessen wiesen sie mich aus. Ich sollte zurück nach Sankt Petersburg! Das war für einen Juden Anfang der Neunziger der Albtraum. Da patrouillierten abends noch Pamjat-Anhänger durch die Straßen, meinen Großonkel haben sie damals fast totgeschlagen. Ich wollte auf keinen Fall zurück. Also wurde ich zu Arons Schatten. Ich reiste aus, dann sofort wieder ein, aber diesmal mit seinen Papieren. Seitdem spielen wir dieses Spiel. Offiziell gab es nur noch Aron. Wenn ich verreisen wollte, wenn ich mich irgendwo ausweisen musste, dann brauchte ich seinen Pass oder seine Sozialversicherungsnummer. Immer war ich von seiner Gnade abhängig. Sie ahnen ja nicht, wie sehr er das ausgekostet hat, er wurde immer grausamer.«

»Aber warum sind Sie trotzdem bei ihm geblieben?«

»Wenn Sie keinen Zwillingsbruder haben, können Sie nicht verstehen, wie stark diese Ketten sind. Es ist fast unmöglich, sich davon zu befreien. Außerdem gab es eine Sache, die uns zusammenschweißte: die Wahrheit. Mithilfe von Computern zumindest einen Teil des Finanzmarktes komplett zu verstehen, das hat uns beide fasziniert, wenn auch aus unterschiedlichen Gründen. Jeder von uns wusste, dass er dieses Ziel ohne den anderen niemals erreichen würde; ich nicht ohne Arons Genie; er nicht ohne meine Hackerkenntnisse, ohne meine kriminelle Energie.«

»Und nun, da Sie am Ziel waren und ihn nicht mehr brauchten, haben Sie ihn von der Brücke geworfen.«

Kats war nun auf den Beinen. Tränen strömten seine Wangen hinunter. Kieffer bemerkte, dass der Hacker seine Pistole in der Hand hielt.»Sie verstehen überhaupt nichts! Oh, ich hätte ihn leben lassen, auch wenn ich mir tausendmal gewünscht habe, er wäre tot. Aber als alles bereit war, da habe ich ihm gesagt, dass wir nun mit unserem Wissen etwas Sinnvolles tun können. Dass wir Konzerne wie Melivia zerstören können. Dafür sorgen können, dass niemand mehr mit Weizen oder Soja spekuliert, als ob es Roulettechips wären.«

»Und Ihr Bruder?«

»Er hat mich nur angeschaut, mit diesem eisigen Blick und gesagt: ›So etwas Törichtes werden wir sicher nicht tun, Efim Mikhail Kats. Es geht hier um Mathematik.‹« Kats zog den Schlitten der Glock zurück.»Um Mathematik. Es ging immer nur um Zahlen, nie um etwas anderes. Mir wurde klar, dass Aron nie vorgehabt hatte, Melivia oder Silverstein einen Denkzettel zu verpassen. Er wollte stattdessen unseren Master-Algorithmus nutzen, um noch mehr Geld anzuhäufen und damit noch viel leistungsfähigere Handelssysteme zu bauen, um weitere

Wahrheiten zu entschlüsseln. Ich habe ihm gesagt, dass er dazu die Nahrungsmittelpreise weiter in die Höhe treiben muss. Dass er damit in Kauf nimmt, dass irgendwelche armen Schweine nichts zu fressen haben.«

»Und was hat er geantwortet?«

»Nichts«, sagte Efim Kats leise. Er richtete die Pistole auf Kieffer. »Jetzt wissen Sie es. Es tut mir leid, aber es gibt keine andere Möglichkeit.«

Er zielte.

»Oh, doch. Die gibt es«, sagte eine Stimme in abgehacktem Englisch.

Kats fuhr herum, aber er war nicht schnell genug. Mit einem Satz sprang Scholz auf ihn zu und rammte ihm die Faust in die Magengrube. Der schmächtige Hacker hatte gegen den durchtrainierten Melivia-Sicherheitschef nicht den Hauch einer Chance. Er nahm Kats in den Schwitzkasten und entwand ihm die Glock. Dann richtete er die in seinen Pranken winzig aussehende Waffe auf sein Gegenüber und sagte: »So. Bevor wir zur Sache kommen: Darauf habe ich mich schon lange gefreut.«

Er machte einen Schritt auf Kats zu und drosch mit der Glock auf ihn ein, fünfmal, zehnmal. Blutüberströmt fiel der Hacker zu Boden. Dann wandte sich Scholz ab und warf die Glock achtlos weg, klackernd verschwand sie unter einem der Hochregale.

»Dass du mir hier schon wieder über den Weg läufst, Kieffer. Für so einen fetten kleinen Kartoffelbrutzler bist du ziemlich hartnäckig.«

Kieffer war zwar froh, dass niemand mehr eine Waffe auf ihn richtete. Allerdings hatte er nicht den Eindruck, dass sich seine Situation dadurch verbessert hatte. »Wie haben Sie uns gefunden?«

Scholz setzte sich auf die Tischkante. »Wir haben deine kleine Pariser Nutte auf dem Jahrmarkt geknipst. Aber die war in keiner Fotodatenbank. Völlig unauffindbar. Ich dachte erst, die ist vom Geheimdienst oder so was. Aber dann ist uns das T-Shirt mit der Comicfigur aufgefallen.«

»Georges, le p'tit chef«, murmelte Kieffer.

»Wie auch immer. Auf jeden Fall ein Unikat, und deshalb zur Quelle zurückverfolgbar. Danach war's Routine – Peilsender. Wanzen. Seit ihr uns die falsche Keycard untergejubelt habt, wusste ich immer, wo ihr seid. Aber dass du mich direkt zu diesem Arschloch hier führst, das ist dann doch mehr Glück als erwartet.«

»Er hat Aron Kats umgebracht.«

»Ja, das habe ich mir schon gedacht. Wir sind ihm schon seit etwa einer Woche auf der Spur, denn dieser Möchtegern-Internetaktivist ist nicht halb so clever, wie er glaubt. Seltsamerweise denkt alle Welt, dass wir seinen Bruder umgelegt haben. Na ja, Schwamm drüber. Und du willst jetzt bestimmt wissen, was als Nächstes passiert?«

»Sagen Sie es mir.«

»Du und diese Ratte, ihr seid hierhergefahren, das wird man später rekonstruieren. Und dann gab es ein bisschen Streit. Dabei hast du dem armen Efim mit deiner Glock, für die du vermutlich keine Papiere besitzt, das Gesicht zu Brei geschlagen, außerdem hast du ein bisschen rumgeballert. Es kam zu einem Brand. Das Notsystem saugte die Luft ab, obwohl Menschen im Gebäude waren, eine tragische Software-Fehlfunktion.«

»Damit kommen Sie nicht durch.«

»Aber ja doch. Die Rechner säubern wir natürlich und spielen irgendwelchen anderen Mist drauf. Glaubst du etwa, das ist der erste miese kleine Hacker, dem wir eine Lektion erteilen?«

»Hören Sie, ich schwöre Ihnen ...«

Der Sicherheitsmann schüttelte den Kopf. Es wirkte beinahe mitfühlend. »Kein Verhandlungsspielraum. Das mit dem Vakuum ist kein schöner Tod, zugegeben. Aber so schlimm ist es dann auch wieder nicht. In Bagdad, da haben Udai und ich es immer mit durchsichtigen Müllsäcken gemacht, das dauert erstaunlich lange. Im Vakuum hingegen wirst du bereits nach zwanzig Sekunden bewusstlos. Ich weiß, wovon ich rede; ich saß schließlich die ganze Zeit da vorne hinter dem Server, mich hat es vorhin auch ausgeknockt.«

Scholz ging zu dem immer noch am Boden liegenden Kats, packte ihn und zog ihn hoch. Das Gesicht des Hackers war blutüberströmt, seine Augen fast zugeschwollen. Der Deutsche schleifte ihn zu dem Steuerungscomputer und setzte ihn auf den Bürostuhl. In der linken hielt der Melivia-Sicherheitschef nun das Sauerstoffgerät, in der Rechten eine großkalibrige Pistole. Es war dieselbe, mit der er bereits auf Valérie geschossen hatte.

»Los. Saug die Luft ab.«

Kats spuckte etwas Blut aus und röchelte: »Fick dich ins Knie, Nazischwein.«

Scholz ließ den Knauf seiner Pistole auf Kats' Schlüsselbein niedersausen. Der Hacker heulte auf. Der Sicherheitchef wartete, bis das Schluchzen seines Opfer abebbte. Dann sagte er: »Ich war Verhörspezialist bei der NVA, und bei den Arabern hab ich meine Fähigkeiten erheblich verfeinern können. Zehn Sekunden nach Luft schnappen oder die nächsten drei Stunden in unerträglichen Schmerzen verbringen. Was wird es? Jetzt hast du noch die Wahl.«

Kats begann zu tippen. Kieffer hörte noch, wie das Tosen einsetzte und sah den Hacker vom Stuhl kippen. Ihm wurde schwindlig. Er versuchte, zum Schluss an etwas Schönes zu denken, beschwor Valéries Antlitz herauf. Doch das Frauengesicht, das ihm erschien, gehörte nicht seiner grünäugigen Pariserin, es war zu bubenhaft, zu herb. Die Augen, die ihn besorgt anblickten, waren tiefbraun, fast schwarz. Wie durch einen Schleier nahm Kieffer dieses Gesicht wahr, er überlegte, wem es wohl gehören könnte. Ein Gedanke kroch träge durch seinen vernebelten Kopf. Warum war er noch nicht ohnmächtig? Konnten zwanzig Sekunden so lange dauern? Zog sich im Moment des Todes die Zeit derart in die Länge?

Das Bubengesicht sagte etwas, aber er konnte es nicht genau verstehen. Wieso konnte er überhaupt etwas hören, im Vakuum? Kurz meinte Kieffer, die Antwort auf diese interessante Frage sei zum Greifen nahe, doch dann merkte er, wie es um ihn herum dunkel wurde. Das Letzte, was er vernahm, war die ferne Frauenstimme. Sie rief immer wieder »Fodes! Fodes! Fodes!«

29

Als er auf seinem klapprigen Peugeot-Fahrrad die Rue
de la Tour Jacob hinuntersaust, weiß der Junge, dass er
gleich ein bisschen aufpassen muss. Er hatte Messdienst
und trägt noch die feinen Sachen, das etwas zu große,
blütenweiße Hemd sowie die schwarze Bundfaltenhose.
Sein Vater wäre wütend, wenn er ihn darin sähe. Er darf
die gute Hose nicht zum Spielen anziehen. Und schon gar
nicht, wenn er rüber ins schmuddelige Pfaffenthal radelt.

Vater ist Sousofficier der Großherzoglichen Armee und
legt Wert auf Sauberkeit und Ordnung. Wenn er mit dem
Jungen schimpft, weil der wieder sein Zimmer nicht auf-
geräumt oder den Abwasch nicht gemacht hat, bellt er
mit seiner durchdringenden Kommissstimme: »Mir sinn
hei net am Pafendall!«

Deshalb bremst der Junge nun ab. Er muss nämlich
gleich an der Brauerei vorbei, und es könnte sein, dass
Vater zu dieser sonntäglichen Stunde dort irgendwo mit
seinen Freunden sitzt und einen Frühschoppen nimmt.
Deshalb späht er vorsichtig um die Ecke, aber die Luft
ist rein. Trotzdem wird er einen kleinen Umweg über
die Malakoff-Gasse machen, sicher ist sicher. Nun tritt er

wieder in die Pedale, seine spitzen Knie bewegen sich auf und ab, das Metall ächzt. Er hat keine Zeit zu verlieren, denn sonst ist das Spektakel vielleicht vorbei, bevor er überhaupt dort ankommt.

Vorhin soll einer gesprungen sein, am Heiligen Sonntag, zu Mariä Heimsuchung, man muss sich das vorstellen. Er kommt am alten Friedhof vorbei. Jene, die von der Rouder Bréck gesprungen sind, liegen nicht auf dem Pfaffenthaler Cimetière des Bons Malades. Sie liegen überhaupt nicht auf einem Friedhof. Denn Selbstmord, das weiß er, ist eine sehr schlimme Sünde. Es hat nicht so sehr mit dem fünften Gebot zu tun. Der Priester hat es erklärt: ›Du sollst nicht töten‹ gilt zwar auch für einen selbst, aber der Kern der Sünde ist ein anderer. Wer von der Brücke springt, lehnt es ab, von Jesus Christus gerettet zu werden. Und deshalb landet er nicht nur in der Uelzecht, sondern auch in der Hölle.

Marian, der Sohn der Duponts, hat es ihm vorhin in der Kirche gesteckt. Er hatte es von einem Kumpel aus Pfaffenthal, es soll erst vor zwei Stunden passiert sein. Ungewöhnlich, dass einer um diese Zeit springt, meistens springen sie ja nachts. Und der Junge hat sofort begriffen, dass dies eine einmalige Chance ist. Die Polizei lässt sich ja ohnehin Zeit, wenn einer springt, das weiß man. So wie sie sich bei allem, was in der Unterstadt passiert, mehr Zeit lässt als in der Oberstadt, wo die feinen Leute wohnen. Manchmal dauert es Stunden, bis sie alles absperren. Und heute ist auch noch Sonntag, und irgendetwas passiert oben auf dem Kirchberg, das mit Politik zu tun hat. Der französische Präsident Giscard d'Estaing kommt, hat Vater beim Frühstück erzählt. Es gehe um die Einführung einer neuen Währung namens Ecu.

Der Junge hat nicht ganz verstanden, was mit den belgischen Francs, mit denen er seine Süßigkeiten und Spirou-Hefte bezahlt, nicht mehr in Ordnung sein soll; aber er hat sofort begriffen, dass sich heute kein Polizist für den Brückenspringer interessiert, dass es Stunden dauern wird, bis die Police Grand-Ducale auftaucht. Folglich besteht die einmalige Chance, alles aus nächster Nähe zu sehen. Es gibt nämlich gewisse offene Fragen, was die Selbstmörder angeht. Pierre aus der Montée du Grund behauptet, die Brückenspringer sähen nach dem Aufprall aus wie ein beignet aux pommes, wie ein plattes Apfelküchlein. Eine andere Theorie besagt, sie zersprängen in tausend Stücke. Und Nicholas aus der Klasse über ihm hat erzählt, sie würden nochmals in die Höhe hüpfen, wie ein Fußball. Der Junge hält das für Unsinn. Andererseits ist Nicholas' Onkel Gendarm, was der Fußballtheorie ein gewisses Gewicht verleiht.

Als er die Rue Vauban hinunterkommt, kann er die Brücke bereits sehen. Etwas später überquert er den Fluss und biegt in die Rue Ménager ein. Vor der Bäckerei stehen mehrere Männer und unterhalten sich. Einer schüttelt energisch den Kopf, man kann sich schon denken, worüber die sprechen. Er ist jetzt so nah, dass er die Brücke nur noch sehen kann, wenn er nach oben schaut. Aber er guckt lieber nach vorne, er achtet darauf, ob ihn vielleicht jemand erkennt – Nachbarn oder Verwandte, die ihn beim Vater verpfeifen könnten.

Aber es sind alles Fremde. Pfaffenthaler Frauen in geblümten Schürzen, Männer in schäbigen Sonntagsanzügen. Dann sieht er den Menschenauflauf, bestimmt dreißig oder vierzig Leute, die auf einem Grundstück am Ufer herumstehen. Da ist keine Polizei, keine Absperrung, die

Leute laufen einfach so durcheinander. Sie gehen zu der steilen Böschung, gucken sich die Bescherung an, und wenden sich wieder ab. Die meisten stecken sich auf den Schreck erst einmal eine Zigarette an.

Der Junge stellt sein Fahrrad an einen Baum und geht auf die Menschenmenge zu, verstohlen, denn er weiß natürlich, dass Kinder hier nichts zu suchen haben. Aber dann sieht er, dass da bereits andere Jugendliche herumstehen. Eine Frau hat sogar ihren Kinderwagen dabei. Und alle betrachten, was da an der Böschung liegt. Der Junge geht näher heran, niemand hält ihn auf, durch die sich lichtende Menschenmenge kann er den Toten sehen. Er liegt halb im Wasser, eigenartig verrenkt. Und dann packt ihn die Angst, er will den Blick abwenden, aber er kann nicht. Seltsamerweise geht ihm durch den Kopf, dass der Leichnam in der Tat ein wenig aussieht wie ein Apfelküchlein. Nach einiger Zeit, wie lange weiß er nicht, gelingt es dem Jungen, seinen Blick abzuwenden. Er taumelt ein bisschen, läuft ein paar Schritte nach links, rempelt jemanden an.

»Pass op, Jong! Net dreemen!«

Nun teilt sich die Menge, es kommt ein uniformierter Mann mit einer Decke, gleich wird alles vorbei sein. Und dann ist der Junge plötzlich auf seinem Fahrrad, in Clausen, in Grund. Die anderen stehen alle an der steinernen Ulrichsbrücke, wie immer vor dem Mittagessen. Sie wollen wissen, was Xavier gesehen hat. Er sagt nichts, er kann nicht sprechen, aber sie lassen nicht locker. Der dicke Nicholas versperrt ihm den Weg und sagt, er dürfe erst durch, wenn er alles ausgespuckt habe. Und irgendwann stammelt er, nichts sei zu sehen, die Polizei sei bereits da gewesen. Er lässt sein Fahrrad fallen und er rennt, rennt nach Hause.

30

Sie liefen die schmale Straße neben der Alzette entlang,
bis zu jener Stelle. Valérie legte einen Arm um ihn. »War
es hier?«

»Dort vorne«, sagte er leise und zeigte auf die Ufer-
böschung. Dann löste er sich von ihr. Kieffer nahm den
Blumenstrauß, den er mitgebracht hatte, kniete sich nieder und legte ihn auf das Laub. Zuvor hatte er bereits ein
Bouquet etwas weiter oben deponiert. Der erste Strauß
war für Kats gewesen, den er kaum gekannt hatte. Der
zweite war dem Mann gewidmet, der damals, vor über
dreißig Jahren von der Rouder Bréck gesprungen war.

»Weißt du, wer er war?«, fragte Valérie.

»Nein. Nur, dass er Handwerker war. Ich habe im Archiv des ›Luxemburger Wort‹ nachgeschaut, um das herauszufinden. Aber der Eintrag zu seinem Selbstmord war
nur drei Zeilen lang. Sein Tod hat wohl niemanden interessiert.«

Sie nahm seine Hand, gemeinsam liefen sie zurück zu
Kieffers Auto. »Es ist seltsam, hier zu sein«, sagte er.

»Wieso?«

»Weil mir erst vor Kurzem bewusst geworden ist, dass

ich seit diesem Tag damals nie wieder hier war. Ich war natürlich mal in Pfaffenthal, und ich bin Hunderte Male darüber hinweggefahren. Aber diese spezielle Stelle habe ich instinktiv gemieden, ohne dass mir das bewusst gewesen wäre.«

»Und, wirst du jetzt öfter hierherkommen?« Sie blickte zur gegenüberliegenden Alzette-Seite, wo das mittelalterliche Siechentor mit seinem spitzen Dächlein stand. »Ich find's eigentlich ganz hübsch hier.«

»Stimmt. Aber mir reicht es jetzt erst mal mit der Traumabewältigung.«

»Apropos Traumata. Was ist mit dem Barotrauma? Was hat der Arzt heute Morgen gesagt?«

Zweimal binnen kürzester Zeit war Kieffers Körper einem Vakuum ausgesetzt gewesen, wenn auch nur für Sekunden. Die damit einhergehenden plötzlichen Druckveränderungen nannte man Barotrauma, sie konnten Lungenbläschen und Gefäße zerstören. Deswegen hatte ihm die Episode in Kats' geheimem Serverraum einen mehrtägigen Aufenthalt im Centre Hospitalier sowie eine beeindruckend lange Reihe medizinischer Tests und Nachuntersuchungen eingebracht. Dass sie ihn zumindest einen Teil seines Blutes hatten behalten lassen, erschien Kieffer wie ein Wunder.

»Ich habe offenbar großes Glück gehabt, Val. Beim zweiten Mal habe ich instinktiv das Richtige getan, nämlich ausgeatmet. Dadurch hat mein Körper ein paar Sekunden gewonnen. Der Doktor sagt, es gebe keinerlei bleibende Schäden. Allerdings sei mein Allgemeinzustand verbesserungwürdig.«

»Sollst du vielleicht aufhören, zu rauchen?«

»Gott sei Dank nicht. Seine Worte waren: ›Ich bin

selbst Nichtraucher und würde Ihnen das Gequalme nur allzu gern verbieten. Aber leider sind Ihre Lungenwerte völlig in Ordnung, weswegen ich dazu keine besondere medizinische Veranlassung habe.‹ Meine Leberwerte hingegen bezeichnete er als besorgniserregend.«

»Was hast du denn?«

»Eine Fettleber. Zu wenig Sport und zuviel Riesling, behauptet der Arzt. Pekka hat allerdings bereits angemerkt, dass einem Koch so eine foie gras ja eigentlich ganz gut zu Gesicht stehe.«

Valérie schien das nicht so lustig zu finden wie er. »Dein versoffener Kumpel ist niemand, den man bei so etwas um Rat fragen sollte.« Sie hakte sich bei ihm ein. »Vielleicht überlässt du den Wein eine Zeit lang deinen Gästen. Ich werde dir einen dieser Hightech-Entsafter kaufen, bei denen man das Obst nicht einmal schälen muss. Es gibt ganz tolle Fruchtcocktails, die schmecken großartig.«

»Stimmt«, antwortete Kieffer, »vor allem die mit Traubensaft«, womit er sich einen Ellenbogenknuffer einhandelte.

»Hast du inzwischen eigentlich herausbekommen, wie Lobato dich gefunden hat?«, fragte sie, als sie in Kieffers Lieferwagen Richtung Grund fuhren.

»Ja, offenbar ist Manderscheid gerissener, als ich je für möglich gehalten hätte. Er hat Nothombe, diesem Melivia-Anwalt, zwar erzählt, er werde Lobato von dem Fall abziehen. Außerdem hat er diese Show mit dem Anruf abgezogen, damit die Sache echt wirkt. In Wahrheit hat er ihr aber weitere Ressourcen zur Verfügung gestellt und eine Vierundzwanzig-Stunden-Überwachung von Scholz angeordnet. Und als der mitten in der Nacht plötzlich zu diesem Bürohaus gefahren ist, hat Lobato beschlossen, zuzuschlagen. Wenn die Polizei nicht die Tür des Serverraums aufgebrochen hätte, wären Kats und ich erstickt. Für ihn«, fügte Kieffer leise hinzu, »wäre das allerdings vermutlich besser gewesen.«

Efim Kats hatte weniger Glück gehabt als er. Aufgrund der schweren Kopfverletzungen, die Scholz dem Hacker zugefügt hatte, war das Vakuum zu viel für dessen geschwächten Körper gewesen. Kats lag im Koma, aus dem er seitdem nicht mehr erwacht war; nach Einschätzung der Ärzte würde er entweder bewusstlos bleiben oder den Rest seines Lebens vor sich hin vegetieren.

»Und was passiert jetzt mit Scholz?«

»Er wird wegen zweifachen Mordversuchs angeklagt. Falls Kats sterben sollte, sogar wegen Mordes. Nothombe, Melivias Anwalt, behauptet natürlich, der Sicherheitschef habe auf eigene Rechnung gehandelt, das Unternehmen distanziere sich, und so weiter.«

»Das heißt, diese Kerle kommen davon?«, fragte sie.

»Vielleicht entgehen sie der Strafverfolgung, aber wirtschaftlich betrachtet sind sie praktisch schon tot. Scholz konnte die Computerdaten, die die Kats-Brüder gehortet hatten, schließlich nicht mehr löschen. Muller und seine US-Kollegen haben also reichlich Beweise. Pekka hat mir gestern einen Artikel aus der ›Financial Times‹ mitgebracht. Darin stand, dass Silverstein Green und Enlightment wegen der geklauten Algorithmen, die Melivia seit Jahren verwendet, Schadenersatz in zweistelliger Milliardenhöhe fordern. Die Melivia-Aktie ist daraufhin um mehr als siebzig Prozent abgestürzt.«

Als sie in Grund angekommen waren, machten Valérie und Kieffer es sich im Garten bequem. Er hatte Quetscheflued gekauft, Pflaumenkuchen, den sie mit reichlich

Klappschmand verzehrten. »Ich werde, sobald die Foer vorbei ist, übrigens zehn Tage Urlaub nehmen«, sagte Kieffer.

Valérie schaute ihn erstaunt an. »Du nimmst Urlaub? Freiwillig? Und was willst du in deinem Urlaub tun?« Sie setzte einen Ausdruck gespielten Entsetzens auf. »Doch nicht etwa gesund leben? Oder gar Sport machen?«

»Wir wollen es ja nicht gleich übertreiben. Mir schweben ein paar Tage am Meer und der eine oder andere Strandspaziergang vor.«

»Und wann soll das stattfinden?

»So Ende September vielleicht, falls du dann Zeit hast. Aber vorher muss ich noch eine Sache erledigen. Versprochen ist versprochen.«

»Nur wenn du wirklich die Kraft dazu hast, Xavier.«

»Das schaffe ich schon.« Er seufzte. »Aber danach brauche ich tatsächlich Urlaub.«

31

Kieffer war spät dran, viel zu spät. Als ihn der Shuttle-bus des Fernsehsenders vor dem Studio ausspuckte, war es schon kurz vor acht. Die Zuschauer drängten bereits in die Halle, weswegen er zum Hintereingang eilte. Dass er erst kurz vor Beginn der Show eintraf und nicht, wie eigentlich geplant, anderthalb Stunden früher, hatte er der Lufthansa zu verdanken, die ihn und die anderen Passagiere über eine Stunde lang auf dem Rollfeld von Findel hatte schmoren lassen. Kieffer zeigte einem Sicherheitsmann den eingeschweißten Backstagepass, den Esteban ihm ausgehändigt hatte: »Xavier Kieffer. Culinary Consultant. All Areas.«

Er betrat das Gebäude und orientierte sich. Nicht, dass es noch allzu viel zu tun gegeben hätte. Bei einem weiteren Treffen vor einigen Tagen waren die letzten Ablaufdetails geklärt worden. Nun konnte man nur noch hoffen, dass die Sache halbwegs reibungslos über die Bühne ging und sich die vier Starköche nicht vor laufender Kamera zerfleischten. Kieffer lief in Richtung Maske. Die Vorzeichen waren seiner Meinung nach denkbar schlecht. Seit dem letzten Treffen redete Schörglhuber nicht mehr mit

Vernier. Die Berlinerin hatte zudem Jensen während eines Disputs über die korrekte Garzeit von Zanderfilets geohrfeigt. Und Grønberg war irgendwann auf dem Set in Tränen ausgebrochen. Es hatte dafür keinen unmittelbar ersichtlichen Grund gegeben, vielleicht einfach die Nerven. Dem sensiblen Dänen galt auf jeden Fall Kieffers tiefstes Mitgefühl; auch er fand, dass die ganze Sache eigentlich zum Heulen war.

In der Maske fand er den Pampaprinzen. In »Estebans Küchenrevolution« hatte der Argentinier stets eine Kochjacke mit gefransten Epauletten und goldenen Litzen getragen, die ihn wie eine Mischung aus Traumschiffkapitän und südamerikanischem Diktator aussehen ließ, doch dieses Outfit war offenbar passé. Stattdessen war der Küchen-Leonardo nun in eine schmucklose, maßgeschneiderte schwarze Küchenuniform gehüllt, deren einzige Extravaganz ein Einstecktuch in den argentinischen Nationalfarben war. Der Starkoch war gerade völlig in sein eigenes Spiegelbild vertieft, weswegen er Kieffer nicht bemerkte. Als er des Luxemburgers gewahr wurde, fuhr er herum und scheuchte eine junge Frau fort, die sich gerade mit einer Sprühdose an seiner Löwenmähne zu schaffen machen wollte.

»Weg, weg!« Er wandte sich Kieffer zu. »Xavier! Mon frère! Madre de dios, wo hast du gesteckt?«

Esteban legte seinen Arm um Kieffers Schulter. »Wir müssen noch etwas besprechen«, raunte er. »Está altamente secreto. Es gibt da ein paar Last-Minute-Änderungen.«

»Aber es geht doch in fünfzehn Minuten los, Leo.«

»No problemo, Esteban hat alles schon vorbereitet. Aber ché – jetzt brauche ich dich noch mehr als vorher.«

Esteban fingerte eine Davidoff aus seiner Jackentasche und entzündete sie mit einem goldenen Feuerzeug. »Xavier, du bist mi solo amigo in diesem Haufen von idiotas.«

Dann machte er auf dem Absatz kehrt und bedeutete Kieffer, ihm zu folgen. Sie liefen den Gang entlang, vorbei an hektisch wirkenden jungen Leuten mit modischen Frisuren und Headsets. An einer Biegung kam ihnen Vernier entgegen und nickte den beiden freundlich zu. »Isch freue misch auf die Sendung, mes amis!«

Als Vernier außer Hörweite war, fragte Kieffer: »Was ist mit ihrem Akzent passiert? Berlinert sie nicht normalerweise?«

Der Argentinier grinste. »Das französische Genuschel ist ihr TV-Akzent, ché. Sie hat schon umgeschaltet, ist schon in ihrer Rolle.«

Sie betraten nun den eigentlichen Studiobereich. Kieffer brütete gerade über der Frage, ob Esteban seinen argentinischen Akzent wohl auch nach Belieben an- und abschalten konnte, da entfuhr seinem Kollegen eine Kanonade von Flüchen.

»Especie de mierda! Das hatte ich ihm doch verboten! La concha de la lora!«

Der Zorn des Argentiniers galt augenscheinlich Arne Jensen, der am Rande der Bühne stand, umringt von zahlreichen Fans. Während diese ihn mit ihren Handys vor der Showküche knipsten, hielt der Koch eine Flasche Chilisoße in der Hand. Genauer gesagt ruhte diese wie ein Baby in seiner Armbeuge, denn es handelte sich nicht um eines der handelsüblichen Fläschchen, sondern um eine Zwei-Liter-Flasche. Esteban steuerte auf Jensen zu.

»... die besteht zu hundert Prozent aus Habaneros. Bahama Mamas, Digger, die schärfsten Chilischoten der

Welt. Da reichen ein paar Tropfen, und dein Gaumen hebt ab! Das ist nix für Warmduscher, nä? Soll ich nomma hochhalten, fürs Foddo?«

Esteban baute sich vor seinem Kollegen auf. »Kein Product Placement am Set, Jensen.«

»Tu ich ja wech, bevor die Sendung …«

Bevor der Hamburger seinen Satz beenden konnte, hatte Esteban ihm bereits die Flasche aus der Hand gerissen und lief einfach weiter. Kieffer folgte ihm.

»Jetzt mal raus damit, Leo, du hast doch einen Anschlag auf mich vor. Was soll ich machen, was nicht vereinbart war?«

»Du sollst kochen.«

»Was? Auf keinen Fall!«

»Hermano mío, du musst das tun. Para mí! Für ›Kampf der Köche‹! Ansonsten fliegt uns alles um die Ohren.«

»Wieso ›Kampf der Köche‹? Ich dachte, die Show heißt ›Krieg der Sterne‹.«

»Nicht mehr«, erwiderte Esteban. »Einstweilige Verfügung aus Hollywood. Elende Spielverderber. Aber das ist unser geringstes Problem.«

Kieffer blieb stehen und schüttelte den Kopf. »Leo, ich dachte, wir hätten das bereits geklärt. Ich werde auf keinen Fall vor laufender Kamera im Fernsehen kochen.«

»Relájate, ché. Das musst du auch nicht. Un momento, ich werde es dir zeigen.«

Der Argentinier führte ihn nun in einen Teil der Haupthalle, der hinter der Showküche lag. Aus dem angrenzenden Studio konnte Kieffer bereits die aufgeregte Stimme eines Einheizers hören, der die wartenden Zuschauer bei Laune hielt. Er war zuvor noch nie in diesem Teil des Backstage-Bereichs gewesen, und was er sah, verschlug ihm einen Moment lang den Atem. Abgetrennt vom Rest des Studios befand sich hier eine weitere Küche. Sie besaß in etwa die gleichen Dimensionen wie die Showküche, die sich nur wenige Meter weiter, auf der gegenüberliegenden Seite der Wand befand. Anders als ihr TV-Pendant war sie jedoch nicht aus blitzendem Chrom, es gab keinerlei bunte Dekorationselemente, keine Scheinwerfer. Dies war eine richtige Restaurantküche, eine Küche zum Arbeiten, mit viel Edelstahl und wenig Schnickschnack. An den Posten standen ein halbes Dutzend Köche. Sie überprüften ihre mise en place, vergewisserten sich ein letztes Mal, dass alle benötigten Utensilien vorhanden waren. Es war offensichtlich, dass sie sich auf den Beginn des Service vorbereiteten. Zwischen den Köchen bemerkte Kieffer Regisseur Klaus Tiede, der nun zu ihnen herüberkam.

»Was soll das hier werden, Leo? Kochen die für die Crew?«, fragte Kieffer.

»Sag's ihm, Klaus.«

Der Regisseur rückte seine Architektenbrille zurecht. »Wie Sie wissen, hatten wir gestern noch einen kleinen Testlauf. Unsere Starköche konnten da schon einmal die Küche ausprobieren, sie haben für die TV-Crew gekocht, reine Routine eigentlich. Aber aufgrund gewisser Spannungen zwischen den Beteiligten waren einige der Gerichte suboptimal.«

»Was Klaus sagen will, ché«, knurrte Esteban, »ist, dass diese idiotas unfassbare Schifferscheiße zusammengekocht haben. Una catástrofe.«

»Wie kann das sein?«, fragte Kieffer. »Nur weil die sich ein bisschen zanken, heißt das ja nicht, dass sie plötzlich nicht mehr kochen können.«

»Sie sagen, es liegt am Zutat-O-Mat. Und an ihren Assistenten. No sé, ist mir auch egal. Fest steht, dass es ein Risiko ist, der Jury das Zeug ungeprüft zu servieren. Vor allem, da ein Gabin-Tester darunter ist.«

Kieffer betrachtete die Postenköche. Ihm fiel auf, dass über der Küchenzeile mehrere große Monitore angebracht waren, auf denen man aus verschiedenen Einstellungen die Showküche sehen konnte. Ihm dämmerte, was Esteban vorhatte.

»Nachkochen? Die Köche hier sollen den ganzen Kram nachkochen?«

»Sí, ché. Unter deiner Leitung. Ihr bekommt zeitgleich mit den Köchen drüben die Zutatenliste des Zutat-O-Mats. Und wenn den idiotas ein Gericht misslingt, dann tauschen wir es im letzten Moment gegen eures aus.«

»Und wie willst du die missratenen Gerichte verschwinden lassen, Leo?«

»Es fácil.« Der Argentinier zeigte auf eine Klappe in der Studiowand. Der Regisseur sagte: »Sie erinnern sich vielleicht, dass alle fertigen Gerichte vor dem Servieren unter eine überdimensionierte Silberglocke kommen, unsere Supercloche. Dort stehen sie zwei, vielleicht drei Minuten. Während dieser Zeit ist es möglich, das Gericht über diese Klappe auszutauschen.«

Er ging zur Wand und öffnete die Klappe. Kieffer blickte hinein. Dahinter schien es einen Kriechgang zu geben, der in den Sockel führte, auf dem die Cloche ruhte. Er atmete tief ein und aus. Dann wandte er sich wieder Esteban zu.

»Okay. Ich glaube, dieser Irrsinn könnte sogar funktionieren. Aber es ist Betrug, Leo! Ihr kocht nicht, ihr simuliert den Zuschauern Kochen. Weiß Valérie davon?«

Der Regisseur räusperte sich. »Nicht in allen Details. Aber wir haben Frau Gabin selbstverständlich über den Umstand informiert, dass es ein Sicherheitsnetz geben wird. Sie hielt die Idee für … zweckmäßig.«

»Und die Köche?«

»Die wollten wir so kurz vor der Sendung nicht mit dieser Sache belasten«, antwortete Tiede. »Es würde ihnen alle Natürlichkeit nehmen.«

Kieffer vergrub sein Gesicht in den Händen. »Oh freck. Ech hunn de Kéis.«

Tiede schaute irritiert. »Was meinen Sie, Herr Kieffer?«

Esteban bedeutete dem Regisseur mit einer Handbewegung, zu verschwinden. Aus einem Lautsprecher über ihnen ertönte eine Stimme: »Noch fünf Minuten!«

Der Argentinier legte seine Hände auf Kieffers Schultern. »Ché, wo ist das Problem?«

»Das Problem ist, dass das hier alles Beschiss ist. Eine billige Zaubershow.«

»Fernsehen ist immer Beschiss, ché gordo. Aber sieh es mal anders. Wenn du im ›Deux Eglises‹ am Pass stehst, und einen Teller zum Rausgeben bekommst, der nicht in Ordnung ist, was machst du dann?«

»Ich lasse ihn zurückgehen.«

»Precisamente. Und nix anderes machen wir hier. Wir prüfen das Gericht, bevor wir es den Juroren und dem Publikum servieren.« Esteban klopfte sich eine Davidoff aus der Schachtel. Dann hielt er Kieffer die Packung hin. Der schüttelte den Kopf.

»Ché, vermutlich geht heute alles glatt. Si no, dann ist es trotzdem unwahrscheinlich, dass wir mehr als ein, zwei Gerichte austauschen müssen. Alles, worum ich dich bitte«, er faltete die Hände wie zum Gebet, »en el nombre de la Virgen, ist, dass du dich bereithältst. Beim nächsten Mal tauschen wir dann die Köche aus. Oder machen es ohne dich.«

Die Lautsprecherstimme knarzte: »Noch drei Minuten. Bitte alle auf Position.«

Kieffer musterte den Argentinier. Dann sagte er mit gepresster Stimme: »Das nächste Mal macht ihr diesen Mist ganz sicher ohne mich. Und nun sieh zu, dass du auf die Bühne kommst, Leo.«

Esteban umfasste mit beiden Händen Kieffers Nacken und küsste ihn auf die Wange. »Fantástico! Ich habe gewusst, dass ich mich auf dich verlassen kann, hermano mío …«

»Raus aus meiner Küche, Leo.«

Esteban machte eine beschwichtigende Handbewegung. Dann verschwand er.

Kurz darauf tauchte der Argentinier auf einem der über dem Kachelspiegel hängenden Monitore wieder auf. Als er die Bühne betrat, ertönten pompöse Orchesterfanfaren, die wohl an den Soundtrack von »Krieg der Sterne« erinnern sollten. Anscheinend hatte man die Musik so kurz vor der Sendung nicht mehr austauschen können. Der Argentinier begann nun, das zu tun, was er am besten konnte: Er sprach zum Publikum. Kieffer hörte nicht hin. Stattdessen ging er durch die Küche und versuchte herauszufinden, wer hier wofür zuständig war. »Wer von euch ist mein Souschef?«, rief er.

»Ich, Señor.« Die Antwort kam von einem Mann mit tief liegenden Augen. »Mein Name ist Eduardo.«

Kieffer musterte ihn. Eduardo war ein schmales Bürschchen, Typ nervöses Bantamgewicht, Stillstehen fiel ihm augenscheinlich schwer.

»Wo arbeitest du sonst?«

»Im ›Revolución‹. Ich bin Estebans Souschef.«

Kieffer war sich nicht sicher, ob dies eine gute oder eine schlechte Nachricht war. Was die Qualität von Estebans Restaurant anging, hegte er gewisse Zweifel. Aber zumindest zeigte Eduardos Anwesenheit, dass dem Argentinier die Sache ernst war. Ansonsten hätte er seine Nummer zwei nicht an einem Samstagabend aus Bitburg hierher beordert. »Gut. Die anderen?«

»Drei unserer Leute«, antwortete der Souschef und begann, von einem Bein aufs andere zu treten. »Der Rest ist bunt zusammengewürfelt, der Chef hat sie von verschiedenen befreundeten Hamburger Restaurants ausgeliehen.«

»Haben also noch nie zusammengearbeitet?«

»Nein.« Eduardo verzog sein hageres Gesicht, als bereite ihm die Sache erhebliche Schmerzen. »Scheiße, was?«

»Ja, Scheiße. Aber hilft nichts. Folgendes: Ich will, dass sich einer ins Publikum setzt. Damit wir wissen, was die da drüben machen, falls unsere Monitore nicht alles anzeigen. Am besten mit Handy. Und der Kollege da«, Kieffer zeigte auf einen etwas kurz geratenen Postenkoch, »holt uns die Sachen aus der Cloche. Glaubst du, wir können alle Gerichte parallel nachkochen?«

Eduardo runzelte die Stirn. »Vielleicht. Ich vermute allerdings, dass es zu eng wird. Wir brauchten dafür mehr Köche.«

Kieffer überlegte. »Dann machen wir es auf Ansage. Wenn ich dir ein Zeichen gebe, kocht ihr es nach. Ansonsten spielen wir auf Risiko.«

Auf dem Monitor erklärte Esteban dem Publikum gerade die Regeln. »... kochen unsere vier Maestros mit ihren Assistenten jeweils ein Hauptgericht. Die Zutaten werden zufällig ausgewählt. Vorhang auf für nuestro Zutat-Oooo-Maaat!«

An den Kochposten konnte er Vernier, Schörglhuber, Jensen und Grønberg erkennen, alle flankiert von je einem Zivilisten. Als Erster war der Däne dran. Der Zutat-O-Mat begann zu blinken, das Publikum raunte. Das Livebild zeigte nun auf der linken Hälfte die Ergebnisse, die das Gerät ausspuckte. Rechts wurde eine Großaufnahme von Grønbergs Gesicht eingeblendet. Mit jeder weiteren Zutat verfinsterte sich seine Miene deutlich.

Neben einer Regenbogenforelle und einer Portion kleiner Tintenfische hatte der Computer Grønberg Kirschen, Fetakäse und Currypulver zugelost. »Zakkerdjess!«, entfuhr es Kieffer. »Was soll man daraus bitte kochen?«

Vernier, die als Zweite an der Reihe war, hatte deutlich mehr Glück. Sie bekam eine Kalbshaxe am Knochen, dazu Tomaten, Auberginen, Karotten und Polenta. Das Endergebnis würde, so vermutete Kieffer, einem ossobuco alla milanese ähneln, die Berlinerin schaffte das vermutlich im Schlaf. Schörglhuber erhielt Wildfleisch und Pilze, Jensen Rinderkoteletts mit Pflaumen und Quitten. Alle lächelten zufrieden. Nur Grønberg sah so aus, als ob er gleich wieder in Tränen ausbräche.

Kieffer instruierte Eduardo, Grønbergs Kirsch-Tintenfisch-Forelle nachzukochen. Eine nicht ganz einfache Aufgabe – denn anders als bei den drei anderen Köchen hatten sie keinen Schimmer, auf welches kulinarische Endergebnis der Däne mit seinen missratenen Zutaten zusteuerte. Kieffer hörte, wie Vernier Esteban gerade Auskunft über ihr Gericht gab: »Isch werde eine Art Ossobüco machen, aber provenzalisch. Du weißt, meine Maman, sie kommt aus Aix-en-Provence …«

»Cariño, dann brauchst du aber noch Knoblauch, sí?«
Vernier lächelte. »Mein wunderbarer Partner wird gleisch züm Kühlschrank gehen.«

Ihr Assistent, ein korpulenter Mann Ende dreißig, nickte stumm und lief in Richtung des gigantischen Kühlschranks, der am anderen Ende der Halle stand. Der einzige Weg dorthin führte über jene schmale Brücke, die den überdimensionierten Kochtopf überspannte. Als der Mann an ihrem Fuß angekommen war, ertönte Estebans Stimme: »Dieter aus Hamburg holt unserer schönen Tanja keine duftenden roten Rosen – sondern Knoblauch. Ist das nicht romantisch?«

Das Publikum johlte vergnügt.

»Aber da hat er die Rechnung ohne Sepp Schörglhubers rechte Hand gemacht – Thomas aus Augsburg!«

Die Kamera schwenkte nun auf einen verbissen dreinblickenden jungen Mann, der hinter der Sahnetülle stand und umgehend begann, den Knoblauchkurier mit Fontänen weißen Schaums zu beschießen. Doch Dieter aus Hamburg schaffte es, wenn auch strauchelnd und taumelnd, über die schmale Brücke und kämpfte sich bis zum Kühlschrank vor. Triumphierend hielt er eine Knoblauchknolle in die Kamera. Das Publikum skandierte »Die-ter, Die-ter«.

Inzwischen war zu erahnen, was Grønberg vorhatte: Offenbar wollte er die Forelle mit dem Schafskäse überbacken und dazu eine Soße aus Kirschpüree und Tintenfischstückchen reichen. Kieffer gab Eduardo entsprechende Anweisungen. Esteban hatte sich inzwischen wieder zu seinen vier Starköchen gesellt und linste mit übertrieben gespielter Neugier in deren Töpfe und Pfannen.

»Oh, das wird famoso! Delicioso! Ich bin so gespannt, amigos! Wie sieht's aus, Arne?«

Jensen zeigte auf seine entbeinten Koteletts, die in einer Pfanne vor sich hin brutzelten. »Gleich mach' ich da noch 'n büschen Salbei dran. Das gibt 'ne ganz besondere Aromatik.«

»Ünd die Knochen?«, mischte sich Vernier ein. »Isch denke, da könnte man einen formidablen Fong draus ziehen.«

Jensen griff nach den Knochen und warf sie in den Mülleimer hinter sich. Vernier schaute irritiert und wollte etwas sagen, aber Esteban schnitt ihr das Wort ab. »Hier kommt dein Held, Tanja.«

Dieter trat ins Bild und hielt ihr die Knoblauchknolle hin. Sie nahm sie und hauchte ihm einen Kuss auf die sahneverschmierte Wange. Das Publikum applaudierte.

Kieffer betrachtete die verschiedenen Monitore. Noch konnte man nicht mit Sicherheit sagen, welche der Gerichte etwas taugten. Aber dem Augenschein nach zu urteilen, musste man sich weder um Vernier noch um Schörglhuber Sorgen machen. Sogar Jensen schien ihm außerhalb der Gefahrenzone. Wie Grønbergs Gericht geriet, war hingegen völlig offen. In der Totale eines Screens sah Kieffer Josef Schörglhuber hinter den anderen Köchen vorbeilaufen und seine Rehkeule aus dem Ofen holen. Beifällig warf er auf dem Rückweg einen Blick auf Jensens Pfanne und sagte laut und vernehmlich: »Mei, des werd a ganz a schwoaze Sach', wennst mi frogst.«

Der Bayer hatte leider recht. Während sich Jensen um die Aromatik gekümmert und mit einem Wiegemesser Kräuter auf einem Brett zerkleinert hatte, waren die Koteletts unter der Aufsicht seiner Assistentin verblieben, was sich nun als Fehler erwies. Mit abwesendem Blick stand die Frau vor der rauchenden Pfanne.

»Jensens Koteletts sind hin!«, rief Kieffer nach hinten. »Nachkochen! Ohne Knochen, in der Pfanne gebraten, dazu Pflaumen-Quitten-Ingwer-Soße.«

»Das wird aber eng«, antwortete einer der Postenköche.

»Natürlich wird das eng«, blaffte Kieffer zurück. »Das nennt man Kochen.«

Auf der Bühne spielte inzwischen eine Kieffer unbekannte Rockband eine Coverversion von »Pour some sugar on me«. Die vier Köche legten bereits letzte Hand an ihre Gerichte. Grønberg hatte versucht, für seine Soße noch etwas Balsamicoessig zu bekommen, doch sein Assistent war von der Sahnekanone auf halbem Weg niedergemäht worden und in den Kochtopf gestürzt. Der Däne rührte verzweifelt mit einem Schneebesen in seiner Soße und redete dabei ununterbrochen mit sich selbst. Schörglhuber hingegen sah sehr entspannt aus, als er seinen Teller unter die Cloche stellte.

»Soll ich?«, fragte der kurze Koch.

»Nein«, antwortete Kieffer. »Der braucht unsere Hilfe nicht.«

Als Nächster lieferte Jensen seine Schweinekoteletts ab. Kieffer gab ein Zeichen und der Koch verschwand hinter der Klappe. Kurz darauf kam er mit Jensens dampfendem Teller zurück. Kieffer schnitt das Fleisch an. Es war so zäh, dass er mit dem Messer kaum durchkam. Er probierte die Soße. Vielleicht hätte ein sehr hungriger Gast mit kräftigen Kiefern das Kotelett noch irgendwie herunterwürgen können. Aber die viel zu saure, glibberige Tunke, die Jensen darübergegossen hatte, gab dem Gericht den Rest.

»Austauschen«, befahl er.

Er verzichtete darauf, Verniers Ossobuco zu probieren, weil sie es ohnehin nicht mehr rechtzeitig hätten nachkochen können. Stattdessen ließ der Luxemburger sich Grønbergs Fetaforelle bringen. Sorgfältig darauf achtend, das kulinarische Kunstwerk auf dem Teller nicht zu zerstören, schnitt er ein winziges Stückchen ab und probierte. Die Sache schmeckte erstaunlich gut. Etwas gewöhnungsbedürftig, sicherlich. Aber angesichts der schlechten Ausgangslage war die Leistung des Dänen beachtlich. Kieffer probierte nun die Forelle, die seine Küche zubereitet hatte.

»Stell Grønbergs Teller zurück in die Cloche. Und das hier kannst du wegschmeißen.«

Der kleine Mann verschwand wieder hinter der Klappe. Kieffer merkte, wie die Anspannung von ihm abfiel. In wenigen Minuten würde es endlich vorbei sein. Während seine Konzentration nachließ, fühlte er, wie der verdrängte Zorn zurückkehrte. Seine Hände ballten sich zu Fäusten. Er brauchte dringend eine Zigarette.

In der Studioküche wurde nun die große Cloche gelüftet, die Kamera zeigte in einer Draufsicht alle Gerichte. Die mit Messern und Gabeln bewaffneten Jurymitglieder waren inzwischen auf die Bühne gekommen und probierten. »Toll, diese Rehkeule«, sagte einer der Juroren. »Und diese Koteletts erst. Die sind ja so was von butterzart!«

Nach einigen weiteren Mmmhs und Ahhhs kam es zur Abstimmung. Die Juroren erklärten Jensen zum Gewinner. Der Hamburger reckte eine Faust gen Decke, den kleinen Finger und den Zeigefinger abgespreizt. Die pompöse Orchestermusik setzte wieder ein, und Esteban breitete die Arme aus: »Bravo, Arne! Bravo Maestros! Was für ein wunderbares Kochquartett wir heute Abend hier erleben durften. Señoras y Señores, Applaus bitte!«

Das Publikum klatschte, und der Pampaprinz zwinkerte in die Kamera. »Der einzige Koch hier, der heute Abend noch gar nichts gekocht hat, das ist Esteban, sí? No va, das geht natürlich nicht, und deshalb, amigos«, er drehte sich in Richtung der vier Köche, »habe ich euch ein Gericht aus meiner Heimat mitgebracht. Muy simple und muy bien! Doch zuerst wollen wir noch ….«

Kieffer beschloss, dass es an der Zeit war, sich eine Ducal zu gönnen. Er wollte die Küche bereits verlassen, als er bemerkte, wie Eduardo in einem großen Suppentopf rührte, der mit einer grünlichen Flüssigkeit gefüllt war.

»Was ist das?«, fragte der Luxemburger

»Das ist die argentinische Spezialität, die den Sterneköchen gleich serviert wird. Locro de habas. Eine Suppe aus Favabohnen.«

Kieffer roch an der Suppe. Er legte eine Hand auf Eduardos Schulter und lächelte den Koch an. »Vielen Dank für deine Hilfe, Eduardo. Aber du kannst jetzt Feierabend machen.«

»Aber die Locro …«

»… mach dir keine Sorgen, mit Bohnensuppe kenne ich mich bestens aus. Das erledige ich selbst.«

Dann stellte Kieffer fünf Suppenteller auf ein Tablett und komplimentierte seinen Souschef sowie die anderen aus der Küche. »Geht ruhig schon was trinken, Jungs. Ich komme gleich nach.«

Als die Köche die Küche verlassen hatten, probierte der Luxemburger die Bohnensuppe und brummte: »Die ist ja viel zu fad.«

Dann ging er zu der Arbeitsplatte, auf der Esteban Jensens Magnumflasche Chilisoße abgestellt hatte. »Aber das lässt sich ja ändern.«

Dank

Villmools Merci an Anne Kneip, die, wie schon bei »Teufelsfrucht« und »Rotes Gold«, mein miserables Lëtzebuergesch korrigiert hat. Vielen Dank an Steffi Knauer
fürs Berlinerisch und an meine Frau Cornelia für bayerische Mundart. Ich danke außerdem den Luxemburger
Musikern Christiane Feinen und Georges Urwald für die
Drëpp und das Lied »Cojellico's Jang«.

Glossar: Küchenlatein

Asado de tira
Argentinischer Rindfleischzuschnitt (Rippenstück)

Beignet aux pommes
In Fett ausfrittierte Apfelküchlein

Biwwelamoud
Verballhornung von bœuf à la mode; Sauerbraten

Bouneschlupp
Deftiger luxemburgischer Bohneneintopf

Bouquet garni
Bund aus getrockneten Kräutern, der Schmorgerichten beigegeben wird

Cloche
Abdeckhaube für Teller

Commis de cuisine
Jungkoch

Entraña
Argentinischer Rindfleischzuschnitt (marmoriertes Bauchstück)

Entremetier
Beilagenkoch

Fierkel um Spiess
Spanferkel

Foie gras
Stopfleber

Friture de la Moselle
Kleine, im Ganzen in Teig frittierte Moselfische

Gardemanger
Koch der kalten Küche

Gebakene Fësch
Backfisch

Graffe Pati
Luxemburger Leberterrine

Gromperekichelcher	Luxemburger Reibekuchen aus Kartoffeln
Gromperen	Kartoffeln (lux.)
Harissa	Scharfe Chilipaste aus Nordafrika; wird zu Merguez gereicht
Hueseziwwi	Hasenpfeffer nach Luxemburger Art
Judd mat Gaardebounen	Luxemburger Nationalgericht; gepökelter Schweinehals mit Saubohnen
Kachkéis	Luxemburger Kochkäse
Klappschmant	Schlagsahne
Locro de Habas	Argentinische Bohnensuppe
Merguez	Lammwürstchen
Morbier	Jurakäse aus Morgen- und Abendmilch, mit Ascheschicht dazwischen
Œufs Benedict	Pochierte Eier mit Sauce hollandaise
Ossobuco	Geschmorte Kalbshaxe
Pass	Letzter Kontrollposten in der Küche
Picandou	Ziegenkäsetaler
Quetscheflued	Luxemburger Zwetschgenkuchen
Rivaner	An der Luxemburger Mosel angebaute Weinsorte, Kreuzung aus Riesling und Silvaner (auch Müller-Thurgau genannt)
Saucisson sec	Luftgetrocknete Wurst, ähnelt einer Salami
Souschef	Vizechef einer Küchenbrigade
Träipen	Luxemburger Blutwurst
Vacío	Argentinischer Rindfleischzuschnitt (Flankenstück)
Wäinzoossiss	Luxemburger Bratwürstchen

Tom Hillenbrand, Teufelsfrucht

Von der kleinen Terrasse des »Deux Eglises« hatte Xavier Kieffer einen hervorragenden Blick auf die Straße, die sich vom Europaviertel auf dem Plateau de Kirchberg hinab in Richtung Clausener Unterstadt schlängelte. Es war bereits später Nachmittag, doch kaum ein Auto war zu sehen. Kieffer seufzte und wandte sich, mit einem feuchten Tuch bewaffnet, den Holztischen zu, die im Außenbereich der Gaststätte aufgestellt waren.

Das »Deux Eglises«, dessen Koch und Besitzer er war, galt vielen EU-Beamten als beliebter Treffpunkt. Auf der mit Verwaltungsgebäuden gespickten Anhöhe im Osten der Stadt gab es lediglich einige überteuerte Spesenritterlokale zweifelhaften Rufs sowie eine Cafeteria, die bereits um halb sechs schloss. Kieffers Lokal am Hang des Kirchbergs lockte deshalb viele fonctionnaires an, die auf dem Heimweg noch eine Kleinigkeit essen oder ein Glas Rivaner trinken wollten.

Das war insofern erstaunlich, als Kieffer sich standhaft weigerte, all den zugezogenen Deutschen, Briten oder Spaniern kulinarisch auch nur einen Zentimeter weit entgegenzukommen. Tapas oder Schnitzel suchte man auf der Karte seines »Zwou Kierchen« vergebens. Der in seinen feinschmeckerischen Überzeugungen etwas starrsinnige Kieffer servierte seinen Gästen stattdessen unverdrossen moselfränkische Klassiker wie Judd mat Gaardebounen, Friture de la Moselle und sein persönliches Leibgericht: vor Fett triefende Gromperekichelcher, Luxemburger Kartoffelpuffer.

Kieffer säuberte alle Tische auf der Terrasse – machte sich allerdings wenig Hoffnung, dass an diesem Abend viele Gäste kämen. Vielleicht würden später ein paar Einheimische auftauchen und exotische Spezialitäten wie Kuddelfleck oder Träipen bestellen, die er nicht auf der Karte hatte, auf Nachfrage aber gerne zubereitete. Ansonsten aber würde Kundschaft heute Abend Mangelware sein. Nicht einmal sein Freund und Stammgast Pekka Vatanen würde sich blicken lassen. Auch der war, wie alle wichtigen Luxemburger EU-Beamten, in Brüssel, wo diese Woche das Europäische Parlament zusammentrat.

Auf dem Kirchberg herrschte wegen der Sitzungswoche Grabesstille. Dort war unter anderem der EU-Parlamentsdienst ansässig, der dafür zuständig war, die Abgeordneten mit Zahlen und Fakten zu munitionieren. Die meisten Mitarbeiter waren den Deputierten nach Brüssel gefolgt, wo die Ausschüsse des Parlaments tagten. Die wenigen Zurückgebliebenen nutzten die Abwesenheit ihrer Vorgesetzten, um bereits nach dem Mittagessen still und heimlich die verwaisten Büros zu verlassen.

Erst in der nächsten Woche kam der EU-Wanderzirkus wieder nach Luxemburg. Dann würde sich auch das »Deux Eglises« wieder mit zahlungskräftigen Deutschen, Litauern und Italienern füllen. Bis dahin blieb Kieffer nichts anderes übrig, als ein bisschen aufzuräumen, die Buchhaltung zu erledigen und seine Bestände an Nahrungsmitteln, Gewürzen und Wein zu überprüfen. Vor allem Letzteres war an einem sonnigen Septembertag wie diesem eine durchaus erfreuliche Perspektive für den weiteren Abend.

Er wischte gerade den letzten Tisch ab, als Claudine die Terrassentür öffnete. Die junge Frau schaute nervös. Claudine arbeitete seit vier Jahren als gardemanger in seiner Küche. De facto konnte sie jedoch alles zubereiten, was auf der Speisekarte stand. Kieffer hatte geplant, ihr an diesem Abend die Küche zu überlassen und sich mit den Bestelllisten sowie einer Flasche fruchtigen Auxerrois' auf die sonnenbeschienene Terrasse zu setzen. Als Claudines Blick den seinen traf, ahnte er, dass daraus nichts werden würde.

»Wir haben einen Gast, den du dir besser mal anschaust, Xavier.«

»Warum? Ist etwas Besonderes an ihm? Gehört er zur großherzoglichen Familie? Oder, noch schlimmer, zur EU-Kommission?«

Claudine rollte mit den Augen. »Ich glaube, es ist ein Kritiker. Er sieht so aus. Franzose, übellaunig, mustert die Karte wie ein Buchprüfer.«

Kieffer setzte die Stühle ab und sah sie überrascht an. »Ist er mit dem Auto gekommen? Hast du seinen Wagen überprüft?«

»Ja, natürlich. Ein großer Peugeot, französisches Nummernschild.«

»Département?«

»38. Isère.«

Kieffer nickte bedächtig und zündete sich eine Ducal an. Viele Franzosen rümpften die Nase über die Luxemburger Küche, da sie ihnen als zu vulgär, zu derb oder anders gesagt: als zu deutsch erschien. Dennoch waren französische Gäste im »Deux Eglises« keine Seltenheit. Meistens wiesen die Nummernschilder ihrer Autos jedoch den Pariser Départementcode auf, die 75. Oder die 67 für Straßburg.

Aus dem Verwaltungsbezirk Isère und seiner Hauptstadt Grenoble verirrte sich hingegen kaum jemand in das abgelegene Restaurant. Touristen oder durchreisende Geschäftsleute kamen selten hierher. Das Gros der Ausflügler blieb in den Touristenfallen am Place d'Armes kleben; und selbst die abenteuerlustigen unter ihnen, die von der ville haute in die ville basse hinunterfuhren, landeten in jenen kleinen hippen Brasserien, die sich um die restaurierte Brauerei in der Mitte des Unterstadtviertels Clausen angesiedelt hatten.

Kieffers Restaurant zu finden war ohne fundierte Ortskenntnisse nahezu unmöglich. Laufkundschaft hatte er deshalb keine, und selbst mit dem Auto war sein Spezialitätenlokal schwer zu erreichen. Es lag zwar nur ein paar Hundert Meter von der Innenstadt entfernt. Doch aufgrund der steil abfallenden Felswände, die Luxemburgs Ober- und Unterstadt voneinander trennten, musste man zunächst das Stadtzentrum verlassen und auf den östlich des Zentrums gelegenen Kirchberg fahren, um dann durch eine unscheinbare Durchfahrt neben der Philharmonie auf ein abschüssiges Sträßchen namens Milliounewee zu gelangen, das sich den steilen, zugewucherten Hang hinunter ins Alzettetal wand.

Diese Serpentinenstraße endete nach einigen Hundert Metern vor einem kleinen mittelalterlichen Stadttor, das für größere Autos kaum passierbar war. Hatte sich der

Fahrer durch das Nadelöhr gezwängt, ging es nur noch im Schritttempo weiter; der Weg am Hang wurde nun noch schmaler und war zudem unbeleuchtet, sodass man vor allem abends leicht die zwei kleinen blauen Laternen verfehlen konnte, welche die Einfahrt zum Parkplatz markierten.

Kieffer zündete sich noch eine Zigarette an. Niemand schneite zufällig hier herein, und das Nummernschild des Peugeot war höchst verdächtig. Jedermann wusste, dass das Gros französischer Leasingfahrzeuge und Mietwagen eine 38 auf dem Nummernschild hatte, weil der größte Autoverleiher Frankreichs dort seine Pkws zuließ. Jeder Gastronom wusste zudem, dass die Tester der beiden großen Gourmetführer, Guide Gabin und Levoir-Brillet, Firmenwagen mit einer 38 fuhren, meistens solche von Peugeot.

»Na denn, Claudine«, sagte Kieffer und trat seine halb gerauchte Ducal aus. »Op an d'Schluecht!«

2

Kieffers Restaurant befand sich in einem dreistöckigen Steinhäuschen, das mit seinem Holzschindeldach, den Schießscharten und der eisenbeschlagenen Eichenpforte wie ein kleines Kastell aussah. Während der napoleonischen Besatzung im 19. Jahrhundert hatten die Franzosen das Gebäude am Hang errichtet, um ihren Wachsoldaten Unterschlupf zu gewähren und nach feindlichen Truppen Ausschau zu halten.

Das eigentliche Restaurant war im Erdgeschoss untergebracht, die Küche befand sich im ersten Stock. Dort stand Xavier Kieffer nun an seinem Platz neben dem Speiseaufzug und wartete auf das Klingeln, das die Ankunft der kleinen Kabine ankündigte. Als es schellte, öffnete er die Klappe und nahm eine kleine Klemmtafel heraus, auf der ein handgeschriebener Bestellzettel befestigt war.

»Was will er?«, rief Claudine aus dem hinteren Teil der Küche, ohne von der Arbeitsplatte aufzusehen, auf der sie mit einem großen Messer in atemberaubender Geschwindigkeit Karotten in hauchdünne Juliennestreifen verwandelte.

»Einen Salat.«

»Nur einen Salat?«

Kieffer sah auf den Zettel, auf dem Jacques die Bestellung des mysteriösen Franzosen vermerkt hatte. Mit einem Kugelschreiber hatte der Kellner eine Reihe von Abkürzungen darauf gekrakelt: »2 Sal, 3 Bou, C4 Pat, 17 Civ m. Grom, 26 Que«. Kieffer kannte seine Speisekarte auswendig. Aus der Bestellung ergab sich folgendes Menü:

Grüner Salat
Bouneschlupp
Rieslingpaschtéit
Civet de lièvre, façon luxembourgeoise
Quetscheflued mat Vanilleglace

»Er möchte eine Bohnensuppe, dann die Pastete, danach Hasenpfeffer und zum Dessert Zwetschgenkuchen.«

»Er ist ein Tester, ich sag's dir.«

»Oder er hat einfach Hunger und kennt unsere Portionen nicht.«

Kieffer ließ Claudine mit ihren Juliennes alleine und stieg die steile Steintreppe in den Schankraum hinunter. Inzwischen waren noch drei weitere Gäste eingetroffen, ansonsten war das Lokal leer. Er griff nach einer Weinkarte und hielt sie seinem Kellner Jacques fragend hin. Der schüttelte den Kopf.

Kieffer klemmte sich die Karte unter den Arm und ging auf den Tisch des mutmaßlichen Gastrokritikers zu. Der Mann, der an einem Ecktisch auf einer Holzbank saß, hatte zurückgegeltes schwarzes Haar und blickte Kieffer durch eine etwas altmodische braune Hornbrille an. Er mochte um die vierzig sein und trug ein blaues Buttondown-Hemd, ein schokoladenfarbenes Cordjackett sowie eine englische Regimentskrawatte. Ein Franzose, dachte Kieffer, der den englischen Landadeligen mimt? Das kann ja heiter werden.

Weil er sich angesichts dieser Erscheinung ein Grinsen ohnehin nicht verkneifen konnte, setzte Kieffer lieber gleich sein breitestes Chefkochlächeln auf. »Bonsoir, Monsieur. Möchten Sie einen Blick in unsere Weinkarte werfen?«

»Ja, gerne«, sagte der Franzose – in einem Tonfall, der das Gegenteil von Interesse verriet. Er nahm die geöffnete Karte entgegen, schaute gelangweilt auf die aufgeschlagene Seite, um sie dann umgehend zuzuklappen. Er musterte Kieffer. »Was würden *Sie* denn empfehlen?«

»Zu Ihrer Haupt- und Vorspeise würde ein Mosel-Riesling passen, sagen wir, ein Wormeldanger Stiercherg. Zu dem Hasenpfeffer vielleicht ein roter …«

»Was für Spätburgunder haben Sie denn?«, unterbrach ihn der Franzose, der nun, ohne Kieffer eines weiteren Blickes zu würdigen, wieder in der Weinkarte zu blättern begonnen hatte.

»Ich hätte einen Schengener Markusberg.«

»Akzeptabel.«

»Und zum Dessert dann vielleicht eine Mirabelle, Monsieur?«

»Aus welcher Brennerei?«

»Tasselbach, bei Septfontaines, 5000 Flaschen im Jahr, schwer zu bekommen. Meiner Ansicht nach der Beste.«

»Hmmm. Na gut, bringen Sie ihn mal.«

Na gut. Kieffer merkte, wie es in ihm zu brodeln begann. Er besaß ein dickes Fell, und es war nicht einfach, ihn zu beleidigen – außer bei zwei Punkten. Das Erste, was er nicht ausstehen konnte, war ein rüder, herablassender Tonfall. Das Zweite, was ihn auf die Palme brachte, waren Zweifel an der Qualität der von ihm verwendeten Produkte. Er mochte vielleicht nur ein kleines Restaurant betreiben, und seine Speisekarte bestand aus relativ schlichten Klassikern. Aber wenn es etwas gab, worauf er stolz war, dann war es die Auswahl seiner Zutaten.

Kieffer investierte viel Zeit und Energie in entsprechende Recherchen. Dazu gehörten ausgedehnte Streifzüge durch Feinschmeckerregionen wie das Lyonnais oder das Luxemburger Moseltal. Er hatte in seinem Leben sicherlich an die achtzig verschiedene Mirabellenschnäpse probiert, und Tasselbacher war der beste. Der Mann vor ihm hatte schlichtweg keine Ahnung. Kieffer atmete tief durch und sagte: »Mit Vergnügen, Monsieur, vielen Dank.«

Verärgert ging er zurück in seine Küche, um nach dem Hasenpfeffer zu schauen. Falls der Franzose tatsächlich ein Restauranttester sein sollte, dann galt es, ihm ein ordentliches Menü vorzusetzen, auch wenn er ein Gimpel war und ein Unsympath obendrein. Vermutlich traf das ohnehin auf die meisten Tester zu. Kieffer öffnete den Ofen und warf einen Blick auf die casserole, in der die marinierten Hasenstücke zusammen mit Räucherspeck, Perlzwiebeln und Rotwein vor sich hin köchelten. Eigentlich musste er sich wegen des Gastrokritikers keine Sorgen machen. Seine Stammkunden kamen schließlich nicht wegen eines Eintrags im Guide Gabin, und sie würden auch in Zukunft kommen. Aber verärgern wollte er den Kritiker, wenn er schon einmal hier war, deshalb natürlich auch nicht. Da ging es ihm einfach um seine Ehre als Koch.

Selbst wenn der Tester von seinem Huesenziwwi angetan sein sollte, würde das kaum Folgen für das »Eglises« haben. Kieffer war sich völlig im Klaren darüber, dass sein kleines Restaurant es niemals in den Gabin oder den Levoir-Brillet schaffen würde. Er hatte seine Lehre im »Renard Noir« in der Champagne absolviert, einem Ein-Sterne-Restaurant, dessen Chef später sogar einen zweiten Stern ergattert hatte. Deshalb kannte er die Kriterien, die französische Gastroführer anlegten, gut genug, um zu wissen, dass sein Restaurant eigentlich nicht in deren Raster fiel.

Die Befähigung, etwas Köstliches zu kochen, war eine Sache. Aber Sternekoch zu werden war nicht nur eine Frage des Talents. Es setzte vor allem die Fähigkeit voraus, allabendlich ein außergewöhnliches Brimborium zu veranstalten. Edle Einrichtung, teures Geschirr und ein Weinkeller von der Größe der Luxemburger Kasematten waren unumgänglich. Vor dem Essen galt es ausgefallene amuse-gueules zu servieren, zum Kaffee filigrane petits fours. All das war unabdingbar, wenn man einen Gabin-Stern begehrte. Für die notwendigerweise komplexen, vielgängigen Menüs brauchte ein Sterneaspirant zudem eine Armada von sous-chefs, sauciers, pâtissiers und weiteren Postenköchen. Ferner eiserne Disziplin, Organisationstalent und eine autokratische Persönlichkeitsstruktur. Kieffer musste an seinen Lehrmeister denken, den Renard-Chef Paul Boudier. Der Alte war ein fürchterlicher Tyrann. Seinen Mitarbeitern hatte der Franzose immer wieder eingebläut, was er von ihnen erwartete: »Bedingungslos gehorchen sollt ihr, präzise meine Rezepturen befolgen und euch eure eigenen kulinarischen Ideen in den Arsch stecken.«

Das war nichts für Kieffer. Sterneköche konnten sich nicht den halben Abend mit einer Flasche Riesling zu ihren Gästen setzen. Bodenständiges wie Bouneschlupp oder Gromperekichelcher war auch nicht drin. Da kochte Kieffer lieber so, wie er eben kochte, in seinem kleinen Lokal mit einem Dutzend Gerichten auf der Karte, einer Handvoll Mitarbeitern, ganz ohne Sterne oder Häubchen. Aber warum war dieser Gastrokritiker dann hier? Was hatte der Mann bloß in seinem Restaurant verloren?

»Paschtéit fir Désch véier«, rief Claudine und riss Kieffer aus seinen Gedanken. Er nahm den Hasen aus dem Ofen und musterte den Teller, den Claudine an den Pass, den Abnahmeplatz, gestellt hatte. Zwei dünne Scheiben Rieslingspastete in Teigkruste lagen darauf, nebst einer Salatgarnitur und einem ordentlichen Klecks Soße aus pürierten Maronen und Honig. Die Pastete war eine specialité de la maison. Kieffer war ziemlich stolz auf das Rezept, das er selbst immer wieder verfeinert hatte. Er ging zu Claudines Posten, tauchte einen kleinen Löffel in die Maronensoße und probierte noch einmal. Dann nickte er zufrieden und stellte den Teller in den Aufzug.

Gut zehn Minuten später klingelte das Küchentelefon.

»Xavier, er sagt, er möchte ein Päuschen machen, kannst du den Hauptgang schieben?«

»Geht. Mochte er die Pastete?«

»Er hat beide Scheiben aufgegessen und die ganze Soße aufgetunkt.«

Das musste nichts heißen. Soweit Kieffer wusste, waren Gabin-Tester gehalten, die Gänge nicht nur zu probieren, sondern alles komplett aufzuessen. »Was macht er jetzt?«

»Er steht vor dem Lokal, neben seinem Auto, und telefoniert.«

Kieffer stellte den Hasen warm. Er verschob das Andicken der Soße und begann stattdessen automatisch, seinen Posten zu kontrollieren. Zwar erwartete er an diesem Abend kaum Kundschaft, doch das war kein Grund, bei der Organisation seines Arbeitsplatzes nachlässig zu werden.

Wie jeder Profikoch war Kieffer äußerst eigen, was seine mise en place anging. »Es ist dein Werkzeugkasten, es ist das A und O«, hatte ihn Boudier einmal vor versammelter Mannschaft heruntergeputzt, als Kieffers Posten nicht in Ordnung gewesen war. »Wenn er durcheinander ist, kochst du durcheinander.« Boudier hatte natürlich recht gehabt; die mise en place war die Voraussetzung für fast alles andere. Ein hervorragendes médaillon de veau et foie gras au raisin – eines von Kieffers Lieblingsgerichten – zuzubereiten, verlangte neben guten Zutaten nur ein wenig Geduld und eine Prise Talent. Sechzig Portionen davon binnen einer Stunde zu servieren, war ohne perfekte Vorbereitung hingegen unmöglich. Wenn man nicht genau wusste, wo sich welche der benötigten Zutaten befanden, war man in einer Restaurantküche verloren. Spätestens nach der dritten oder vierten Sechsertisch-Bestellung ging dann alles den Bach runter, völlig egal, wie begnadet ein Koch sein mochte.

Das Gleiche galt für Köche, die in der Vorbereitung schluderten und gängige Zutaten nicht in ausreichender Menge vorhielten. Wenn die Bestellungen auf ein Team einprasselten wie Granaten, dann blieb keine Zeit, Gemüse für einen mirepoix zu würfeln oder auf die Schnelle das Rosinensößchen für die Kalbsmedaillons herzustellen. Alles musste schon griffbereit dastehen, portioniert, abgemessen, vorgewürzt, mise en place.

Kieffer überprüfte zunächst seine Schüsseln. Rechts neben seinem Herd standen zwölf quadratische Edelstahlbehälter, parallel in zwei Reihen angeordnet. Sie enthielten grobes und feines Meersalz; schwarzen und weißen Pfeffer; Zucker; tomates concassées; Petersilienchiffonade, süßes Paprikapulver; kleine getrocknete Chilis; karamellisierten Knoblauch; ferner Zitronenschnitze und -zesten. Nachdem er die Metallbehälter kontrolliert hatte, öffnete er sechs Tupperdosen, die neben den Schüsselchen standen. Darin waren frische Kräuterzweige: Lorbeer, Thymian, Rosmarin und Minze, außerdem chapelure und Mehl. Er nickte zufrieden und ließ den Blick über seine Arbeitsfläche streifen. Sie bestand aus zwei Plastikschneidebrettern, die auf feuchten Küchentüchern ruhten, damit sie nicht verrutschten. Daneben lagen drei japanische Edelstahlmesser, ein kleines Schälmesser, ein großes Allzweckküchenmesser sowie ein breitklingiges Santoku. Alle drei hatte Kieffer am Morgen mit einem feuchten Wetzstein geschärft. In der Schublade unter der Arbeitsfläche warteten diverse Fonds, die er gestern in vierstündiger Arbeit hergestellt hatte: heller und dunkler Hühnerfond; zwei Fischfonds, die wie heller und dunkler Wackelpudding aussahen; Kalbs- und Rindsfonds sowie gewürfelte Butter und beurre manié, eine Art halb gefrorene Mehlschwitze, mit der man Soßen andicken konnte. Alles wartete in acht säuberlich mit Deckeln verschlossenen Plastikbehältern auf seinen Einsatz. Nachdem Kieffer zum Schluss noch seine Vorräte an Öl, Essig, Wein und Noilly Prat überprüft und für ausreichend befunden hatte, wandte er sich wieder dem Hauptgang zu. Der französische Engländer hatte nun lange genug pausiert.

Zunächst briet er für die Garnitur einige Pilze in Speck an. Dann holte er die casserole aus dem Ofen. Timing war jetzt wichtig. Sobald er den Bratensaft passiert hatte, würde er Johannisbeergelee, kalte Butter und zerstoßene Lebkuchen hinzufügen. Binnen weniger Sekunden würde die Soße dadurch eine sämige Konsistenz bekommen. Dann musste der Hasenpfeffer schnell auf den Tisch. Just als Kieffer zum Spitzsieb griff, klingelte das Küchentelefon. »Sag mir jetzt nicht, dass die Vier noch länger mit dem Huesenziwwi warten will. Ich bin schon bei der Soße.«

»Vergiss den Hasen. Ich … er …«

»Was ist los, Jacques? Ist er abgehauen?«

»Nein, er ist tot, Xavier.«

Tom Hillenbrand. Rotes Gold. Ein kulinarischer Krimi.
Xavier Kieffers zweiter Fall. KiWi 1262

Seit der Luxemburger Koch Xavier Kieffer mit Frankreichs
berühmtester Gastro-Kritikerin liiert ist, wird er zu den ex-
klusivsten Events eingeladen. Doch das edle Dinner beim
Pariser Bürgermeister endet bereits nach der Vorspeise:
Europas berühmtester Sushi-Koch kippt plötzlich tot um ...

»Tom Hillenbrand regt genussvoll den Appetit der Krimileser an.« *Die Welt*

www.kiwi-verlag.de

Exklusiv als eBook

Tom Hillenbrand. Die Erfindung des Essens. Warum
Karotten orange sind und wieso Napoleon Konser-
vendosen liebte. KiWi eBook extra

Wovon hängt ab, was wir heute essen? Wer bestimmt,
was morgen auf den Tisch kommt? Und woher stammen
unsere Leibspeisen eigentlich? Tom Hillenbrand lädt zu
einer rasanten Reise durch die kulinarische Geschichte
der Welt ein – von den Lagerfeuern vor vielen Tausend
Jahren über die Erfindung des Maises bis zum Hamburger der Zukunft. In diesem Essay zeigt er überraschende
Zusammenhänge auf und schildert auf unterhaltsame
und anregende Weise, was hinter den Gerichten steckt,
die wir täglich essen.

KiWi eBook
extra

www.kiwi-verlag.de

Kiepenheuer
& Witsch